염증성 장질환
감별진단 아틀라스

저　자 Taiji Akamatsu, Yusuke Saitoh, Seiji Shimizu
옮긴이 김경조

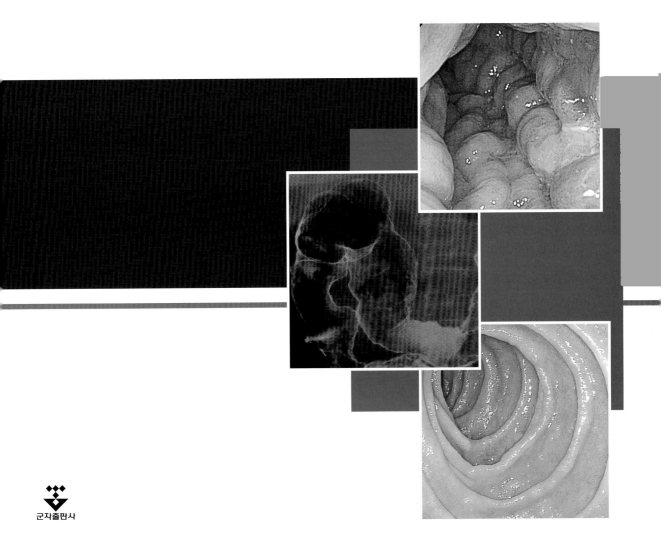

군자출판사

염증성 장질환
감별진단 아틀라스

첫째판 인쇄 | 2015년 4월 28일
첫째판 발행 | 2015년 5월 13일

지 은 이　Taiji Akamatsu(赤松 泰次), Yusuke Saitoh(斉藤 裕輔),
　　　　　Seiji Shimizu(清水 誠治)
옮 긴 이　김경조
발 행 인　장주연
출 판 기 획　김도성
편집디자인　박선미
표지디자인　전선아
발 행 처　군자출판사
　　　　　등록 제4-139호(1991. 6. 24)
　　　　　본사 (110-717) 서울특별시 종로구 창경궁로 117 (인의동 112-1) 동원빌딩 6층
　　　　　전화 (02) 762-9194/5　　팩스 (02) 764-0209
　　　　　홈페이지 | www.koonja.co.kr

Atlas of Inflammatory Bowel Diseases
ⒸTaiji Akamatsu, Yusuke Saitoh, Seiji Shimizu, 2010
Originally Published by Nankodo Co., Ltd., Tokyo, 2010
「本書は南江堂との契約により出版するものである」

ISBN 978-89-6278-946-1

정가 70,000원

저자서문

「염증성 장질환」이라는 용어는 좁은 의미로 궤양성 대장염과 크론병으로 한정되지만, 넓은 의미로 장의 모든 염증성 질환을 포함한다. 본서에서는 넓은 의미의 「염증성 장질환」이라는 용어를 사용하고 있으며, 감염 대장염을 비롯한 여러 염증성 질환과, 염증성 질환과 감별을 요하는 종양성 질환을 대상으로 하고 있다.

「대장의 종양성 병변의 진단이나 치료는 자신이 있는데, 염증성 질환은 어렵습니다」라는 젊은 의사의 말을 흔히 듣게 된다. 종양성 질환은 영상의학 검사나 내시경검사를 정확히 하기만 하면 쉽게 진단을 내릴 수 있고, 생검조직 진단이라는 든든한 「지원군」도 있다. 따라서, 병변을 간과하거나 심달도 진단에 실수만 없다면 일반진료로 충분하며, 치료도 「자를까 말까」로 매우 명쾌하다. 한편, 염증성 질환은 영상의학검사나 내시경검사라는 형태학적 진단뿐 아니라, 임상증상이나 병력의 상세한 청취 외에, 혈액 생화학검사나 세균배양검사라는 임상검사가 진단의 결정권이 되는 경우가 종종 있어서, 종합적으로 진단해야 한다. 염증성 장질환의 생검조직 진단은 종양성 질환에 비해, 확정 진단에 유익한 정보를 주는 경우가 적다. 즉, 질환 전체의 임상적 특징을 잘 이해하고 있지 않으면 진단을 할 수 없고, 증례에 따라서 다양성이 많은 점도 염증성 장질환의 진단을 어렵게 하고 있다. 게다가 염증성 장질환의 치료는 질환에 따라서 여러 갈래로 나뉘므로, 진단을 잘못하면 틀린 치료법을 선택하게 된다. 많은 임상의가 염증성 장질환의 치료가 어렵다고 느끼는 것은 이와 같은 이유 때문이리라 생각한다.

본서는 젊은 의사들이 염증성 장질환에 대한 이해를 깊게 하기 위하여 전문의 선생님들께 의뢰하여 각 질환의 영상의학 소견이나 내시경소견을 제시하였고, 또 각 질환의 임상 특징에 관하여 간결하게 정리하였다. Part I은 궤양성 대장염과 크론병에 관하여 전형적인 증례와 비전형적인 증례를 제시하였다. 염증성 장질환을 진단하는 경우 기본적 스탠스는 우선 궤양성 대장염과 크론병의 가능성을 고려하여 내시경소견을 보는 것이 중요하며, 모두 해당되지 않는 경우에 다른 질환을 고려하는 것이 일반적이다. 따라서, 기본이 되는 궤양성 대장염과 크론병의 영상소견을, 비전형 증례도 포함하여 잘 이해해 두는 것이 중요하다. Part II, III는 감염 대장염과 그 밖의 염증성 질환에 관하여 여러 가지 질환은 아틀라스로 정리하였고, 임상의가 접할 가능성이 있는 질환은 거의 모두 망라하였다. Part IV는 염증성 장질환과 감별을 필요로 하는 대표적인 종양성 질환을 기재하였다. 그리고 Part V는 미란이나 아프타 등의 영상소견의 특징에서 어떻게 염증성 장질환의 감별진단을 진행할 것인가, Part VI는 염증성 장질환의 진단에 필요한 각 검사법의 역할이나 특징을 알기 쉽게 기재하였다. 또 칼럼에서는 염증성 장질환의 진단에 있어서 병력청취나 징후를 숙지해야 하는 중요성과 최근 토픽 등을 기술하였다.

본서가 염증성 장질환의 바이블로서 독자의 일상진료에 도움이 된다면, 편집자로서 기대 이상의 큰 기쁨이라 하겠다.

2010년 9월

赤 松 泰 次
斉 藤 裕 輔
清 水 誠 治

역자서문

「염증성 장질환」이라는 용어는 좁은 의미로 궤양성 대장염과 크론병 만을 일컫지만, 넓은 의미로는 장에 발생하는 모든 염증성 질환을 포함한다. 본서에서는 넓은 의미의 「염증성 장질환」이라는 용어를 사용하였고, 염증성 질환과, 염증성 질환과 감별을 요하는 종양성 질환에 대해 자세하게 기술하였다.

염증성 장질환의 진단이 어려운 이유는 서로 비슷한 내시경소견을 보이더라도 진단에 따라 치료 및 예후는 현저히 다르기 때문이다.

이 책은 염증성 장질환의 전형적인 소견과 비전형적인 소견, 임상양상, 그리고 병리소견을 함께 정리하였고, 감별진단의 팁을 추가하였다.

그리고 질병에 대한 간단 명료하면서도 중요한 내용을 포함하여 실제 임상에서 진료를 하면서 내시경을 시행하는 의사들에게 내시경소견뿐 아니라 질병에 대한 인식도 키워주려고 노력한 것 같다.

한가지 아쉬운 점은 번역서라는 한계로 인해 질병의 역학, 임상양상에 대해서 양질의 국내연구, 국내자료를 자세히 추가하지 못했다는 점이다. 그렇다고 해도 이 책은 여전히 충분한 가치를 지니고 있다고 생각한다.

역자는 바쁜 일과 중에 이 책을 번역하면서 역자의 임상 경험을 정리하는 기회가 되었던 것 같다. 많은 대장내시경을 시행하는 의사들도 본서를 통해서 염증성 장질환의 진단 및 감별진단에 유익한 통찰을 얻을 수 있게 되기를 바란다.

마지막으로 역자를 염증성 장질환이라는 학문의 길로 인도해 주시고 끌어 주신 서울아산병원 양석균교수님과 책을 내기 위해 많이 애써준 군자출판사 여러분께 깊이 감사드린다.

서울아산병원 소화기내과

김경조

집필진

편집

赤松 泰次	Taiji Akamatsu	나가노현립병원기구 스자카(須坂)병원 내시경센터장
斉藤 裕輔	Yusuke Saitoh	아사히카와(旭川)시립병원 소화기병센터장
清水 誠治	Seiji Shimizu	오오사카철도병원 의무부장

집필 (집필순)

斉藤 裕輔	Yusuke Saitoh	아사히카와(旭川)시립병원 소화기병센터장
藤谷 幹浩	Mikihiro Huziya	아사히카와(旭川)의과대학 내과학강좌 소화기 · 혈액종양 제어내과학분야 준교수
岩男 泰	Yasushi Iwao	게이오(慶應)의숙대학의학부 내시경센터강사
松井 敏幸	Toshiyuki Matsui	후쿠오카대학 치쿠시(筑紫)병원 소화기과 교수
桑山 泰治	Yasuharu Kuwayama	도쿠시마(德島)적십자병원 내과
堀田 欣一	Kinichi Hotta	사쿠(佐久)종합병원 위장과 의장
中村昌太郎	Shotaro Nakamura	큐슈대학대학원 의학연구원 병태기능내과학 강사
松本 圭之	Takayuki Matsumoto	큐슈대학대학원 의학연구원 병태기능내과학 강사
奥山 祐右	Yusuke Okuyama	교토 제1적십자병원 소화기과 부부장
滋野 俊	Takashi shigeno	국립병원기구 나가노병원 소화기과 의장
堀木 紀行	Noriyuki Horiki	미에(三重)대학의학부 부속병원 광학의료진료부 부장
中村 志郎	shiro Nakamura	효고(兵庫)의과대학 내과학 하부소화관과 준교수
細見 周平	Syuhei Hosomi	오오사카시립대학대학원 의학연구과 소화기내과
渡辺 憲治	Kenzi Watanabe	오오사카시립대학대학원 의학연구과 소화기내과 강사
大川 清孝	Kiyotaka Okawa	오오사카시립 스미요시(住吉)시민병원 원장
佐野 弘治	Kozi Sano	오오사카시립 종합의료센터 소화기내과 부부장
佐田 美和	Miwa Sada	기타사토(北里)대학 동병원 소화기내과 강사
小林 清典	Kiyonori Kobayashi	기타사토(北里)대학 동병원 소화기내과 강사
池谷賢太郎	Kentaro Ikeya	후지에다(藤枝)시립종합병원 소화기과 의장
水野 滋章	Shigeaki Mizuno	일본대학 의학부 소화기 간장내과 준교수
加藤 公敏	Kimitoshi Kato	일본대학 의학부부속 네리마 히카리가오카(練馬光が丘)병원 소화기 간장내과 준교수

高田眞理子	Mariko Takada	고베(神戸)시립의료센터 서시민병원 소화기내과 부의장
河南 智晴	Chiharu Kawanami	오오츠(大津)적십자병원 소화기내과 부장
上田　涉	Wataru Ueda	오오사카시립 십삼시민병원 소화기내과 부부장
渡　二郎	Ziro Watari	효고(兵庫)의과대학 내과학 상부소화관과 준교수
太田 智之	Tonoyuki Ota	삿포로 히가시도쿠슈카이(東德洲會)병원 소화기센터장
梁井 俊一	Shunchi Yanai	큐슈대학대학원 의학원구원 병태기능내과학
小林 廣幸	Hiroyuki Kobayashi	후쿠오카 산노병원 소화기내과 부장
渕上 忠彦	Tadahiko Huchigami	마쯔야마(松山)적십자병원 원장
富永 素矢	Motoya Tominaka	아사히가와시립병원 소화기병센터 의장
前畠 裕司	Yuzi Maehata	큐슈대학대학원 의학연구원 병태기능내과학
堺　勇二	Yuzi Sakai	마쯔야마적십자병원 위장센터 부장
藏原 晃一	Koichi Kurahara	마쯔야마적십자병원 위장센터 부장
平田 一郎	Ichiro Hirata	후지타(藤田)보건위생대학 의학부 소화관내과학강좌 교수
上野 義隆	Yoshitaka Ueno	히로시마대학병원 내시경진료과 진료강사
田中 信治	Shinzi Tanaka	히로시마대학병원 내시경진료과 교수
清水 誠治	Seizi Shimizu	오오사카철도병원 의무부장
村野 實之	Mitsuyuki Murano	오오사카의과대학 제2내과 강사
江口 洋之	Hiroyuki Eguchi	사이세이카이(濟生會) 구마모토(熊本)병원 소화기병센터 의장
多田 修治	Shuzi Tada	사이세이카이(濟生會) 구마모토(熊本)병원 소화기병센터 부장
梅野 淳嗣	Zunzi Umeno	큐슈대학대학원 의학연구원 병태기능내과학
赤松 泰次	Taizi Akamatsu	나가노현립병원기구 스자카(須坂)병원 내시경센터장
辻川 知之	Tomoyuki Tsuzikawa	시가(滋賀)의과대학 소화기내과 강사
中村　直	Naoshi Nakamura	마루노우치병원 소화기내과 진료부장
平井 郁仁	Humihito Hirai	후쿠오카대학 치쿠시(筑紫)병원 소화기과 강사
有田 桂子	Keoko Arita	쿠루메(久留米)대학 의학부 의학과 내과학강좌 소화기내과부문
鶴田　修	Osamu Tsuruta	쿠루메(久留米)대학 의학부 소화기병센터 교수
大井 秀久	Hidehisa Oi	지아이카이(慈愛會) 이마무라(今村)병원 소화기내과 주임부장
五十嵐正廣	Masahiro Igarashi	간켄아리아케(癌研有名)병원 내시경진료부 부장
石川 千里	Chisato Ishikawa	아사히카와(旭川)의과대학 내과학강좌 소화기 · 혈액종양 제어내과학분야
坂本 輝彦	Teruhiko Sakamoto	도쿄여자의과대학 동의료센터 검사과 준교수
加藤 博之	Hiroyuki Katoh	도쿄여자의과대학 동의료센터 검사과 교수
八尾 隆史	Takashi Yao	쥰텐도(順天堂)대학의학부 인체병리병태학 교수
川上 由行	Yoshiyuki Kawakami	신슈(信州)대학대학원 의학계 연구과 보건학전공 의료생명과학분야 교수
吉野 修郎	Shuro Yoshino	후쿠오카적십자병원 소화기내과

차례

Contents

COLUMN 염증성 장질환의 감별진단에서의 돌파구

PART I

궤양성 대장염, 크론병

01 궤양성 대장염의 전형 증례와 비전형 증례

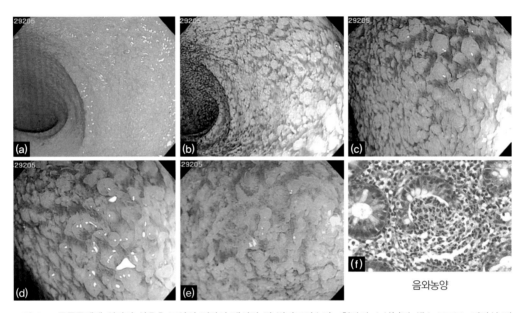

음와농양

그림 1 · **중등증례에 있어서 산호초 모양의 점막의 내시경 및 병리조직소견** 혈관의 소실(a)과 색소 도포로, 미만성 점막의 요철과 궤양을 보인다(b). 확대관찰로 산호초 모양의 점막의 요철과 궤양을 보인다(c~e). 병리학적으로는 음와농양 (crypt abscess)을 보인다(f).

질 | 환 | 개 | 념

✓ 궤양성 대장염(ulcerative colitis : UC)은 "주로 점막을 침습하여 종종 미란이나 궤양을 형성하는 대장의 미만성 비특이성 염증"이라고 정의한다.

✓ 통상, 직장에서 연속성, 미만성으로 미란, 궤양, 부종, 출혈, 염증폴립 등을 형성한다.

✓ 임상적으로 점액성 혈변을 주증상으로 하며, 다양한 정도의 전신증상을 나타낸다. 대부분의 증례에서 재발을 반복한다. 궤양성 대장염에서는 점액성 혈변을 대부분 동반하며, 경과 중에 점액성 혈변이 확인되지 않는 예에서는 궤양성 대장염의 가능성이 상당히 낮다[1].

✓ 호발연령은 10대 후반~20대가 1/3을 차지하며, 40대까지가 2/3를 차지하는데, 50대의 중고령층에서도 발생 빈도가 많아서 모든 연령층에서 볼 수 있다. 발병률에 남녀 비의 차이는 없다.

✓ 1991년 연간발병률은 일본에서는 인구 10만명당 1.95명이며, 영국, 미국, 덴마크 등에서 1/5~1/10로 추정되지만 그 후, 일본에서도 환자수의 증가가 현저하여, 1997년에는 10만명당 7.39명, 2003년 현재 일본에는 약 80,000명의 추정환자가 있다.

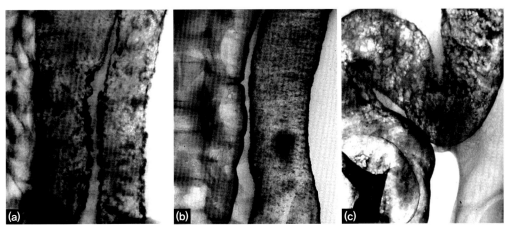

그림 2 · **궤양성 대장염의 이중조영바륨관장술** (a) 중증, 칼라단추모양. (b) 중등증, 팽기추벽의 소실(연관상 소견). (c) 염증폴립증

침범범위에 따라서 직장염, 좌측대장염, 병변범위가 횡행결장 중앙에서 구측에 미치는 광범위대장염형으로 분류되며 임상경과에 따라서 첫 회 발작형(18~20%), 재발완화형(50~60%), 6개월 이상 활동기가 계속되는 만성지속형(10~20%)과 예후가 불량한 급성 전격형으로 분류된다. 또 중증도에 따라서 경증, 중등증, 중증의 3단계로 분류된다.

A | 이중조영바륨관장술

그림 2는 중증도에 따른 전형적인 이중조영바륨관장술 소견이다.

중증례에서는 칼라버튼 궤양(collar button niche)으로 표현되는 측면궤양이 관찰된다(그림 2a).

중등증에서는 팽기추벽의 소실과 미만성의 얕은 궤양, 측면상에서 극상의 소니세(spicuration)가 확인된다(그림 2b).

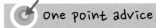 **one point advice**

● 중증례에서는 프로드니솔론 60 mg을 첨가한 50%의 희석바륨을 사용하여 충만영상만을 촬영하고 병변의 범위를 진단한다.

B | 내시경검사 소견 및 병리조직소견(전형상)

❶ 활동기

중증례에서는 polypoid mucosal tag라 불리는, 넓은 궤양에 폴립모양으로 탈락하지 않고 남은 점막이 관찰된다(그림 3).

중등증례에서는 산호초 모양의 점막(coral reef-like appearance)이라 불리는, 궤양성

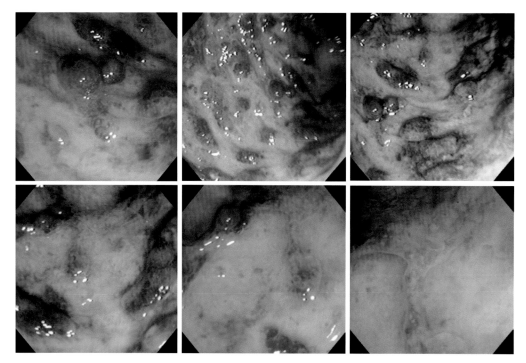

그림 3 · 중증례에서 관찰되는 polypoid mucosal tag의 확대내시경 소견

대장염의 전형 증례를 나타낸다. 혈관상의 소실과 미만성 궤양과 잔존점막에 의한 요철의 불규칙, 취약성, 점막고름의 부착이 보인다(그림 1). 병리학적으로는 음와농양(crypt abscess)이 보인다(그림 1f).

ㆍ 경증이나 치료로 점막이 치유되면, 궤양은 상피화가 진행되고, 미세한 상피결손(minute defects of epithelia)이라 불리는 작은 궤양뿐인 소견을 나타낸다. 혈관상은 소실된 상태이다(그림 4). 병리학적으로는 음와염(cryptitis)이 보인다(그림 4)[2].

❷ 관해기

ㆍ 관해기 초기의 점막에는 소장섬모상 점막(villi-like appearance)이 확인된다. 병리학적으로도 소장섬모상의 재생성 변화가 관찰된다(그림 5).

ㆍ 관해기 점막에는 확대소견에서 비로소 가능한 형태의 다소 불규칙한 정상 선관개구부의 소견이 확인된다. 위에서 기술한 소장섬모상 점막의 높이가 낮아지고 정상 점막으로 회복되는 상이다(그림 6). 병리학적으로도 염증이 거의 확인되지 않는 정상 점막이다[2].

ㆍ 재발과 완화를 반복하는 예에서는 관해기 점막에서 위축성 점막이 확인된다. 백색광과 협대역영상내시경(narrow band imaging) 소견(그림 7).

❸ 초기병변

ㆍ 궤양성 대장염의 활동점막의 초기병변으로 작은 황색반점(small yellowish spots)이 보인다(그림 6). 병리학적으로는 음와염과 마찬가지로 음와수선관(陰窩數腺管)의 파

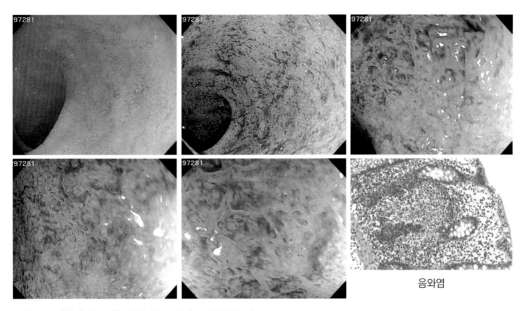

음와염

그림 4 · **경증에서 미세한 상피결손의 내시경 및 병리소견**

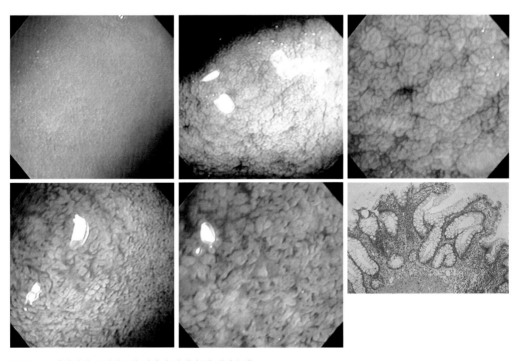

그림 5 · **관해기의 소장섬모상 점막의 내시경 및 병리소견**

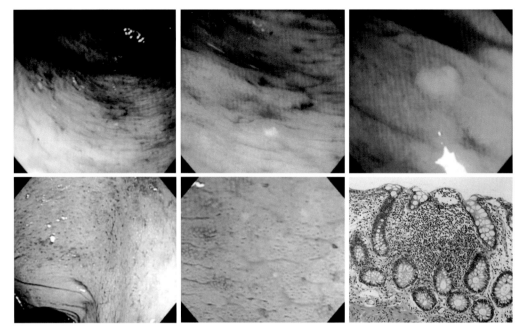

그림 6 · 초기 병변인 작은 황색반의 내시경 및 병리소견

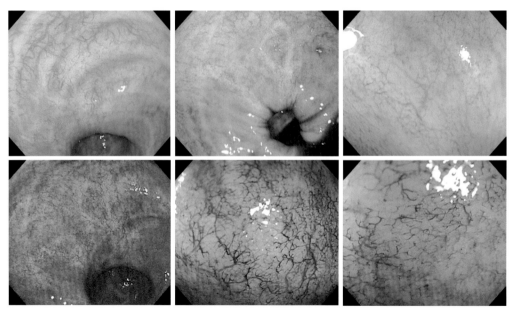

그림 7 · 관해기에 확인되는 대장의 위축성 점막

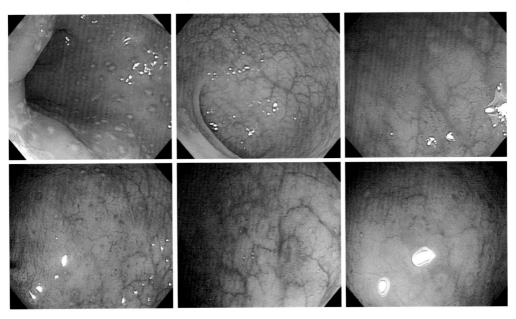

그림 8 · 초기 병변인 림프여포염

괴상과 백혈구 침윤이 확인된다(그림 6). 경증부나 경계부, 염증의 근위부에 건너뛰기 병변이 관찰되기도 한다[3].

궤양성 대장염의 초기병변으로서, 림프소포 직장염(lymphoid follicular proctitis : LFP)이 확인되기도 한다(그림 8). 본 소견은 궤양성 대장염의 치료시 잘 반응한다[4].

감별진단의 포인트

▶ 내시경검사 : 활동기에는 질병 상태을 악화시키지 않기 위해서 전처치는 하지 않고 검사한다. 무리한 심부 삽입을 하지 않는다.
▶ 첫 진단인 경우는 감염 대장염을 배제하기 위하여 반드시 대장액을 채취하여, 세균배양을 하고, 감염 대장염을 배제한다.
▶ 중증례에서는 천공을 방지하기 위하여 근층이 두꺼운 휴스턴판 부위에서 생검을 한다.

C | 내시경검사 소견 및 병리소견(비전형상)

직장염, 좌측대장염에서는 충수개구부 부근에 건너뛰기 병변을 동반하는 경우가 있다(30% 정도)(그림 9).

스테로이드 저항성이나 갑자기 상승하는 발열, 내시경검사에서 부정형의 깊은 궤양을 보이는 경우(그림 10), 거대세포바이러스(cytomegalovirus : CMV) 대장염의 합병도 고려한다(스테로이드 저항성 환자의 약 30%).

하행결장, 구불결장에서 세로궤양을 보이는 증례가 20% 정도인데(그림 11), 허혈 변화의 합병으로 중증화나 근위부로 진행하기 쉽다.

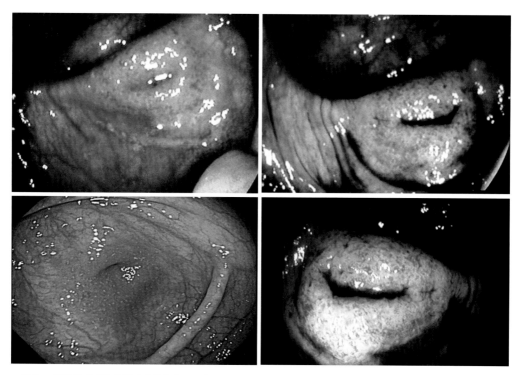

그림 9 • 궤양성 대장염에 있어서 충수개구부에서 관찰되는 활동성 병변   직장염 환자에서 충수개구부에 건너뛰기 병변

감별진단의 포인트

▶ 거대세포바이러스 감염이 의심스러운 경우, 궤양의 바닥이나 궤양의 가장자리점막에서 생검하고, 병리의에게 거대세포바이러스 감염증의 가능성을 전달하며, 핵내봉입체의 검색이나 효소항체법으로 CMV를 검출한다. 또 PCR법 또는 in situ hybridization에 의한 생검조직의 거대세포바이러스 DNA의 검출, C7-HRP를 이용한 항원혈증(antigenemia)을 검사한다.

▶ 궤양성 대장염에서 보이는 허혈 변화는 세로궤양의 주위점막에서 궤양성 대장염의 소견을 확인함으로써 통상의 허혈 대장염과 감별이 가능하다.

D | 감별질환

✓ 본증에 특이적인 임상·병리소견은 없으며, 진단에서는 다른 질환의 가능성을 배제하는 것이 중요하다. 그림 12는 진단의 순서도이다.

✓ 감염 대장염(세균이질, 아메바 대장염, 살모넬라 장염, 캄필로박터 대장염, 장결핵 등) : 장액이나 분변, 생검조직의 배양이나 DNA probe 등 세균학 검사로 배제한다.

✓ 크론병, 방사선 대장염, 약제유발 대장염, 림프소포 직장염, 허혈 대장염, 베체트 장염 등 : 병력, 영상·생검소견 등으로 감별(각각의 항 참조).

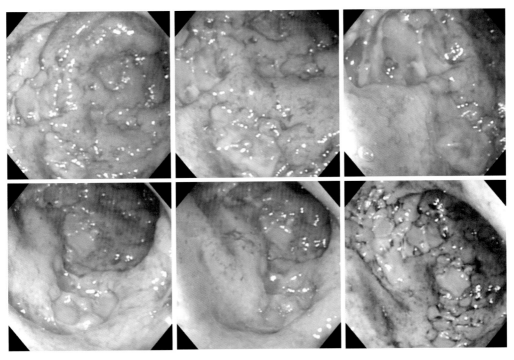

그림 10 · 궤양성 대장염에 합병된 거대세포바이러스 대장염

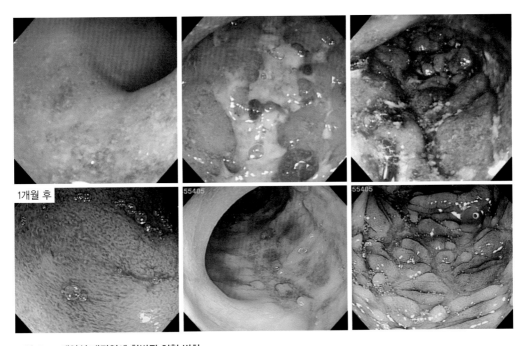

그림 11 · 궤양성 대장염에 합병된 허혈 변화

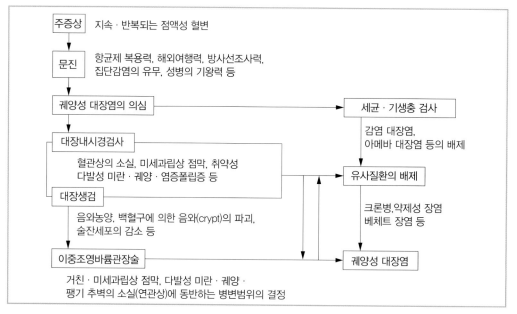

그림 12 · **궤양성 대장염 진단의 순서도**

표 1 **궤양성 대장염 진단과 감별이 필요한 염증성 장질환**

	질환명	호발부위	내시경적 특징	진단
감별이 필요한 질환	캄필로박터 대장염	직장~구불 결장에 주로 침범 전 대장	미란(경증 UC와 유사) 회맹판의 넓은 궤양	대변배양 검사 닭고기 섭취의 기왕력
	살모넬라 장염	직장침범이 드물다. 말단회장, 구불결장, 하행결장	미란~깊은 궤양	대변배양 검사 닭고기 섭취의 기왕력
	세균이질	직장~구불결장에 주로 침범 전 대장	미란, 궤양	대변배양 검사
	아메바 대장염	직장 · 맹장	낙지빨판 같은 소견 주위에 붉은 색의 궤양	대변검사, 생검 혈청항체
	거대세포바이러스 대장염	전 대장	깊은 궤양, 소미란 종주궤양, 전주성 궤양	생검으로 봉입체확인 항원혈증
특히 감별이 필요한 질환	위막성 대장염	직장 전 대장	백태	Clostridium difficile 독소 검사 혐기성 배양
	항생제 관련 대장염	직장 정상 근위부 대장	선홍색 점막, 미란	항균제 복용력 (특히 페니실린)
	크론병	소장, 우측결장	세로궤양, 아프타, 조약돌 점막상	샘검에서 육아종
	림프소포 직장염	직장, 말단회장, 전 대장	다발성의 소융기	샘검에서 림프여포
	방사선 직장염	직장	모세혈관 확장, 취약성 부정형 궤양, 누공	방사선조사의 기왕력

감별진단의 포인트

▶ 궤양성 대장염으로 오진하기 쉬운 다른 염증성 장질환의 감별에 관하여 표 1에 기재하였다.

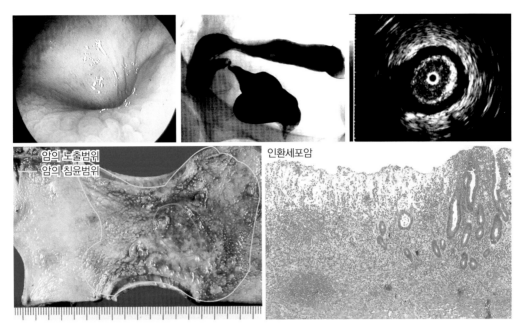

암의 노출범위
암의 침윤범위
인환세포암

그림 13 • 궤양성 대장염의 장기 경과례에 합병한 대장암 (36세 여성, 증상의 발생부터 19년)

E | 궤양성 대장염에 합병하는 대장암(colitic cancer), 이형성(dyspplasia)의 진단

- 궤양성 대장염 전체에서의 빈도 : 약 3.7%로 궤양성 대장염환자의 사망원인의 1/3에 해당한다. 대장암 발생의 빈도는 10년에 2%, 20년에 9%, 30년에 19%이다.

- 궤양성 대장염 합병암의 위험인자는 ① 유병기간이 8~10년 이상 ② 광범위대장염형, 만성지속형 ③ 원발성 경화성 담관염의 합병(한국이나 일본에서는 드물다) ④ 대장암의 가족력 ⑤ 어린시절에 발병한 궤양성 대장염 등이다.

- 궤양성 대장염 합병암의 조기발견을 위해서는 ① 감시 대장내시경검사 ② 표적생검('무작위 생검'과 비교하여 적극적으로 연구 중) ③ 고도 이형성에는 대장전절제술을 시행한다. ④ 융기형 저도 이형성(low-grade dysplasia)은 내시경 절제를 시도할 수 있다.

- 궤양성 대장염에 합병하는 조기암, 이형성의 특징은 ① 직장, 구불결장에서 빈도가 높다. ② 발적, 과립상 또는 섬모상 점막(융기형), 혈관상을 동반하지 않는 과립상·섬모상 점막(평탄형)[5].

- 궤양성 대장염의 장기 경과례에서 발생한 진행암에 관하여 그림 13에 나타냈다. 증상 발생 후 19년째인 환자에게 협착의 진행을 확인하고 수술을 시행하였다. 암의 점막노출부와 비교하여 점막하층 이하에서 침윤이 현저하며 조직형은 통상의 대장암에서는 드문 인환세포암이었다.

- 궤양성 대장염의 장기 경과례에 합병한 DALM(dysplasia-associated lesion or mass)에 관하여 그림 14에 나타냈다.

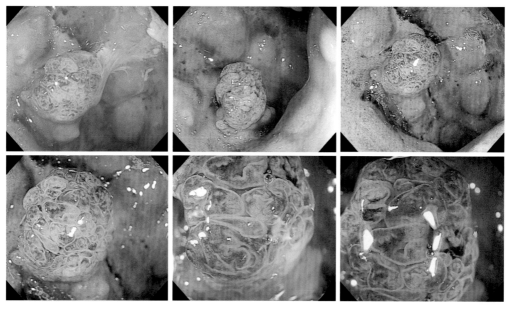

그림 14 • 궤양성 대장염의 장기 경과례에 합병하는 DALM

감별진단의 포인트

▶ 활동기에 평가는 부적합하며 관해기에 검사가 바람직하다.
▶ 내시경검사에서 정상 점막에서도 이형성이 검출되는 수가 있으므로 주의를 요한다.
▶ 확대관찰에서 이형성은 IIIs, III$_L$, IV형 피트를 나타내며, 암은 III$_L$, IV형 피트를 나타내는 수가 많다. 산재성 암, 선종과 비교하여 궤양성 대장염 합병암, 이형성에서는 피트의 밀도가 성글다[5].
▶ 암에서는 p53은 미만성으로, 이형성에서는 성글게 염색된다.

문헌

1) 樋渡信夫：潰瘍性大腸炎診斷基準改定案. 厚生省特定疾患難治性炎症性腸疾患調査研究班平成 10 年度研究報告書, 1998
2) Fujiya M et al：Minute findings by magnifying colonoscopy are useful for the evaluation of ulcerative colitis. Gastrointest Endosc **56**：535-542, 2002
3) 斉藤裕輔：潰瘍性大腸炎の粘膜微細所見の拡大内視鏡的・病理組織学的および粘液組織化学的研究. Gastroenterol Endosc **36**：263-273, 1994
4) 松本主之ほか：Crohn 病と潰瘍性大腸炎における大腸初期病変の比較. 胃と腸 **40**：885-894, 2005
5) 岩男　泰ほか：Colitic cancer/dysplasia の画像診断—拡大内視鏡を中心に. 胃と腸 **43**：1303-1324, 2008

크론병의 전형 증례와 비전형 증례

02 Chapter

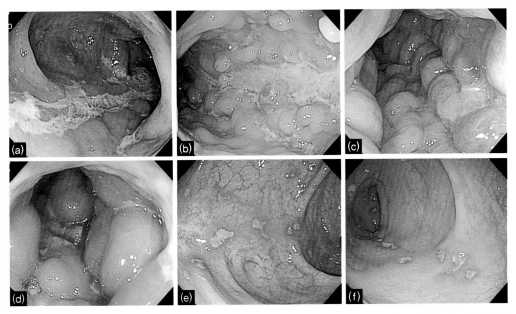

그림 1 • **크론병의 전형적인 소견** (a, b) 세로궤양. 장관의 장축을 따라서 주행하는 긴 궤양을 보인다. (c, d) 조약돌 점막상, 둥근 조약돌 모양의 융기를 깔아놓은 듯한 소견을 보인다. (e, f) 세로로 배열하는 소궤양

질 | 환 | 개 | 념

- 크론병은 젊은 나이에 호발하며 복통, 설사, 발열, 체중감소를 주증상으로 하는 소화관의 난치성 만성 염증성질환이다.

- 1932년에 국한성 회장염으로 보고되었지만, 현재는 구강에서 항문까지 전 소화관에 병변을 일으킨다고 밝혀졌다. 소장, 대장, 특히 회맹부에 호발한다.

- 소화관점막에는 부종, 미란, 궤양이 분절성, 비연속성으로 발생하며, 전층성 염증과 함께 협착, 누공, 농양 형성 등이 높은 비율로 합병된다.

- 병인은 불분명하지만, 유전적 인자, 환경 인자(바이러스나 세균 등의 미생물감염, 장내 세균총의 변화, 식이성 항원 등), 면역계의 이상반응 등이 복합적으로 관여하여 발병하는 질환이다.

- 진단은 내시경검사, 영상소견, 병리소견 등을 종합하여 결정한다. 후생노동성 조사연구반에 의한 진단기준(안)[1)]에서는 전형적 및 특징적 소견인 ① 세로궤양(그림 1a, b) ② 조약돌 점막상(그림 1c, d) 및 ③ 비건락성 유상피육아종을 주소견으로 하며 1) 광

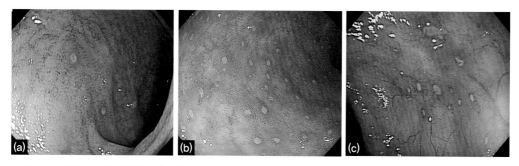

그림 2 • **크론병의 초기 병변(아프타)**　(a) 소장의 아프타. 말단회장에 작은 아프타가 산재해 있다. (b) 대장의 아프타. 구불결장에 다발성 아프타가 산재해 있다. (c) 대장의 아프타. 다소 —크기가 큰 아프타 및 아프타성 소궤양이 다수 산재해 있다.

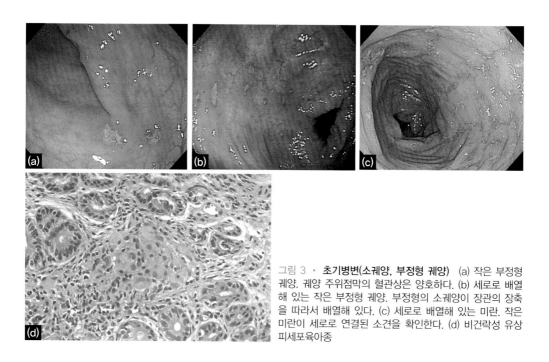

그림 3 • **초기병변(소궤양, 부정형 궤양)**　(a) 작은 부정형 궤양. 궤양 주위점막의 혈관상은 양호하다. (b) 세로로 배열해 있는 작은 부정형 궤양. 부정형의 소궤양이 장관의 장축을 따라서 배열해 있다. (c) 세로로 배열해 있는 미란. 작은 미란이 세로로 연결된 소견을 확인한다. (d) 비건락성 유상피세포육아종

범위한 소화관에서 확인되는 부정형~유원형 궤양 또는 아프타, 2) 특징적인 항문병변, 3) 특징적인 위·십이지장병변의 세 가지 항목이 부소견이다. 부소견 뿐인 경우에도 소궤양이나 아프타가 세로로 배열해 있는 소견(그림 1e, f)은 크론병에서 특징적인 소견이다.

A | 초기병변

- ✓ 초기병변으로 아프타(그림 2)나 작은 부정형 궤양(그림 3)이 있으며 아프타, 작은 부정형 궤양을 거쳐 세로궤양으로의 진전된 증례 보고가 있다.

- ✓ 아프타 그 자체는 감염 대장염 등에서도 확인되므로 반드시 크론병에 특이적인 것은 아니다. 직장·구불결장에서 볼 수 있는 경우가 많다.

- ✓ 크론병에서 볼 수 있는 작은 궤양의 특징은 주위의 점막이 정상인 고립성 궤양(dis-

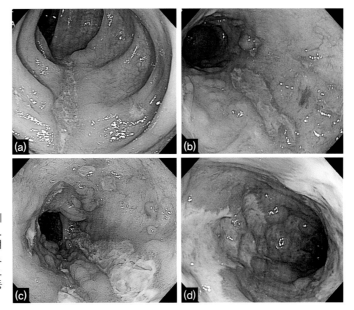

그림 4 • **세로궤양** (a, b) 장관의 세로방향으로 주행하는 궤양이 보인다. (c) 긴 세로궤양 및 소궤양이 보이며 궤양 사이는 부종으로 융기되어 있다. (d) 폭이 넓고 긴 세로궤양을 확인한다. 궤양의 가장자리점막은 부종상으로 둥근 융기도 보인다.

crete ulcer)이다.

✓ 아프타나 작은 미란·궤양이 세로방향을 따라서 배열하는 소견(그림 3b, c)이나 상부 소화관을 포함하여 광범위하게 존재하는 경우는 크론병을 의심해야 한다(현행 진단 기준의 부소견에 의한 의증례). 비건락성 유상피세포육아종(그림 3d)이 검출되면 확정 진단할 수 있다.

🔍 **감별진단의 포인트**

▶ 아프타나 작은 궤양 등의 초기병변뿐인 경우에는 감염 대장염 등 타질환과 감별해야 하며, 비건락성 유상피세포육아종의 검출이 진단의 열쇠가 된다.
▶ 감염 대장염의 아프타에서 보이는 발적은 심하지만, 크론병에서는 발적이 없거나 있어도 비교적 옅은 경우가 많다.
▶ 세로 길이의 형태나 세로로 배열 경향 등, 병변이 장관의 장축에 대해서 세로 요소가 있으면 크론병일 가능성이 커진다.
▶ 비건락성 유상피세포육아종의 검출률을 높이기 위해서는 가능한 여러 개의 연속절편을 제작한다.

B | 세로궤양

✓ 장관의 장축방향으로 주행하는 궤양이며, 본증의 가장 특징적인 소견이다.

✓ 소장에서는 장간막측에 편측성으로 한 줄인 경우가 많지만, 대장에서는 다발성으로 여러 줄이 보이는 경우가 많다.

✓ 진단기준에서는 길이가 4~5 cm 이상인 궤양이라고 정의되어 있지만, 작은 궤양이 세로로 연결된 것에서부터 깊고 폭넓은 띠모양인 것까지 그 길이나 폭이 다양하다(그림 4).

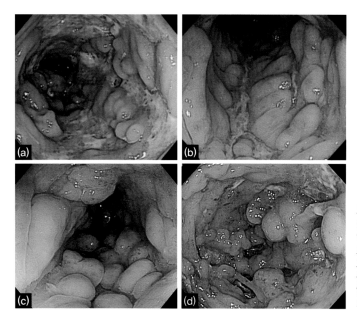

그림 5 · **조약돌 점막상** (a, b) 세로궤양의 가장자리점막 사이에 둥근 조약돌 모양의 융기성 병변이 다발성으로 배열해있다. 융기의 표면은 윤이 나고 매끄럽다. (c) 둥근 조약돌 모양의 융기가 조밀하게 배열되어 있으며, 궤양은 관찰되지 않는다. (d) 관강이 좁아져 구측은 관찰할 수 없다.

감별진단의 포인트

▶ 허혈 대장염이나 궤양성 대장염의 활동기에도 세로궤양이 확인되므로 감별이 필요하다.

▶ 궤양 사이에 정상 점막이 존재하는 고립성 궤양의 성질이 있으며, 변연이 둥근 조약돌 모양의 융기는 크론병에서 특징적인 소견이다.

▶ 허혈 대장염의 세로궤양은 하행결장을 중심으로 좌측결장에 많으며, 궤양 주위에 점막내의 출혈 · 울혈을 시사하는 심한 발적이 있다. 특히 주병변의 구측 끝, 항문측 끝을 관찰하면 쉽게 알 수 있다. 궤양의 가장자리점막에 조약돌 모양의 융기나 염증폴립을 동반하는 경우는 없다.

▶ 궤양성 대장염에서 보이는 세로궤양은 미만성 염증과 함께 발생하는 것으로, 주위 점막, 궤양 사이의 점막에서 심한 염증소견을 보인다. 치유기에는 염증폴립을 남기는 수도 있어 감별이 어려운 경우도 있다.

C │ 조약돌 점막상(敷石像)

✓ 궤양 사이의 점막이 둥근 조약돌 모양으로 다발성으로 융기되어 조약돌을 깔아 놓은 보도처럼 보인다는 점에서 조약돌 점막상(cobblestone appearance)이라고 한다(그림 5).

✓ 융기의 표면은 비교적 매끈하고 윤이 나며, 발적 등 점막면의 염증소견이 가벼운 경우가 많다.

✓ 조약돌 점막상은 진행상, 완성상이기도 하며, 관강의 협소화나 협착을 동반하는 경우가 대부분이다(그림 5c, d). 부위는 상행결장 등 우측결장에 보이는 경우가 많다.

✓ 다발성 세로궤양과 가로로 배열하는 소궤양으로 구획지어 발생한다고 하지만, 가로로 배열하는 궤양이 확인되지 않는 경우도 많다. 세로궤양 사이, 변연이 둥글게 조약돌 모양으로 융기되고 모여서 형성되는 소견이다.

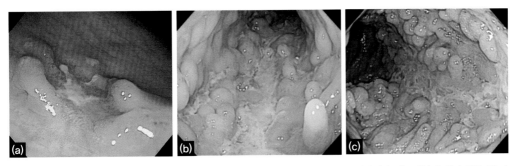

그림 6 · **조약돌 모양의 융기**   (a) 작은궤양의 변연에 둥글고 윤이 나는 융기를 보인다. (b) 세로궤양의 사이 점막 및 가장자리점막에 조약돌 모양의 융기가 다발성으로 관찰된다. 융기 사이의 잘록함은 궤양이 아니다. (c) 소장(결장 아전절제술 후)에서 본 세로궤양과 주위의 조약돌 모양의 융기

감별진단의 포인트

▶ 궤양성 대장염이나 장결핵에서도 조약돌 점막상과 유사한 소견이 보이기도 한다.
▶ 궤양성 대장염에서 볼 수 있는 조약돌 점막상 모양의 변화는 궤양 사이에 염증 점막이 남겨져서 생긴 것으로, 융기의 표면에는 염증이 있으며, 발적이나 과립상 변화가 보인다. 염증이 치유된 후에 구역성 염증폴립증의 형태를 취하는 경우에는 감별이 어려운 경우가 있다.
▶ 장결핵에서는 염증폴립이 밀집하는 경우가 적으며 점막위축의 존재, 가로궤양, 또는 가로로 배열하는 궤양의 형태 등이 크론병과의 감별점이 된다. 궤양의 가장자리점막의 둥근 돌 모양·조약돌 모양의 융기는 통상 보이지 않는다.

D | 조약돌 모양의 융기

궤양의 가장자리점막이 둥글게 조약돌 모양으로 융기되는 소견(그림 6a)은 크론병의 특징이다[2].

조약돌 모양의 융기는 점막하층의 부종이나 염증세포 침윤에 의해서 융기된 것으로, 세로궤양을 따라서 세로방향으로 배열되면 염주모양으로 보인다(그림 6b). 조약돌 모양의 융기 사이의 오목함은 반드시 궤양은 아니다.

조약돌 모양의 융기가 다발성으로 밀집됨으로써 조약돌 점막상이 형성된다(그림 6b, c).

E | 염증호전기 · 치유상

관해기·치유기에는 아프타나 얕은 미란성의 변화, 작은 궤양 등이 완전히 상피화되어 소실되지만, 깊은 궤양에서는 섬유화를 동반하여 반흔을 남긴다(그림 7a).

조약돌 점막상이나 궤양의 가장자리점막의 조약돌 모양의 융기도 평탄화되어 눈에 띄지 않게 되지만, 작은 폴립모양으로 남는 경우도 많다(그림 7a).

다발성 궤양 반흔에 의해서 가성 게실 모양의 소견(그림 7b)이나 반흔에 의한 수축으로 관강의 협착이 보인다.

염증폴립이 늘어선 폴립증의 양상을 나타내기도 한다(그림 7c).

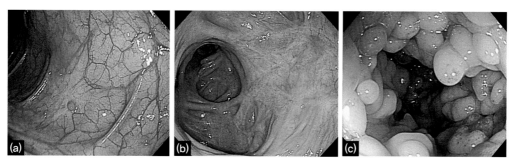

그림 7 · **염증소실기 · 치유기** (a) 백색의 궤양 반흔과 변연에 염증폴립을 보인다. (b) 다발성의 궤양 반흔과 가성 게실이 관찰됨. (c) 폴립이 밀집되고 늘어서서 염증폴립증 소견을 나타내고 있다.

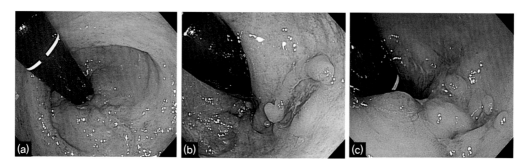

그림 8 · **항문 · 직장병변** (a, b, c) 치상선(齒狀線) 부근의 부정형 궤양. 상세한 관찰을 위해 내시경의 반전이 필요하다. 치루의 개구부를 관찰할 수 있다(c).

F | 항문 · 직장병변

- 조약돌 점막상이나 궤양의 가장자리점막의 조약돌 모양의 융기도 평탄화되어 눈에 띄지 않지만, 작은 폴립모양으로 남는 경우도 많다(그림 7a).

- 크론병에서는 치루, 항문주위농양 등 항문부 병변이 높은 비율로 동반된다. 복잡치루나 공동을 형성할 정도로 깊은 궤양(cavitating ulcer) 등 난치성 항문병변은 Crohn's anus라고도 하며, 진단기준의 부소견으로 분류되어 있다.

- 치상선 근방의 병변을 관찰하는 데는 내시경의 반전조작이 필요하다(그림 8). 치루 개구부를 확인할 수 있다(그림 7c).

G | 비전형병변

- 크론병의 특징은 비연속, 편측성 병변이지만 연속성, 미만성으로 전주성 병변을 나타내는 경우에는 궤양성 대장염과의 감별이 필요하다.

- 언뜻 보기에 미만성으로 보이는 경우라도 구역성인지의 여부, 병변에 비대칭성이 없는지, 비연속성의 소견이 없는지, 세로로 배열하는 경향 유무에 주의한다. 미만성 병변이 전 대장에 분포하여 진단에 어려움을 겪는 증례(그림 9)도 있지만 소장병변, 상부 소화관 병변의 유무를 검색하는 것이 중요하다.

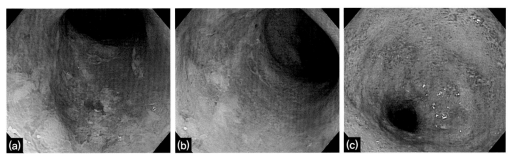

그림 9 · **크론병의 비전형병변(미만성 염증)** (a, b, c) 미만성 연속성 병변이 전 대장에 나타나서 내시경만으로는 감별이 어렵다. 소장조영술에서 회장에 세로궤양이 있어 크론병이라고 진단할 수 있었다.

H | 상부 소화관 병변

- 상부 소화관에도 특징적인 병변이 있어서 진단기준의 부소견으로 받아들여지고 있다. 특히 하부 소화관에서 전형적인 소견이 확인되지 않는 의증인 증례에서 감별진단에 질병의 표지(disease marker)로서 의의가 크다.

- 상부 소화관에는 진행성 병변이 비교적 드물어서, 소장이나 대장병변의 활동도(活動度), 질환 활동성과 그다지 상관이 없다.

- 위상부에서 대나무 마디모양의 외관(bamboo-joint like appearance)[3]이라고 하는 분문부 소만의 주름벽을 얕은 홈 모양의 함몰이 규칙적으로 가로지르는 소견이 특징적이다(그림 10a, b). 대만측에서 보이기도 한다(그림 10d).

- 함몰 사이가 둥글게 조약돌 모양으로 융기되는 경우에는 염주 모양의 소견을 보인다(그림 10b).

- 위하부에서 부정형의 작은 미란·궤양(그림 10e, f), 유문 전부의 주름벽 종대나 어금니모양의 낙지빨판미란 등이 높은 빈도로 나타난다.

- 십이지장 구부에서는 세로로 배열하는 미란, 작은 궤양(그림 11), 주름벽을 가로지르는 홈 모양의 얕은 함몰나 반원모양·조약돌 모양의 융기(그림 11a)가 특징적이다. 염주 모양을 나타내기도 한다(그림 11b).

- 궤양은 십이지장 하행부로 이행하는 부근에서 보이며, 주위에 점막융기를 동반하는 경우가 흔히 난치성이며, H_2-antagonist나 PPI 등 위산분비억제제에는 저항성 또는 불응성이다(그림 11c).

- 십이지장 하행부로 이행하는 부위에 Kerckring 주름을 가로지르듯이 함몰이 세로로 배열하는 절흔 모양의 소견이 높은 빈도로 보인다(그림 11d). 아프타 미란의 세로 배열, 세로궤양을 확인하기도 한다(그림 11e, f).

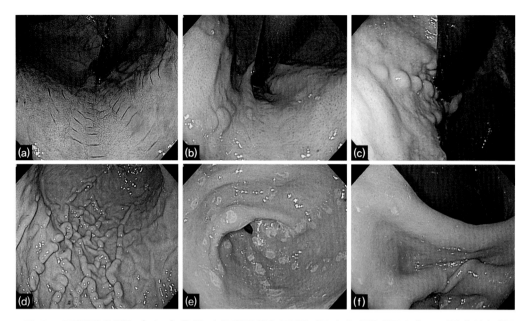

그림 10 · **크론병의 위 병변**   (a, b, c) 대나무 마디모양의 외관. 주름을 가로지르는 얕은 함몰이 세로로 배열해 있다. 함몰 사이의 부종상 융기가 심하면 염주모양을 나타낸다. (d) 위체부 대만에 나타나는 대나무 마디모양의 외관. (e) 전정부에서 본 방사상으로 배열되는 미란성 병변. (f) 전정부에 부정형 미란이 다발해 있다.

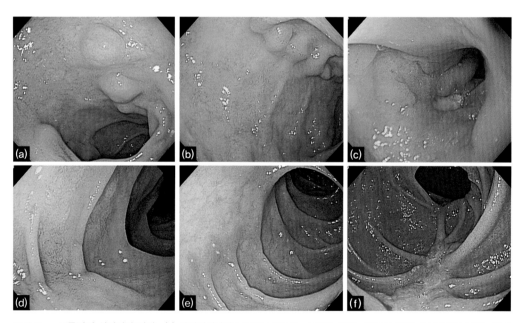

그림 11 · **크론병의 십이지장 병변**   (a) 상십이지장각 부근에 나타나는 조약돌 모양 · 반구상 융기. (b) 조약돌 모양 · 반구 상의 융기가 세로로 배열하여 염주모양의 소견을 나타내고 있다. (c) 상십이지장각 부근에 나타나는 궤양. 주위점막은 부종 상으로 PPI저항성이었다. (d) 십이지장 하행각에 나타나는 작은 함몰상 외관. Kerckring 주름을 가로지르는 함요가 관강의 장축을 따라서 배열해 있다. (e) 십이지장 하행각에 아프타 미란이 세로로 배열해 있다. (f) 십이지장 하행각에 나타나는 세로궤양

문헌

1) 飯田三雄：新しいクローン病診断基準（案）. 厚生労働科学研究費補助金難治性疾患克服研究事業「難治性炎症性腸管障害に関する調査研究」班, 平成 21 年度総括・分担研究報告書, p483, 2010
2) 岩男　泰ほか：Crohn 病の内視鏡診断のポイント─初期病変から典型病変まで. 消内視鏡 **13**：147-155, 2001
3) Yokota K et al：A bamboo joint-like appearance of the gastric body and cardia；possible association with Crohn's disease. Gastorointest Endosc **46**：268-272, 1997

03 불확정 대장염의 개념

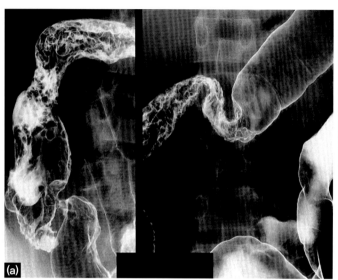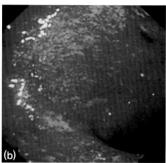

그림 1 · **증례①** (a) 맨 처음 검사. (b) 두 번째 검사(직장)

증 | 례 | 제 | 시

증례① (20대 남성)

- 1995년 복통·설사 발생, 크론병으로 진단(조약돌 점막상, 세로궤양, 건너뛰기 병변, 병변사이에는 정상점막)(그림 1a).
- 1999년 전 대장에 미만성 염증(궤양성 대장염 같은)이 출현하고, 그 후 지속(그림 1b).

질 | 환 | 개 | 념

- 불확정 대장염(indeterminate colitis)이란 궤양성 대장염과 크론병의 감별이 어려운 증례이다. 두 질환은 특이적인 진단 항목이 없이, 주로 형태학적 소견이나 조직학적 소견으로 진단한다.

- 고유의미의 불확정 대장염은 수술 후 절제표본의 조직검사로 감별할 수 없는 경우를 가리켰다[1, 2]. 그 이유는 대부분 심한 궤양 때문에 특징적인 소견을 얻을 수 없는 것이 많았기 때문이다. 현재는 진단의 정의가 변화되어 절제례뿐 아니라 내시경소견이나

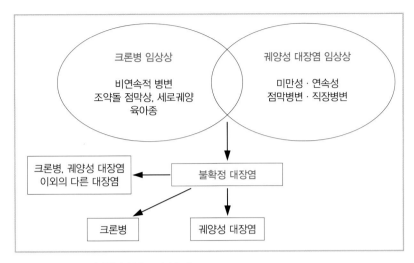

그림 2 · **염증성 장질환의 분류 · 진단순서**

생검소견 등의 임상소견으로 감별할 수 없는 경우도 포함하게 되었다. 후에 크론병이라고 확정되는 것이라도 초기에는 미만성 대장염을 나타내는 수가 있고, 반대로 크론병이라도 궤양성 대장염의 병리 소견를 나타내는 수가 있다. 내시경 진단만으로는 확정할 수 없는 경우가 있으며, 조직 생검을 추가하더라도 정확하게 진단할 수 없는 경우도 있다.

- 일본의 불확정 대장염의 진단기준에도 「크론병과 궤양성 대장염의 두 질환의 임상적, 병리학적 특징을 모두 가지는, 감별이 어려운 증례」라고 부연 설명되어 있다[3].

- 확정 진단을 하지 못한 채 불확정 대장염으로 진단하고, 그 후, 추적하여 임상경과에서 궤양성 대장염이나 크론병으로 확진되기도 한다(그림 2). 따라서 구미에서는 절제 표본없이 진단이 어려운 경우는 미분류 대장염(IBD_U, unclassified colitis)이라고 표기하자는 주장도 있다.

- 불확정 대장염(indeterminate colitis)의 빈도는 구미에서는 염증성 장질환(inflammatory bowel disease : IBD)의 5% 정도로 알려져 있고[2], 일본에서도 거의 같은 빈도로 추측되고 있다[4, 5].

- 본 증에서 가장 주의를 요하는 점은 극증(fulminant) 내지 중증으로, 수술을 요하는 경우이며, 어떤 수술을 선택하는가를 결정해야 하므로 중요하다.

- 비전형적인 크론병을 궤양성 대장염이라고 오진하여 회장낭 형성수술을 하는 경우, 항문부에 누공을 만들어 예후가 불량해지는 수가 있다. 따라서 수술 전 정확한 진단이 요구되지만 수술 전에 감별할 수 없는 경우가 있다는 점을 알아야 한다. 앞으로 보다 정확한 진단기준의 확립이 필요하다.

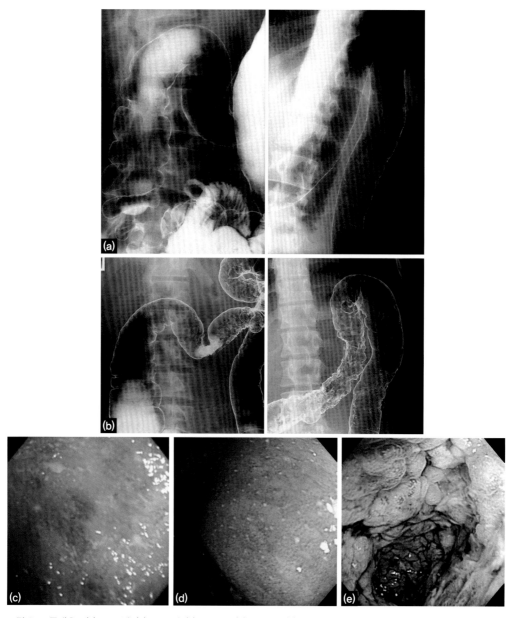

그림 3 · 증례② (a) 2000년. (b) 2006년. (c) 2000년. (d) 2003년. (e) 2006년

증례② (20대 남성)

- ✓ 2000년   전 대장에 미만성 염증(궤양성 대장염 같은)이 관찰되고, 그 후 지속(그림 3a, c).

- ✓ 2003년   미만성 대장염(그림 3d).

- ✓ 2006년   크론병으로 진단(그림 3b, e).

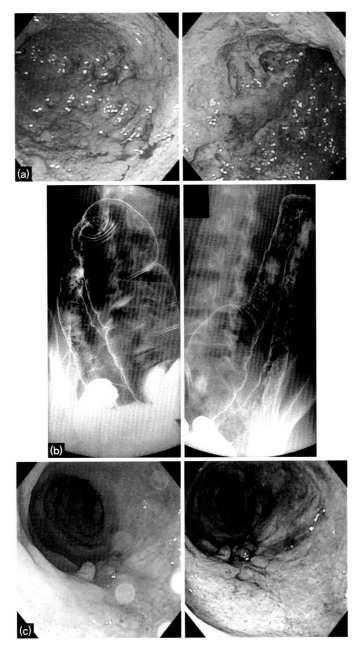

그림 4 · 증례③   (a) 두 번째 검사(2003년). (b) 맨 처음 검사(2002년). (c) 구불결장

증례③ (20대 여성)

- ✓ 2003년   미만성 대장염(그림 4a).
- ✓ 2002년   이전 검사 소견을 보면 구역성 침범과 세로궤양, 조약돌 점막상이 있음(그림 4b).

감별진단의 포인트

▶ 크론병의 대장형과 궤양성 대장염의 감별에는 직장병변, 병변부위가 구역성인지의 여부, 소장병변이나 항문병변의 유무 등이 중요하며 생검에 의한 육아종도 참고가 된다.

▶ 대장염에서 감별이 어려운 경우에는 상부 소화관 병변이나 소장병변 유무를 검사하며, 생검을 추가하여 진단을 확정하려는 노력이 필요하다.

▶ 미만성 대장염을 보일 경우, 전형적인 궤양성 대장염인지 또는 비전형적인 소견이 있는지 고려한다. 초기에 미만성 대장염 소견을 보이다가, 후에 전형적 크론병(세로궤양, 조약돌 점막상, 육아종의 존재)으로 진전되는 증례가 있다.

▶ 반대로 전형적인 크론병 소견을 보이다가 후에 미만성 염증이 발생하는 경우도 있다(크론병의 경과 중에 궤양성 대장염의 임상상이 중복되는 증례).

▶ 궤양성 대장염에서는 병변부위가 미만성이 아닌 경우가 있다 : 즉 충수에 국한되는 경우가 있고, 또 대장에 구역성 염증을 나타내면서, 직장에 미만성 염증 없이 아프타 뿐인 대장염에서, 후에 전형적 궤양성 대장염으로 진전되기도 한다.

▶ 전격성 대장염으로 긴급 수술을 필요로 하는데, 궤양성 대장염인지 크론병인지 감별할 수 없는 경우도 있다.

문헌

1) Price AB : Overlap in the spectrum of non-specific inflammatory bowel disease ; 'colitis indeterminate'. J Clin Pathol **31** : 567-577, 1978

2) Gebos K et al : Indeterminate colitis ; a review of the concept--What's in a name ? Inflamm Bowel Dis **14** : 850-857, 2008

3) 樋渡信夫 : クローン病の診断基準 (改訂案) (2002). 厚生労働省特定疾患難治性炎症性腸管障害に関する調査研究班 (班長 : 下山　孝), 平成 13 年度研究報告書, pp35-36, 2002

4) Matsui T et al : Clinical features and pattern of indeterminate colitis ; Crohn's disease with ulcerative colitis-like clinical presentation. J Gastroenterol **38** : 647-655, 2003

5) 平井郁仁ほか : Indeteminate colitis の臨床的検討—その定義と頻度, 臨床経過について. 胃と腸 **41** : 885-900, 2006

염증성 장질환의 감별진단에서의 돌파구

병력으로 되돌아간다

- 염증성 장질환을 진단하기 위해서 병력청취의 중요성을 다시 한번 강조한다. 그러나 모든 환자에게 상세한 병력청취가 필요한 것이 아니며, 혼잡한 외래 중에 자세한 병력청취를 시행할 여유도 없다. 병력청취 중 증상에 관하여 할애하는 시간이 가장 많지만, 증상에 관해서는 다른 항에서 언급하겠다. 병력을 요령있게 청취하기 위해서는 미리 질환을 의심할 수 있는 충분한 지식이 필요하다.

- 염증성 장질환에는 궤양성 대장염, 크론병 등 원인을 모르는 경우도 있지만, 외래에 내원하는 환자는 높은 빈도로 감염 대장염 등 원인을 알 수 있는 쪽이 많다. 식중독을 포함하여 감염 대장염을 진단할 때에는 증상에서 병원체를 추정하여, 병력으로 좁혀가는 것이 중요하다.

- 표 1에 보는 것처럼 병원체에 따라서 감염경로나 잠복기간이 달라진다. 캄필로박터 대장염이나 병원성 대장균 O157 대장염은 잠복기가 긴 경우가 있어서, 최근 섭취력만 물어서는 불충분하다.

- 「날 것」을 먹었는가 하는 질문으로는 짐작하기 어려우므로, 「충분히 가열하지 않은 닭고기」를 먹은 적이 있는지 구체적으로 묻는 것이 중요하다.

- 병력청취는 환자로부터의 정보를 듣기만 하는 것이 아니라, 정보를 캐는 작업이기도 하므로, 기술이 필요하다. 그러나 성병(STD)은 환자가 정보를 숨기는 경우가 있어 정확한 정보를 얻을 수 없는 경우도 많다.

- 환자는 최근에 발생한 사항에 관해서만 이야기하는 경향이 있다. 예를 들어, 혈변이 계속되어 내원한 고령의 남성환자에서 대장내시경검사에 직장에 국한하여 혈관확장증과 취약성을 보여, 방사선 직장염의 소견과 유사하였다. 그래서 수년 전의 방사선 치료력 여부에 대해서 물었더니, 전립선암에 대한 방사선 치료력을 확인할 수 있었다. 방사선 직장염의 진단은 특징적인 내시경소견과 함께 방사선조사의 과거력을 확인한 후, 비로소 성립되는 것이다.

- 위막성 대장염이나 급성 출혈 대장염은 약제와 관련하여 증상이 발생할 수 있고 그 원인 약제로 항균제가 알려져 있다. 이 약제들은 약제사용 후 비교적 조기에 증상이 발생하므로 인과관계를 알아내기가 용이하다.

표 1   각종 감염 대장염의 호발시기, 감염경로, 잠복기간

병원체	계절	주요 원인식품 · 감염경로	잠복기간
캄필로박터	여름철	닭고기 등	2~7일
비티푸스성 살모넬라	여름철	계란 등	12~24시간
장염비브리오	여름철	해산물	4~28시간
병원성 대장균 O157	여름철	소고기 등	4~9일
황색포도구균	여름철	주먹밥, 도시락	1~6시간
예르시니아	연중	돼지고기, 물	3~7일
에로모나스	연중	물, 어패류	8~18시간
웰슈균	연중	조리 후 시간이 지난 고기 · 어패류	6~18시간
세레우스균	연중	껍질류, 복합조리식품	30분~15시간
콜레라	연중	어패류, 물	1~5일
세균이질	연중	식품, 물	1~5일
장티푸스 · 파라티푸스	연중	식품, 물	10~14일
결핵균	연중	주로 비말감염	?
아메바 대장염	연중	성감염, 분변, 물	며칠~몇 년
아니사키스	겨울	오징어, 전갱이, 고등어 등	몇 시간~며칠
선미선충 type X 유충	봄~여름	꼴뚜기	몇 시간~2일
람블편모충	연중	물	2~8주
노로바이러스	겨울~봄	생굴, 분변, 토사물	1~2일
로타바이러스	겨울~봄	분변	2일
거대세포바이러스	연중	대부분은 기회감염	?

- 한편, 최근 주목받고 있는 약제 유발 대장염으로는 비스테로이드 소염제 유발 대장염 (NSAID-induced colitis), 교원질성 대장염(collagenous colitis)이 있다. 이 질환에는 비스테로이드 소염제 , PPI(proton pump inhibitor) 등의 복용이 관련되며 복용 개시 후, 몇 개월에서 몇 년이 경과하여 증상이 발생하는 경우가 적지 않다. 특정한 요인으로 증상의 발생까지 기간이 길면, 양자의 인과관계에 대한 인식이 희박해진다.

- 약제는 여러 의료기관에서 처방되는 경우도 많아, 일차적으로 파악하기 어렵다. 또 한방약국에서 조제되는 약제는 신고하지 않는 경우도 있다. 최근에는, 특발성 정맥경화 대장염(Phlebosclerotic colitis)에서 한방약의 복용이 증상의 발생에 관여한다고 생각되고 있다.

- 병력청취는 진단을 추정하고 이들을 검증해 가는 작업이며, 나아가서 미지의 원인을 찾아내는 작업이기도 하다는 점을 재인식해야 한다.

PART II

감염 대장염

01 캄필로박터 대장염

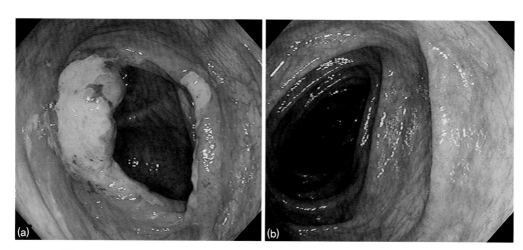

그림 1 • **전형적인 캄필로박터 대장염**　(a) 회맹판궤양. (b) 결장의 비연속성 염증

질 | 환 | 개 | 념

A | 병원체

- 캄필로박터 대장염은 급성 설사, 세균성 식중독의 주요한 원인균으로, 최근에 증가하는 경향에 있다.
- 캄필로박터 대장염의 원인균은 그람음성간균인 *Campylobacter*속의 *Campylobacter jejuni*가 95~99%를 차지하며, *Campylobacter coli*가 남은 부분을 차지한다[1].

B | 역학

- 소, 돼지, 닭, 개, 고양이, 작은 새 등의 동물이 숙주이며, 감염 경로는 오염된 물이나 음식, 특히 닭고기나 그 가공품의 경구 섭취로 인한 경우가 많다[2].
- 발생은 5~6월에 많고, 7~8월에는 다소 감소, 9~10월 경에 다시 증가하는 경향을 보인다[3].
- 호발 연령은 10~20대이다.
- 후생노동성의 식중독 통계에 따르면, 2001~2005년의 환자 수는 1,800~3,500명 정도로 추정된다.

동경의 통계에서 2007년 식중독 발생건수의 42%가 캄필로박터 대장염이며, 노로바이러스 장염에 이어 두 번째로 많았다. 또 다른 식중독의 발생은 변동이 없는데 반해서, 캄필로박터 대장염은 급속히 증가하는 경향이 있다. 특히 산발적인 설사의 원인균으로 상위를 차지한다.

C | 임상증상

잠복기간은 평균 3일(1~7일)이다.

주요 증상은 설사, 혈변, 발열, 복통, 구토, 오한, 권태감 등이며, 부패냄새가 나는 설사나 담즙색 수양성 설사(물설사)가 많다. 혈변은 약 40%의 증례에서 나타난다. 또 장관 증상을 동반하지 않고, 발열, 오한, 근육통 등 인플루엔자 같은 증상으로 발병하는 증례도 약 1/3을 차지한다.

설사는 하루 10회 이상인 경우도 있지만, 통상 하루 2~6회로 1~3일간 지속된다.

38℃ 이상의 발열은 90% 이상의 증례에서 관찰되며, 대부분의 경우 2~3일만에 체온이 정상화 된다[4, 5].

Guillain-Barré 증후군과의 관련성이 주목받고 있으며, Guillain-Barré 증후군 환자의 약 30~40%의 변배양에서 *C. jejuni*가 분리된다.

Guillain-Barré 증후군의 신경증상 출현까지는 5~21일이다[6].

관절통, 전신 발진, 심외막염, 심근염, 담낭염, 췌장염, 급성간염, 용혈성 요독 증후군 등의 장관 외 증상의 합병에 관한 보고가 있지만 빈도는 드물다.

대변에서 미호기성 배양에 의해서 균이 동정될 때까지 최단 48시간, 통상적으로 72~96시간 필요하며, 가장 적합한 온도는 42℃이다[6].

변의 도말검사에서 그람염색으로 소형 나선간균을 확인하는 것이 본증의 조기진단에 유용하다[2].

표 1 캄필로박터 대장염의 내시경소견

	직장 (n=13)	구불결장 (n=13)	하행결장 (n=12)	횡행결장 (n=12)	상행결장 (n=12)	맹장 (n=12)	말단회장 (n=12)
발적	8 (61.5%)	6 (46.2%)	4 (33.3%)	4 (33.3%)	5 (41.7%)	6 (50.0%)	4 (33.3%)
부종	3 (23.1%)	3 (23.1%)	1 (8.3%)	0 (0.0%)	0 (0.0%)	2 (16.7%)	1 (8.3%)
혈관상소실	3 (23.1%)	4 (33.3%)	1 (8.3%)	2 (16.7%)	2 (16.7%)	1 (8.3%)	0 (0.0%)
거친 점막	2 (15.4%)	2 (15.4%)	0 (0.0%)	1 (8.3%)	1 (8.3%)	1 (8.3%)	0 (0.0%)
취약성	2 (15.4%)	1 (7.7%)	0 (0.0%)	0 (0.0%)	0 (0.0%)	0 (0.0%)	0 (0.0%)
미란	1 (7.7%)	2 (15.4%)	1 (8.3%)	0 (0.0%)	3 (25.0%)	1 (8.3%)	2 (16.7%)
농성 삼출물 부착	1 (7.7%)	1 (7.7%)	0 (0.0%)	0 (0.0%)	1 (8.3%)	1 (8.3%)	0 (0.0%)
흑갈색 반점	0 (0.0%)	3 (23.1%)	0 (0.0%)	0 (0.0%)	0 (0.0%)	1 (8.3%)	0 (0.0%)
궤양	0 (0.0%)	0 (0.0%)	0 (0.0%)	0 (0.0%)	0 (0.0%)	9 (75.0%)	0 (0.0%)
미만성 병변	1 (7.7%)	1 (7.7%)	0 (0.0%)	0 (0.0%)	0 (0.0%)	0 (0.0%)	0 (0.0%)

감별진단의 포인트

▶ 본원에서 2003~2008년 사이에 내시경이 시행된 캄필로박터 대장염 13례(남성 11명, 여성 2명, 평균연령 44.8세)에서 병변의 분포는 맹장(84.6%)에 이어서 직장(61.5%)이 많았다. 또 내시경소견은 궤양(75.0%)에 이어서 발적(69.2%)이 많았다(표 1).

▶ 가장 특징적인 소견은 회맹판에 얕은 궤양으로 13례 중 9례(69.2%)에서 확인되었다. 회맹판 궤양은 다른 소견에 비해 더딘 호전을 보이므로 증상의 발생부터 1개월 정도까지 확인되리라 생각되며, 관찰시기에 따라서 이 소견만 관찰되는 경우도 있다.

▶ 전 대장에 국소적 또는 미만성으로 점상 · 얼룩상 발적, 출혈, 다발성 미란, 작은궤양, 과립상 변화, 부종, 아프타 병변 등의 소견을 확인할 수 있지만 비특이적이다.

▶ 회장 말단에는 림프여포 증식이나 미만성 발적, 미란을 확인할 수 있다.

▶ 회맹판에 궤양 이외의 다른 소견은 통상 2주 이내에 소실된다.

▶ 대장염 소견이 직장에서 연속적 · 미만성으로 나타나는 경우에는 궤양성 대장염과 감별이 문제가 된다. 일견에, 염증이 미만성이라도 캄필로박터 대장염에서는 혈관상이 유지되고 있는 점막이 중간에 관찰되는 경우가 많으며, 거친 점막, 과립상 변화, 작은 황색 반점, 점막의 취약성이 현저하지 않고, 팽대주름(haustral folds)이 비교적 유지되는 등의 소견이 궤양성 대장염과 감별점이 된다.

▶ 살모넬라 장염에서도 비슷한 내시경소견을 보이지만, 직장에 병변은 드물다. 약제유발 대장염, 허혈 대장염도 마찬가지로 직장병변이 드물다.

▶ 회맹판에 궤양은 살모넬라 장염이나 예르시니아 장염 등에서 나타나는 경우가 있어서, 본증에서 특이적이지는 않지만, 궤양성 대장염과 감별 진단시 가치가 높다.

▶ 회맹판에 궤양은 크론병, 장결핵, 베체트 장염에서도 관찰되지만, 캄필로박터 대장염에서는 회맹판의 변형이나 협착을 동반하지 않는 점이 감별점이다.

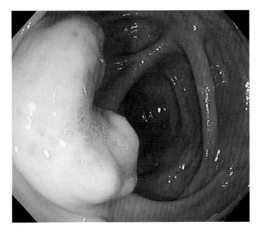

그림 2 · 회맹판에 미란만 관찰되는 증례(회맹판의 발적)

증 | 례 | 제 | 시

증례① : 전형례 (24세 남성) (그림 1)

- 2주 전부터 복통, 하루 10회 이상의 설사를 주소로 대장내시경검사를 시행하였다.
- 회맹판에 얕은 궤양이 관찰되지만, 부종이 비교적 경미하고, 변형이나 협착은 관찰되되지 않는다. 또 반대측에서 미란을 확인할 수 있다(그림 1a).
- 전 대장에 발적이 산재해 있었지만, 비연속성으로 병변사이에 점막은 정상이다(그림 1b).

증례② : 회맹판에 미란만 관찰되는 증례 (56세 남자) (그림 2)

- 5일 전부터 복통, 하루 3~4회의 설사를 주증상으로 처음 내원하였고, 대변배양검사에서 *C. jejuni*가 검출되었다.
- 약 1개월 후에 대장내시경을 시행하였다.
- 회맹판에 발적, 부종은 관찰되었지만, 백태는 확인되지 않았다(그림 2). 말단회장, 대장에서는 이상소견이 확인되지 않았다. 회맹판에 미란은 다른 소견보다 치유가 지연되므로 관찰시기에 따라서는 본 증례처럼 회맹판의 미란뿐인 증례도 존재한다.

증례③ : 궤양성 대장염과 감별을 요하는 증례(1) (22세 남자) (그림 3)

- 4일 전부터 하루 5회의 수양성 설사와 40℃의 고열을 주소로 내원하였다. 같은 날, 대장내시경검사에서 직장에서부터 연속성으로 거친 점막, 발적이 관찰되었고 정상점막은 관찰되지 않았다. 궤양성 대장염으로 진단하고(그림 3a, b), 프레드니솔론(prednisolone) 투여를 시작하였다.

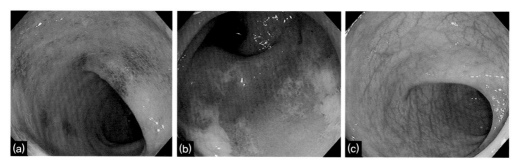

그림 3 · **궤양성 대장염과 감별을 요하는 증례(1)** (a) 구불결장에 연속성 염증. 흑갈색반점. (b) 직장의 연속성 염증. (c) 추적검사에서 염증은 소실됨

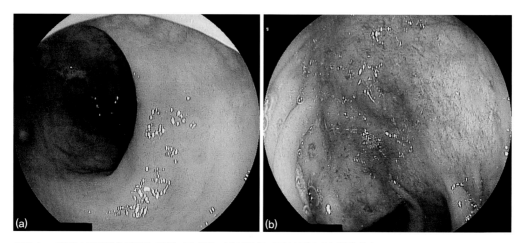

그림 4 · **궤양성 대장염과 감별을 요하는 증례(2)** (a) 직장의 미만성 염증. (b) 횡행결장

✓ 입원시 대변배양검사에서 *C. jejuni*가 검출되었고, 프레드니솔론을 중지한 후, 레보플록사신(levofloxacin) 300 mg 투여를 시작하였다. 11일째 추적 대장내시경검사에서 구불결장의 염증이 호전되고, 혈관상이 회복되었다(그림 3c).

증례④ : 궤양성 대장염과 감별을 요하는 증례(2) (25세 남자) (그림 4)

✓ 1개월 전부터 복통과 하루 2~3회의 설사가 발생했고 증상이 악화되어 내원하였다. 대장내시경검사에서 직장에서부터 연속성으로 미만성의 거친 점막, 발적을 확인할 수 있었다(그림 4a, b). 궤양성 대장염 진단하에, sulfasalazine 4 g 경구 복용을 시작하였다.

✓ 후일, 대변배양에서 *C. jejuni*를 검출하여 sulfasalazine 투여를 중지하였다.

✓ 본 증례에서는 전 대장에서 거친 점막, 발적, 작은 황색반점을 확인했지만, 회맹판에 궤양은 관찰되지 않았다.

One point advice

- 대부분의 증례는 자연 치유되므로 경증이면 항균제를 투약할 필요가 없다. 중증이면 수액 등 대증요법과 항균제의 투여를 고려한다.
- 항균제 투여를 고려해야하는 경우는 혈변, 발열, 장관외 증상, 악화 경향이나 7일 이상의 증상이 지속되는 경우 그리고 환자가 고령이거나, 동반 질환이 있는 경우, 임산부, 면역저하상태인 경우에도 항균제 투여를 고려해야 한다.
- 뉴퀴놀론계 항균제는 최근 내성균이 증가하고 있다.
- 캄필로박터 대장염 중에는 궤양성 대장염과 감별이 어려운 증례가 있다. 궤양성 대장염으로 진단하고 스테로이드를 투여할 경우 염증이 악화될 우려가 있으므로 임상상을 통해서 두 질병의 감별이 중요하다. 대장내시경검사 시행시에는 변배양의 결과를 알 수 없는 경우가 많으므로, 내시경검사 만으로 감별이 중요하다. 따라서 두 질병의 감별점을 충분히 숙지하고 있어야 한다.

문헌

1) 国崎玲子ほか：カンピロバクター腸炎. 消内視鏡 **21**：446-449, 2009
2) 清水誠治ほか：キャンピロバクター腸炎. 胃と腸 **37**：347-351, 2002
3) 横山敬子ほか：カンピロバクター腸炎. 小児診療 **64**：1025-1029, 2001
4) 清水誠治：細菌性腸炎 カンピロバクター腸炎. 感染性腸炎 A to Z, 大川清孝ほか（編）, 医学書院, 東京, pp12-19, 2008
5) Allos BM：Campylobacter jejuni Infections：update on emerging issues and trends. Clin Infect Dis **32**：1201-1206, 2001
6) 藤本秀士ほか：キャンピロバクター腸炎とギランバレー症候群. 福岡医誌 **89**：127-132, 1998

02 살모넬라 장염

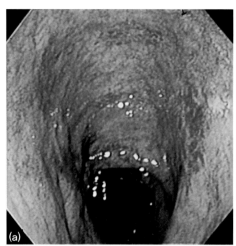
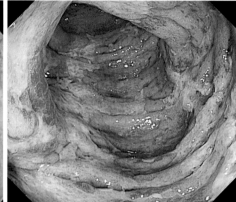
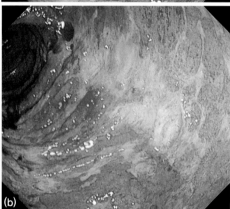

그림 1 · *Salmonella* Enteritidis **장염의 횡행결장**
(a) 혈관상의 소실. 발적, 반점을 동반하는 궤양성 대장염과 유사한 부종상의 거친 점막. (b) 미만성 부종, 발적, 미란에 추가하여, 세로 방향의 경향이 있는 궤양을 보인다.

질｜환｜개｜념

- 살모넬라(*Salmonella*) 속균의 감염에 의한 질환은 티푸스성 질환(장티푸스, 파라티푸스)과 비티푸스성 살모넬라증으로 크게 나뉜다. 본 항에서는 후자에 관하여 기술한다.

- 살모넬라속은 그람음성 통성 혐기성 간균의 장내세균과에 속하는 세균으로, 두 가지 균종(*Salmonella enterica, Salmonella bongori*) 6아종으로 구성되며, 다시 2,500가지 이상의 혈청형으로 세분류된다. 살모넬라증의 원인균의 대부분은 S. *enterica sub-species enterica*이며, 그 중에서도 *S. enterica subsp.enterica serovar Enteritidis*(*S.* Enteritidis)와 S. Typhimurium의 빈도가 높다.

- 살모넬라는 캄필로박터와 함께 일본에서 식중독의 주요한 원인균이다. 계란, 고기, 유제품이 감염원이 되는 경우가 많으며, 개나 자라 등의 보균 애완동물로부터 감염되기도 한다.

- 경구섭취 후 8~48시간의 잠복기를 거쳐서 오심, 구토, 복통, 설사 등의 급성 위장염

표 1 살모넬라 장염의 병변분포

	직장	구불결장	하행결장	횡행결장	상행결장	맹장	말단회장
전 증례수	62	62	54	45	40	38	19
이완례수	13	37	33	28	25	14	15
%	21	60	61	62	63	37	79

(문헌2에서 개편)

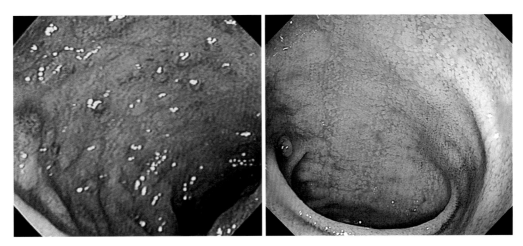

그림 2 · *S. Enteritidis*장염의 회장　말단회장에서 발적, 아프타 미란을 동반하는 경도의 림프여포염이 관찰된다.

증상을 나타내며 약 반수에서 발열이 보인다. 종종 중증화되어 혈변을 일으킨다.

✓ 통상 1~2주 만에 자연 치유되지만, 영유아, 고령자나 면역저하상태에서는 균혈증을 일으켜 사망하는 수도 있다. 장염 이외에 피하농양, 수막염, 관절염 등이 합병되기도 한다.

✓ 경증은 치료가 필요 없고 중등증 이상의 증례에서는 수액 등의 대증요법을 위주로 치료하고, 퀴놀론계 항균제를 투여한다. 지사제는 균의 배출을 저해하여 독성 거대결장을 유발할 수 있으므로 투여를 금하는 것이 좋다.

감별진단의 포인트

▶ 이전에는 회맹부가 호발부위라고 하였지만, 문헌보고의 집계에 의하면, 구불결장~상행결장의 각 부위에서 동등한 빈도(약 60%씩)로 병변이 관찰되며 직장에는 병변이 적다(표 1).

▶ 말단회장에 높은 빈도로 발적, 아프타 미란을 동반하는 림프여포염을 확인할 수 있지만, 정도가 가볍다(그림 2).

▶ 회맹판의 발적·종대가 보고되지만, 맹장의 이환 빈도는 비교적 낮다(그림 3).

▶ 상행결장~구불결장에는 대부분의 증례에서 점막의 부종, 발적, 미란이나 거친 점막이 관찰되며 중등증 이상이 되면 점막 출혈이나 부정형 궤양이 나타난다(그림 1, 4~6).

▶ 국소적 소견이 궤양성 대장염과의 감별에 문제가 되지만, 직장병변이 적으며(그림 7), 병변이 비연속성인 점이 궤양성 대장염과 다르다.

▶ 드물게 세로궤양이나 아프타 궤양이 나타나기도 한다(그림 1, 6).

▶ 이중조영바륨관장술에서는 미만성으로 팽대주름의 소실, 미란·소궤양을 동반하는 미세 과립상 점막을 보이며, 궤양성 대장염과 유사한 소견을 나타내는 경우가 많다(그림 8, 9).

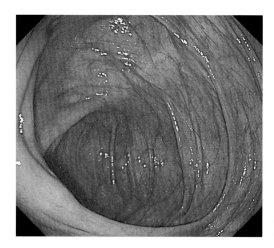

그림 3 · *S.* Enteritidis **장염의 맹장** 회맹판 및 맹장은 거의 정상이다.

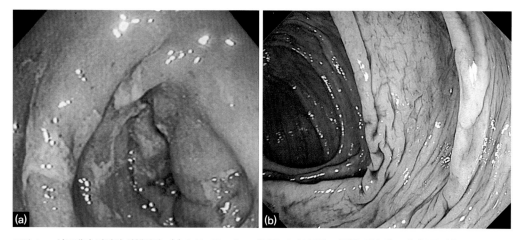

그림 4 · **살모넬라 장염의 상행결장** (a) *S. Typhimurium* 대장염. 농성 점액, 미란을 동반하는 점막부종. (b) *S. Enteritidis* 대장염. 경도의 점막 부종과 얕은 한 개의 미란

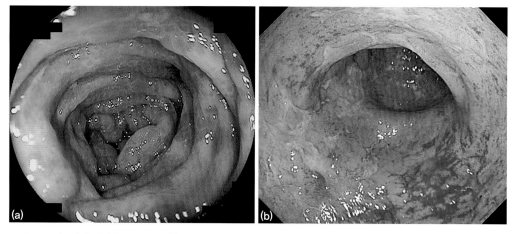

그림 5 · **살모넬라 장염의 하행결장** (a) *S. Typhimurium* 장염. 발적, 미란을 동반하는 점막 부종. (b) *S. Enteritidis* 장염. 궤양성 대장염과 유사한, 지도상의 얕은 궤양 · 미란을 동반하는 취약성이 동반된 거친 점막

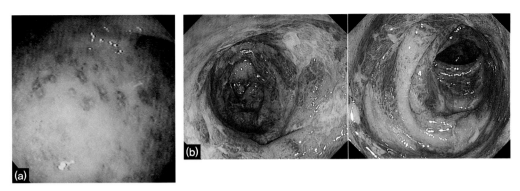

그림 6 · **살모넬라 장염의 구불결장**   (a) *S. Typhimurium* 장염. 다발성의 아프타 궤양. (b) *S. Enteritidis* 장염. 지도상의 궤양·발적을 동반하는 점막 부종

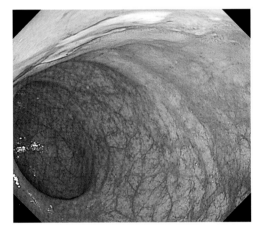

그림 7 · *S. Enteritidis* **장염의 직장**   12시 방향에 얕은 궤양 외에는 거의 정상에 가깝다.

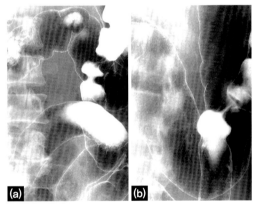

그림 8 · *S. Typhimurium* **장염(중등증)의 이중조영바륨관장술**   횡행결장의 팽대 주름이 소실되고, 미만성으로 작은 바륨반점과 미세과립상 점막이 관찰된다.

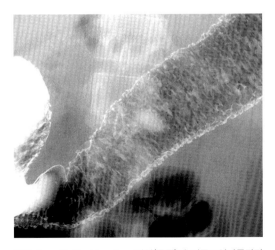

그림 9 · *S. Typhimurium* **장염(중증)의 이중조영바륨관장술**   횡행결장의 팽기추벽이 소실되고, 미만성으로 부종, 다발소궤양 및 결절상 융기를 보인다.

One Point Advice

- 캄필로박터 대장염 등 다른 감염 대장염과의 감별이 종종 어렵지만, 상세한 병력(섭취한 음식, 잠복 기간)과 함께 병변의 분포가 어느 정도 참고가 된다.
- 확정 진단에는 배양에 의한 원인균의 검출이 필요하다. 생검 조직이나 변즙(便汁)의 배양이 분변배 양보다도 검출빈도가 높다고 보고되어 있다.

문헌

1) Nakamura S et al : Salmonella colitis. Assessment with double-contrast barium enema examination in seven patients. Radiology **184** : 537-540, 1992
2) 中村昌太郎ほか：サルモネラ腸炎の臨床像，X線および内視鏡所見を中心に．胃と腸 **37** : 352-358, 2002
3) 檜沢一興ほか：サルモネラ腸炎．小腸疾患の臨床，八尾恒良ほか（編），医学書院，東京，pp119-121, 2004

예르시니아 장염 03

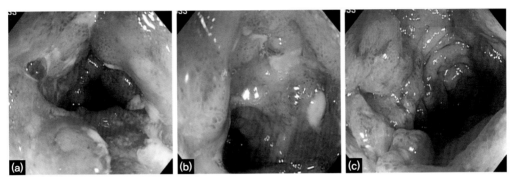

그림 1 · **말단회장 병변①** (a) 말단회장의 신전불량, 부종. (b) 발적, 백태를 동반하는 미란. (c) 조약돌 점막상과 비슷한 소견. 단, 세로궤양은 확인되지 않는다.

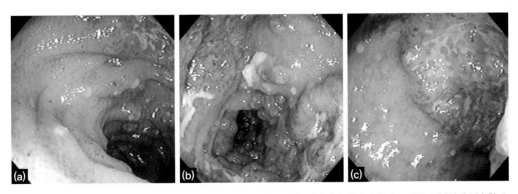

그림 2 · **말단회장 병변②** (a) 신전불량, 부종, 백태를 동반하는 작은 미란. (b) 다발 소융기, 조약돌 점막상과 비슷한 소견. 단, 세로궤양은 확인되지 않는다. (c) 미란을 동반하는 편평융기

질 | 환 | 개 | 념

- 예르시니아 장염은 *Yersinia enterocolitica, Yersinia pseudotuberculosis*의 경구 감염으로 생긴다.

- 오염된 돼지고기, 약수나 우물물의 섭취, 개나 고양이 등 애완동물의 분변을 통한 감염이 많다.

- 경구 감염 후, 소장내에서 증식하여 말단회장의 Peyer판에서 점막하층으로 침입, 장간막 림프절에서 증식하여 염증을 일으킨다.

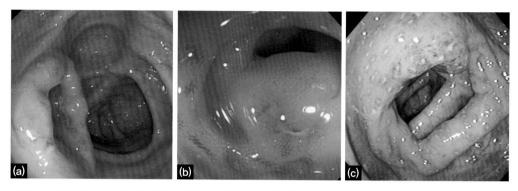

그림 3 · **대장병변**   (a) 회맹판의 종대. (b) 맹장의 반점상 발적. (c) 상행결장의 작은 아프타 미란

- 예르시니아 감염시 잠복기간은 3~7일간으로 비교적 길다.
- 임상증상에 따라서 위장염, 회맹부염, 결절성 홍반·발진, 관절염형, 패혈증으로 분류된다.
- 설사의 빈도는 그다지 높지 않다.
- 영유아나 당뇨병, 간경변, 투석환자, 악성종양 등 동반질환이 있는 증례에서는 때로 패혈증으로 진행되어, 간, 폐, 신장에서 농양을 형성하여 중증화된다.
- 확정 진단시에는 변이나 점막조직의 배양검사, 혈청학적 검사, 내시경검사, 생검조직 검사를 종합적으로 판단해야 한다.
- 일반적으로 예후가 비교적 양호하고 자연 치유되는 증례도 많다.
- 경증에서는 위장염증상에 대한 대증요법을, 중증에서는 항균제 투여를 원칙으로 한다.

 One Point advice

〈배양조건에 관하여〉
- 본 균은 다른 원인균에 비해 저온조건을 좋아하여, SS 한천배지에서 25℃, 48시간 배양하는 직접분리배양법 및 1/15M 인산완충액을 사용하여, 4℃에서 21일간 증균하는 증균배양법을 병용하는 것이 바람직하다.
〈혈청항체에 관하여〉
- 예르시니아의 혈청항체가는 1회 측정으로도 160배 이상이면 양성으로 진단한다.
- 감염 후 40일 정도에서 항체가 가장 증가하며, 2회 측정한 혈청을 비교하여 항체의 역가가 4배 이상 상승하면 본증이라고 진단한다.

표 1 자험례에서의 병변분포

증례	연령	성별	균종	R	S	D	T	A	C	B	I
1	35	남	Y. e								
2	38	여	Y. e								
3	52	남	Y. e								
4	28	남	Y. e								
5	24	여	Y. p								
6	41	남	Y. p								

비병변부　병변부
Y. e : *Yersinia enterocolitica*. Y. p : *Yersinia pseudotuberculosis*.
R : 직장. S : 구불결장. (d) 하행결장. T : 횡행결장. (a) 상행결장. (c) 맹장. (b) 회맹판. I : 회장.
회맹부 및 우측대장을 중심으로 병변이 분포한다.

감별진단의 포인트

▶ 말단회장의 소장벽 비후, 장간막 림프절 종대를 나타내는 증례에서는 크론병, 회맹부에 원발성 악성림프종이나 말단회장부에 병변이 있는 다른 감염 대장염(캄필로박터 장염이나 장염비브리오에 의한 감염증)과 감별이 중요하다.
▶ 본증에서는 병변이 회장 말단부, 우측대장에 국한되고, 좌측결장이나 직장에서 병변을 보이는 경우가 비교적 적어서, 병변의 분포가 감별의 포인트가 된다[1](표 1).
▶ 병변부의 생검조직 소견은 병변부 점막에 다수의 림프구 침윤을 확인할 수 있고, 표층에는 호중구 침윤을 동반하는 미란을 확인할 수 있다.
▶ 병변부 점막에서 육아종이 검출되는 빈도는 낮지만[2], 때로 종대된 림프절내 회장, 충수, 맹장의 점막이나 점막하층에서 큰 유상피세포 육아종이 확인되는 수도 있어서, 크론병과의 감별이 어려운 증례도 있다.

내시경소견

✓ 말단회장부에 거의 공통으로 부종상의 점막, 백태를 동반하는 작은 궤양이나 미란이 산재한다(그림 1).
✓ 병변부는 거의 Peyer 판에 일치하여[3], 편평상으로 약간 융기되며, 다발성으로 작은 융기, 미란을 나타낸다(그림 2).
✓ 맹장·상행결장에 산재하는 림프여포의 과형성과 작은 아프타 미란, 발적·회맹판 종대 등의 소견을 확인할 수 있다(그림 3).
✓ 세로궤양이나 점막하종양 같은 소견은 흔히 관찰되지 않지만, 때로 감별이 어려운 증례도 있다.

확정진단에 있어서 점막생검의 배양

✓ 본 감염증은 설사의 빈도가 그다지 높지 않고, 경과 중의 변배양에 의한 양성률이 낮아서, 확정 진단을 내리지 못하는 증례도 있다.
✓ 내시경검사에서 말단회장 점막의 생검조직을 배양함으로써, 본 균을 동정할 수 있었던 증례를 드물게 볼 수 있다.

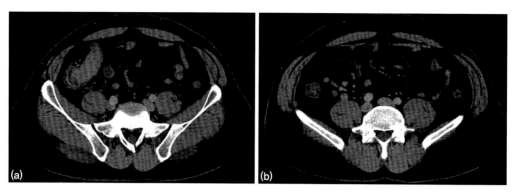

그림 4 · **복부 전산화단층촬영소견**   (a) 말단회장과 회맹판의 현저한 장벽비후. (b) 다발성 장간막 림프절 종대

  ✓ 변배양검사의 낮은 양성률을 보완하기 위해 내시경검사시 말단회장 점막의 배양이
    유용한 경우도 있다.

복부 | 전산화 | 단층촬영소견

  ✓ 소장, 특히 말단회장에 비교적 국한된 장벽비후와, 장간막 림프절의 명확한 종대를 동
    반하는 소견이 전형적이다(그림 4).

문헌

1) 奥山祐右ほか：エルシニア腸炎の病像について―画像所見を中心として. 胃と腸 **43**：1621-1628,
　2008
2) 萱場佳郎ほか：*Yersinia enterocolitica* 感染による急性回腸末端部炎の 1 例―特に回腸末端部の内
　視鏡所見と生検所見について. Gastroenterol Endosc **28**：2389-2393, 1986
3) 宿輪三郎ほか：内視鏡的ならびに X 線学的に経過を観察しえた *Yersinia entericolitica* 腸炎一例.
　Gastroenterol Endosc **38**：898-902, 1996

설사유발 대장균 대장염 04

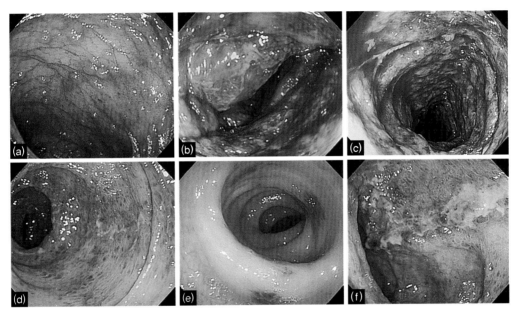

그림 1 • **O157 장출혈 대장균 대장염** (a) 말단회장. 이상소견이 확인되지 않는다. (b) 상행결장. 심한 부종으로 관강이 좁아 보임. 현저한 발적, 미란, 취약성이 보이며 고도의 염증을 나타낸다. (c) 횡행결장. 부종의 정도가 경해지면서 관강의 팽창이 양호하지만 발적이 횡행결장 전체에서 보인다. (d) 하행결장, 부종, 발적이 더욱 경해 보인다. (e) 구불결장, 산재성 발적과 경도의 부종만이 보인다. (f) 비만곡부의 세로궤양. (滋野 俊 외 : 감염 대장염의 최근 지견–장출혈성 대장균감염증. 위와 장 43 : 1613–1620. 2008에서 전재)

질 | 환 | 개 | 념

- 대장균(*Escherichia coli*)은 사람 대장내 상재균이지만, 일부 대장균은 설사, 복통, 혈변 등의 증상을 일으켜서, 「설사유발 대장균」이라고 한다.

- 설사유발 대장균은 병원성의 차이에 따라서 장출혈 대장균(enterohemorrhagic *E. coli* : EHEC), 장병원성 대장균(enteropathogenic *E. coli* : EPEC), 장독소 대장균(enterotoxigenic *E. coli* : ETEC), 장침습 대장균(enteroinvasive *E. coli* : EIEC), 장응집 대장균(enteroaggregative *E. coli* : EAEC)으로 분류된다[1](표 1).

- EHEC 감염증은 용혈성 요독 증후군(hemolytic uremic syndrome : HUS)이나 뇌증을 합병하여 심하면 사망에 이르기도 하는데 반해서, EHEC 이외의 설사유발 대장균(non-EHEC) 감염증은 성인에서 중증 증상을 나타내는 경우가 적다.

표 1   설사유발 대장균의 종류 · 병인 · 증상 · 주요 O항원 혈청군

설사유발 대장균	병원인자	병원 유전자	배양세포 부착양식	증상	O항원 혈청군
장출혈 대장균 (EHEC)	Stx1, Stx2 intimin	stx, eaeA	A/E lesion	복부 산통, 혈성 설사, 용혈성 요독 증후군, 뇌증의 합병	157, 26, 111 ㈜ 1, 8, 18, 28, 44, 63, 71, 81, 91, 103, 115, 119, 121, 128, 145, 146, 152, 164, 165 (드물다)
장병원성 대장균 (EPEC)	intimin, BFP	eaeA, bfp	LA, A/E lesion	설사, 발열, 복통, 구토, 살모넬라장염과 유사	1,18, 20,26,28,44, 55, 86, 111, 114, 119, 125, 126, 127, 128, 142, 146, 151, 158, 159, 166
장독소 대장균 (ETEC)	ST, LT	st, lt		콜레라와 유사한 수양성 설사, 복통은 가볍고, 발열은 드물다.	6, 7, 8, 11, 15, 18, 20, 25, 27, 63, 73, 78, 85, 114, 115, 116, 126, 128, 139, 148, 149, 153, 159, 166, 167, 168, 169
장침습 대장균 (EIEC)	침습성인자	InvE, IpaH	배양세포 침습성	설사, 발열, 복통 중증례에서는 이질 같은 점액성 혈변, 무지근한 복통	6, 7, 28, 29, 112, 115, 121, 124, 135, 136, 143, 144, 152, 164, 167, 173
장응집 대장균 (EAEC)	EAST1	AggR, AstA	AA	EPEC감염증과 유사 설사가 더 오래 지속된다.	3, 15, 25, 34, 44, 55, 78, 86, 92, 95, 99, 111, 125, 126, 127, 128, 144, 166

Stx : Shiga toxin(시가독소), A/E lesion : attaching and effacing lesion(A/E 상해), BFP : bundle-forming-pilus, L(a) localized adherence(국한형 접착), ST : heat-stable toxin(내열성 독소), LT : heat-labile toxin(이열성 독소), EAST1 : EAggEC heat-stable enterotoxin-1, A(a) aggregative adherence

A | EHEC 감염증

- ✓ EHEC는 시가독소(志賀毒素 : Shiga toxin : Stx)를 생산하는 설사유발 대장균이다.
- ✓ 일본에서 검출되는 EHEC의 O항원혈청군은 O157이 가장 많아서 60~70%를 차지하며, 그 다음이 O26, O111 순이다. 본 항에서는 EHEC의 대표인 O157감염증에 관하여 기술하였다.
- ✓ O157감염증의 임상형은 무증상감염, 설사 · 복통뿐, 출혈성 대장염, 용혈성 요독 증후군 · 뇌증합병, 사망까지 다양하다[2].
- ✓ 전형례에서는 복부 산통 · 설사로 시작되며, 1~2일 후에 "all blood and no stool"로 표현되는 혈성 설사로 변한다[2].
- ✓ 장출혈 대장균 대장염은 7일 이내에 시작되지만, 드물게 독성 거대결장이나 광범위 대장괴사를 일으켜 외과수술의 적응증이 되기도 한다[2].

🔍 감별진단의 포인트

- ▶ O157장출혈 대장염에서 병변부위는 맹장에서 구불결장 또는 직장까지 침범하지만, 우측결장에서 현저한 염증소견을 나타내며, 좌측결장으로 이행하면서 염증소견이 점차 감소된다[2, 3](그림 1a~e).
- ▶ 또 세로궤양(그림 1f)을 나타내는 예도 있다[3].
- ▶ 상기의 특징이 있는 전형례에서는 내시경소견에서 O157이 원인균이라는 추정이 가능하다[3].
- ▶ 비전형례로서, 아프타 대장염이나 위막성 대장염을 나타내는 예, 또 염증이 좌측결장에 주로 나타나는 증례보고도 있다[2].
- ▶ 초음파검사, 복부 전산화단층촬영에서는 우측결장이 현저한 장벽부종(그림 2)이 특징이다.

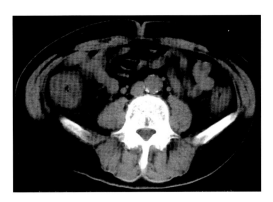

그림 2 · O157장출혈 대장균 대장염의 복부 전산화단층촬영
상행결장에 현저한 장벽부종이 보인다. (滋野 俊 외 : 장기별로 본
소화관 감염증. 장출혈 대장균 감염증. 아틀라스소화관 감염증. 소
화관내시경 21 : 457~459, 2009에서 전재)

B │ non-EHEC 감염증

- non-EHEC 감염증은 EHEC 감염증에 비해서 임상증상이 가볍고, 또 혈변을 나타내는 빈도도 적다.
- EPEC 감염증은 살모넬라 장염과 유사하여 설사, 발열, 복통, 구토를 나타낸다.
- ETEC 감염증은 콜레라와 유사한 수양성 설사가 특징이지만, 복통이 경미하고 발열도 드물다. ETEC는 여행자설사의 주원인균이다.
- EIEC 감염증은 설사, 발열, 복통이 주증상이지만, 중증례에서는 설사 같은 점액성 혈변, 무지근한 복통을 보인다.
- EAEC 감염증은 EPEC 감염증과 유사하지만, 설사가 더 오래 지속되는 경향이 있다.

🔍 감별진단의 포인트

▶ 혈변을 나타내는 non-EHEC대장염에서는 non-EHEC종류와 무관하게 염증소견이 비교적 경하며, 또 좌측결장에 구역성으로 염증을 보이는 경우가 많다[4].

▶ 혈변을 보이는 non-EHEC대장염의 내시경검사에서 허혈 대장염형, 지도상 궤양형, 경도 염증형으로 나누어진다[4](그림 3).

▶ 허혈 대장염형은 좌측결장에서 허혈 대장염과 구별할 수 없는 염증상을 나타낸다. non-EHEC에 의한 직접적인 병변이라기 보다는 non-EHEC 감염에 의해서 일으키게 된 장관내압의 급격한 상승이나 장관의 심한 연축 등으로 인해 형성된 2차적인 병변으로 여겨진다[4].

▶ 같은 O항원 혈청군에 속하는 non-EHEC라도 다른 형의 내시경소견을 보이므로, 내시경소견으로 원인균을 추정하기는 쉽지 않다[4].

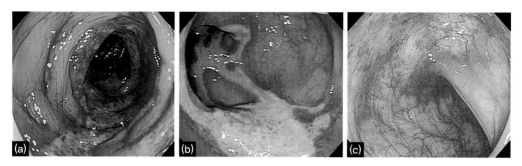

그림 3 · **non-EHEC 출혈 대장염**　(a) O80이 검출된 허혈 대장염형. 하행결장에 부종, 발적, 세로궤양이 보인다. (b) O1이 검출된 지도상 궤양형. 구불결장에 지도상 궤양이 보인다. (c) O10이 검출된 경도 염증형. 하행결장에 경도의 발적이 보인다. (그림 3b는 Shigeno T et al : Evaluation of colonoscopic findings in patients with diarrheagenic Escherichia coli induced hemorrhagic colitis. Dig Endosc 20 : 123-129, 2008에서 전재)

one point advice

- Stx에는 Stx1과 Stx2가 있으며, Stx2의 독성이 더 강하다. O157은 대부분의 균주(株)가 Stx2를 생산하는데 반해서, O157 이외의 EHEC는 Stx1만을 생산하는 균주가 많다[3].
- 용혈성 요독 증후군(HUS)은 용혈성 빈혈, 혈소판 감소, 급성 신부전을 세가지로 특징으로하며, 설사출현 후 4~10일 사이에 발생하는 경우가 많다. 증상이 발생한 환자의 1~10%에서 HUS가 합병되고, 이 중 25%에서 뇌증을 동반한다. 급성기 사망률은 3~5%이다. HUS를 조기에 진단하기 위해서는 혈소판, 헤모글로빈, 파괴적혈구의 유무, LDH·BUN·Cr, 요검사를 자주 시행하는 것이 바람직하다[2].
- 혈청 항O157 리포폴리사카라이드 항체는 증상 발생 후 1~4주 사이에 양성이 되므로, 대변배양검사에서 음성이지만, O157감염증을 의심하는 경우 진단에 유용하다.
- 예전에, 각각의 설사유발 대장균의 카테고리에 특정한 O항원 혈청군이 속하는 경우가 많았다는 점에서, O항원 혈청군에 의한 설사유발 대장균의 분류가 편의적으로 사용되어 왔다(표 1). 그러나 이 분류는 각각의 설사유발 대장균이 보유하는 병원인자와 반드시 연동되어 있다고는 할 수 없다. 정확하게 각 설사유발 대장균이 보유하는 병원인자, 병원유전자나 배양세포에 대한 부착양식(표 1)의 확인이 필요하다[1].

문헌

1) 小林一寬 : 感染性食中毒—そのほかの下痢原性大腸菌. 臨と微生物 **27** : 49-53, 2000
2) 滋野　俊ほか : 腸管出血性大腸菌感染症. アトラス消化管感染症. 消内視鏡 **21** : 457-459, 2009
3) 滋野　俊ほか : 感染性腸炎の最近の知見—腸管出血性大腸菌感染症. 胃と腸 **43** : 1613-1620, 2008
4) Shigeno T et al : Evaluation of colonoscopic findings in patients with diarrheagenic *Escherichia coli* - induced hemorrhagic colitis. Dig Endosc **20** : 123-129, 2008

질 | 환 | 개 | 념

- 이질균이 소장점막에서 증식하여, 소장이나 대장의 점막세포로 감염된다.

- 감염력이 강하여, 소량의 균이라도 증상이 발생한다.

- 유감스럽게도 대장내시경검사에서 결정적인 단서가 되는 소견은 없다. 이질균은 점막의 침입에 그치므로, 내시경소견은 부종, 점막내 출혈, 미란정도이며, 임상증상에 비해서 내시경소견이 가벼운 증례가 많다.

- 균체 O항원에 따라서 *Shigella dysenteriae*(A군), *S. flexneri*(B군), *S. boydii*(C군), *S. sonnei*(D군)으로 분류된다. 개발도상국에서는 *S. dysenteriae, S. flexneri, S. boydii*, 선진국에서는 *S. sonnei*를 흔히 볼 수 있다. 일본에서는 약 80%가 *S. sonnei*에 의한 것이다.

- 경험적 치료(empiric therapy : 추정되는 원인균과 그 예상되는 약제감수성에 근거하여, 원인균을 알기 전에 항균제 투여를 개시하는 것)를 시작해야 하는 소화관 감염증 중의 하나이다.

- 감염이 의심스러운 경우는 퀴놀론계 항균제, 제3세대 세파로스폴린계 항균제나 azithromycin으로 치료한다.

증 | 례 | 제 | 시

증례① (32세 남자)

- 평소 건강하던 환자로 내원 1주 전 인도네시아와 타이로 여행. 내원 당일부터 하루 5회 설사와, 하복부 통증이 발생하였으나 오심, 구토, 혈변은 없었다. 체온 36.4℃, WBC 10,300/μL, ESR 5, CRP 0.4 mg/dL 같은 날 대장내시경검사를 시행하였다.

- 내시경검사 소견은 맹장에서 직장까지 비연속성으로 다발성 미란이 산재되어 있었고 부종, 점막내 출혈, 미란이 경하게 관찰되었지만 임상증상이 중증 소견을 보여 입원 치료하기로 하였다.

- 상행결장에 미만성으로 미란, 점막부종 및 발적이 관찰되지만, 군데군데 정상 혈관투시상이 보인다(그림 1a). 또 횡행결장에 국소적인 비특이성 미란이 있으며, 주위 점막에는 정상 혈관상이었다(그림 1b).

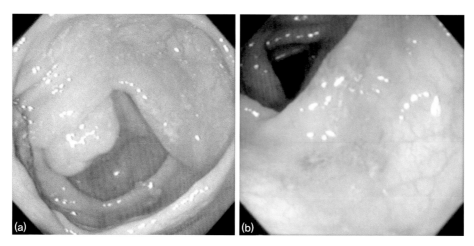

그림 1 · **증례①**　(a) 상행결장. (b) 횡행결장

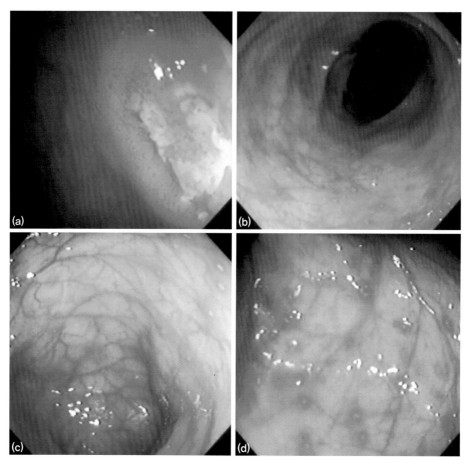

그림 2 · **증례②**　(a) 말단회장. (b) 횡행결장. (c) 비만곡부. (d) 구불결장

증례② (25세 여자)

✓ 평소 건강하던 환자로 인도네시아에서 귀국 후, 혈성 설사, 하복부통증이 있지만 오심, 구토는 없었다. 입원 후 대장내시경검사를 시행하였다. 체온 37.5℃, 복부 촉진에서 압통이 있으나 복막 자극징후는 없었다. WBC 6,700/μL, ESR 39 mm/hr, CRP 0.1 mg/dL이었다.

✓ 말단회장에 얕은 궤양을 보였고(그림 2a), 전 결장에 아프타 궤양을 관찰할 수 있었다 (그림 2b~d).

증례③ (28세 여자, *Shigella flexneri*)

✓ 평소 건강하던 환자로 뉴기니아에서 귀국 후, 수양성 설사, 선혈이 동반된 혈변이 있으나 복통, 오심, 구토 없었다. 대장내시경검사를 시행. 체온 36.4℃, WBC 4,800/μL, CRP 0.1 mg/dL이었다.

✓ 말단회장 및 전 결장에 아프타성 미란, 장관 부종을 확인할 수 있었다(그림 3).

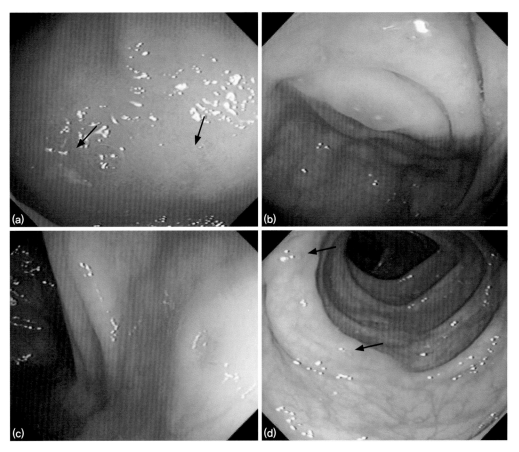

그림 3 · **증례③**   (a) 말단회장. (b) 맹장. (c) 상행결장. (d) 횡행결장

감별진단의 포인트

▶ 다른 감염성 장염과 마찬가지로, 궤양성 대장염이나 크론병, 종양성 질환 등과의 감별이 용이하다.
▶ 가장 중요한 점은 이 질환을 의심하는 것이며 환자에게 세균에 대한 노출력을 구체적으로 동남아시아 등의 유행지역으로 여행력이 있는가를 묻는 것이다.

One point advice

● 내시경검사 소견에서는 특이적인 것이 없으므로, 다른 감염 대장염과 감별하기가 어렵다. 내시경소견은 부종, 점막내 출혈, 미란 정도로 비교적 경하지만 임상 증상이 중증이어서, 종종 입원을 필요로 하는 경우가 많다.
● 일본에서 환자는 약 80%가 해외에서의 감염이라는 점에서 해외 여행력을 구체적으로 묻는 것이 중요하다.

장티푸스, 파라티푸스 06

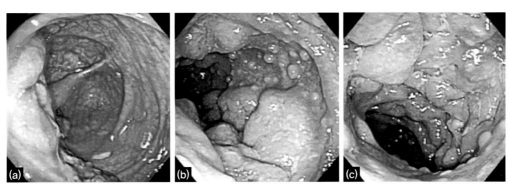

그림 1 · **급성기 장티푸스**   (a) 회맹판에 미란, 맹장에 난원형 궤양이 관찰된다. (b, c) 부종 점막에 미란이 산재하고, 현저한 종대와 발적이 관찰되는 파이어 판(Peyer's patches)　　　　　　　　　　　　　　　　　(문헌3에서 일부 인용)

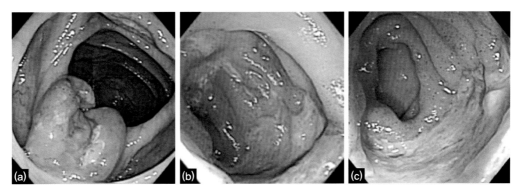

그림 2 · **열이 정상화된 후 파라티푸스**   (a) 회맹판이 발적 · 종대되고, 미란이나 부정형 궤양의 산재되어 있다. (b, c) 말단회장의 장간막 반대측에 형성된 비교적 거대한 깊게 파인 난원형의 궤양　　　　　(문헌3에서 일부 인용)

질 | 환 | 개 | 념

- 장티푸스와 파라티푸스는 균혈증과 회맹부의 림프조직을 중심으로 병변 형성을 특징으로 하는 질환으로, 일반 살모넬라 장염과 구분하여 티푸스성 질환이라고 총칭한다.

- 장티푸스는 *Salmonella Typhi*, 파라티푸스는 *Salmonella Parathyphi A*를 원인균으로 하며, 모두 혐기성 그람음성간균이며, 분변으로 오염된 음식이나 물을 통해 사람에게만 감염된다. 경구 감염된 균은 소장점막에서 파이어 판이나 장간막 림프절로 침입하여, 대식세포계 세포내에서 증식하여 초기병소를 형성한 후, 림프관에서 흉관을 거쳐 혈관내로 침입하여, 균혈증이나 특유의 임상증상을 일으킨다.

✓ 일본에서는 환자의 대부분이 인도나 동남아시아로의 해외여행을 계기로 발병하는 수입 감염증이다.

임 | 상 | 소 | 견

✓ 통상 8~14일의 잠복기 후에 발병하며, 전형적인 증례는 4주 4기로 분류되는 임상경과를 취한다[1, 2].

✓ 제1주(급성기) : 장관 림프조직 내에서 균이 증식하여 파이어 판이나 장간막 림프절이 종창하는 시기이며, 39~40℃로 단계적인 체온상승과 서맥 · 장미진 · 간비종대의 세 가지 주증상이 출현한다.

✓ 제2주(극기) : 종창된 림프조직에 괴사 · 가피가 형성되는 시기이며, 40℃ 정도의 지속적인 발열과 복통이나 설사에 추가하여, 중증인 경우에는 의식장애나 티푸스성 얼굴 모양이 나타난다.

✓ 제3주(해열기) : 가피가 탈락되고 궤양이 형성되는 시기이며, 하루 체온이 1도 이상 차이나는 이장열과 약 10% 정도에서 혈변, 약 5% 미만에서 장천공을 일으킨다.

✓ 제4주(회복기) : 괴사부가 육아조직으로 재생되는 시기이며, 해열과 함께 전신 상태가 개선된다.

✓ 지속성 고열 이외에 다른 동반 증상이 없는 증례도 있으므로 주의해야 한다.

✓ 내시경소견 : 발적 종대된 회맹판에 추가하여 제1주에서는 종종 정상에 미란을 동반하며 현저하게 발적 · 종대되는 파이어 판(그림 1)을, 제2주 이후에는 경계가 명료한 원형 내지 계란형의 아래가 파인 경향의 궤양(그림 2)을 회장 말단에서 관찰할 수 있다. 궤양은 미란이나 아프타 병변도 동반하지만, 병변사이의 점막이 비교적 정상이며, 약 30%의 증례에서 우측결장, 드물게 좌측 결장에 나타나기도 한다[1, 2].

✓ 병리소견 : 점막하층을 중심으로 호산성 세포질이 있는 대형 단핵구(티푸스세포)가 미만성으로 증식되고, 고유근층, 장간막지방층, 림프절에도 대형 단핵구의 결절성 증식(티푸스결절)을 확인할 수 있다[1].

🔅 감별진단의 포인트

▶ 예르시니아 장염도 회맹부 림프조직를 중심으로 병변을 형성하고, 내시경소견이 매우 유사하지만, 예르시니아 장염에서는 종대된 결절의 꼭대기를 중심으로 미란이나 궤양형성을 확인할 수 있다.

▶ 말단회장의 큰 결절의 요철 부정상은 크론병의 조약돌 점막상과 감별해야 한다. 크론병에서는 조약돌 점막상의 결절 주위에 궤양이 산재한다.

▶ 회맹부의 난원형 궤양은 베체트 장염이나 장결핵 등을 감별질환으로 들 수 있다. 베체트 장염으로 형성되는 궤양은 더욱 깊게 파인 형태를 나타내며, 장결핵에서는 반흔을 동반한 점막의 위축대의 존재가 감별에 도움이 된다.

진단과 | 치료

> 환자의 혈액, 변, 요 등에서 *S. Typhi* 또는 *S. Paratyphi A*를 증명함으로써 확정 진단
> 한다. 혈액배양검사의 양성률은 제 1주가 약 90%, 제 2주가 약 50%이며, 제 2주 이
> 후에는 변에서도 배균된다.

> 치료는 퀴놀론계 항균제(통상의 4/3 주사용량×2주)가 일차 선택약제이며, 최근 증가
> 하는 낮은 감수성이나 내성균인 경우에는 3세대 세펨계 항균제를 투여한다.

문헌

1) 檜沢一興ほか：腸チフス・パラチフス．小腸疾患の臨床，八尾恒良ほか（編），医学書院，東京，pp116-118，2004
2) 平田一郎：感染性腸炎．腸疾患診療，清水誠治ほか（編），医学書院，東京，pp355-375，2007
3) 中村志郎：腸チフス・パラチフス．感染性腸炎 A to Z，大川清孝ほか（編），医学書院，東京，pp60-68，2008

Chapter 07 거대세포바이러스 대장염
(궤양성 대장염에 병발)

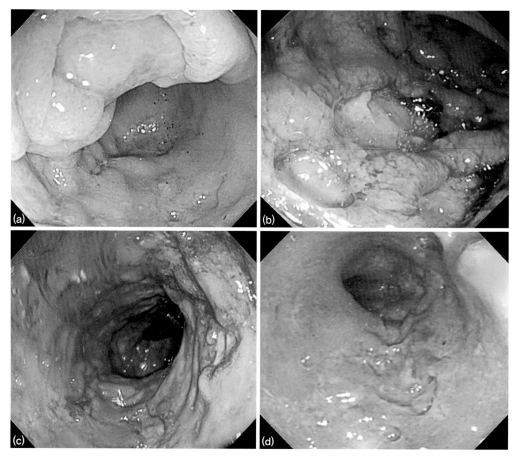

그림 1 · **전형적인 거대세포바이러스 대장염이 합병된 궤양성 대장염** (a) 항원혈증 양성으로 진단. (b~d) 궤양의 가장자리점막의 생검조직에서 CMV DNA를 검출

질 | 환 | 개 | 념

- ✓ 거대세포바이러스(CMV)는 헤르페스바이러스과에 속하며, 235 kbp의 계놈을 가진 이중사슬 DNA바이러스이다.

- ✓ 한국에서 CMV 항체 보유율은 성인의 60~90%이며, 대부분은 영유아기에 불현성 감염되어 단핵구 등에 잠복감염을 일으킨다.

- ✓ 주로 면역억제상태에서 재활성화되어 감염증이 나타난다. 소화관에서는 구강에서 직장까지의 모든 소화관에서 병변을 형성할 수 있다.

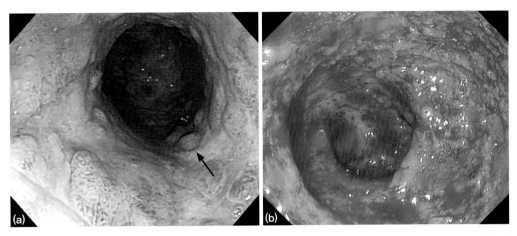

그림 2 · **비전형적인 거대세포바이러스 대장염이 합병된 궤양성 대장염** (a) 전형적인 깊은 궤양은 확인되지 않지만, 생검조직(화살표부분)에서 CMV DNA를 검출하였다. (b) 직장에 미만성으로 궤양 형성·자연출혈을 확인하고, 궤양성 대장염의 활동기 내시경소견(강도)으로는 비전형적이었지만, 항원혈증이 양성이었다.

- 혈관내피세포 감염에 의한 내피세포 기능장애나 국소의 환경장애 등이 소화관 병변의 원인이다.
- 궤양성 대장염의 치료는 스테로이드나 면역조절제이므로, 종종 거대세포바이러스 대장염의 합병증례를 경험한다(3.4~36%)[1~3].
- 스테로이드 저항성이나 고령자의 궤양성 대장염환자에게 거대세포바이러스 대장염의 합병이 많다는 보고[3]가 있다.
- 거대세포바이러스 대장염의 합병은 궤양성 대장염의 악화인자나 예후불량 예측인자이다.

🔍 감별진단의 포인트

▶ 거대세포바이러스 대장염의 전형적인 내시경소견으로는 난원형 궤양, 깊은 궤양, 지도상 궤양이 관찰되는데(그림 1), 이와 같은 전형적인 병변을 나타내지 않는 증례도 있어서(그림 2), 여러 가지 내시경소견을 보이는 것이 특징이다.
▶ 내시경검사만으로는 진단이 어려워서 임상경과, 병변부에서의 핵내봉입체·CMV항원·DNA의 검출, 모노크로날항체인 C7-HRP를 이용한 거대세포바이러스항원 양성 백혈구의 검출(항원혈증) 등을 병행하여 진단한다.
▶ 항원혈증으로 검출되는 거대세포바이러스항원 양성 다형핵백혈구는 거대세포바이러스에 감염된 세포에서 생산된 항원이 핵내로 흡수된 것이며, 체내의 어딘가에 활동적인 거대세포바이러스 감염의 존재를 시사한다. 또 반정량적으로 항원 양성 백혈구수를 측정하는 검사법으로, 치료 경과 관찰에도 유용하다.

질환에 | 관한 | 데이터

- 궤양성 대장염에서 거대세포바이러스 대장염 합병증례는 비합병례에 비해서, 궤양형성률이 높고, 깊은 궤양·지도상 궤양·세로궤양을 높은 빈도로 보인다는 보고[4]가

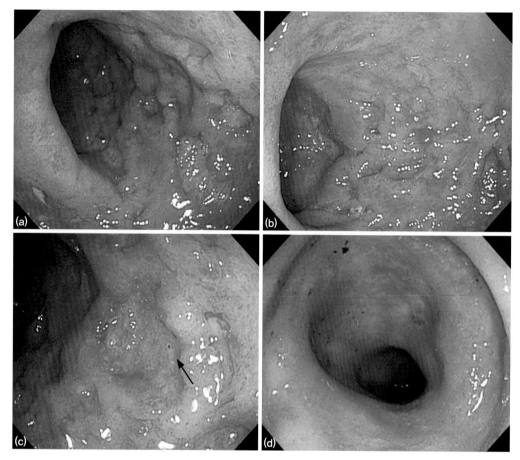

그림 3 · **구불결장부터 구측의 병변에 비해서 직장병변의 염증이 경도였던 증례**　(a~c) 구불결장. (d) 직장. 생검조직에서 CMV DNA를 검출((c) 화살표에서 생검)

있다. 자험례에서 궤양성 대장염 89례의 검토에서 거대세포바이러스 대장염 합병은 31례/89례(34.8%)였고, 거대세포바이러스 대장염 합병증례는 비합병증례에 비해서 지도상 궤양 형성률이 유의하게 높았으며, 세로궤양 형성률도 높은 경향이 있었다. 또 구불결장부터 구측의 병변에 비해서 직장병변의 염증이 경도(그림 3)인 경향이 있었다.

- 항바이러스요법의 효과는 비교적 높으며(50~64.3%)[3], 자험례에서도 71%(22례/31례)가 거대세포바이러스의 음전화 또는 관해에 도달하였다.

One point advice

- 병변부에서 CMV항원 검출률은 궤양의 바닥이나 궤양의 가장자리점막에서 높으므로, 궤양 근방에서 생검이 바람직하다.
- 스테로이드나 면역조절제에 의한 내과적 치료에 저항성을 나타내는 궤양성 대장염 증례에서는 거대세포바이러스 대장염의 합병 가능성을 고려하여, 생검이나 혈액검사(항원혈증등)를 포함하여 진단하며, 적절한 치료를 하는 것이 중요하다.
- 거대세포바이러스 대장염의 치료는 ganciclovir을 투여하는 경우가 많지만, 부작용으로 골수억제, 약물실험에서 생식기 독성 등이 있어서, 사용 중에는 정기적으로 혈구수를 관찰해야 한다.
- 항바이러스치료를 요하지 않는 잠복 거대세포바이러스 대장염과 항바이러스치료를 요하는 거대세포바이러스 대장염의 정확한 감별이 어려우므로, 임상경과나 치료 저항성 등을 종합하여 치료의 필요여부를 판단한다.

문헌

1) Vega R et al : Cytomegalovirus infection in patients with inflammatory bowel disease. Am J Gastroenterol **94** : 1053-1056, 1999
2) Matsuoka K et al : Cytomegalovirus is frequently reactivated and disappears without antiviral agents in ulcerative colitis patients. Am J Gastroenterol **102** : 331-337, 2007
3) 和田陽子ほか：難治性潰瘍性大腸炎におけるサイトメガロウイルス感染症. 胃と腸 **40** : 1371-1382, 2005
4) 青柳邦彦ほか：サイトメガロウイルス感染症を合併した潰瘍性大腸炎. 胃と腸 **33** : 1261-1265, 1998

08 거대세포바이러스 대장염
(궤양성 대장염 이외)

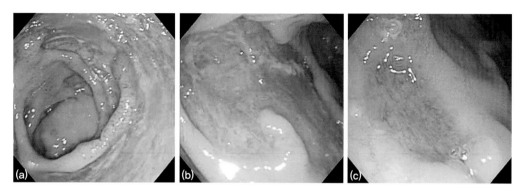

그림 1 · **백태가 없는 깊은 궤양** 직장에 백태가 없는 거대 궤양(a, b)과 작은 깊은 궤양이 관찰된다(c).

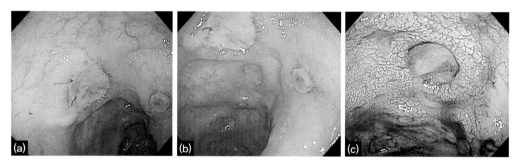

그림 2 · **백태를 동반하는 깊은 궤양** 전 대장에서 깊은 궤양이 관찰된다. (a, b) 궤양 주위에서 경한 발적이 관찰되며, 주위 점막은 정상이다. (c) 색소 도포상

질 | 환 | 개 | 념

- 거대세포바이러스(CMV)는 헤르페스과의 DNA바이러스로, 사람 이외에는 감염되지 않으며, 사람이 유일한 보유숙주이며 감염원이다.

- 거대세포바이러스는 열에 약하고 세포외에서는 매우 불안정하며, 사람에서 사람으로의 전파에는 밀접한 접촉이 필요하다.

- 거대세포바이러스의 감염은 모자간, 성적 접촉, 병원감염으로 나누어진다. 모자사이에는 출산시에 태반, 산도, 요를 통해서 수유기에 타액, 모유 등을 통해서 감염된다. 성적 감염은 어른이 된 후 초감염이 많으며, 정액, 자궁경관·질분비액이 원인으로 작용한다. 병원감염은 이식, 수혈 등이 원인이다.

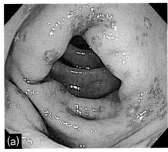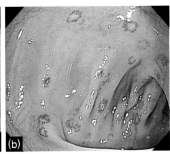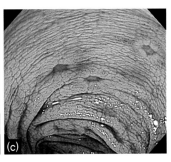

그림 3 · **아프타 궤양** (a, b) 전 대장에 다발성 아프타 궤양이 관찰된다. (c) 색소 도포상에서는 궤양이 부정형이다.

- 일본에서는 대부분이 분만시 산도를 통해 초감염되어, 평생 지속 감염된다. 한번 감염되면 바이러스는 생체내에서 평생동안 잠복하며, 잠복한 바이러스는 숙주의 면역력 저하로 재활성화된다. 대부분은 불현성 감염이며, 성인의 항체보유율이 60~90%이다.
- 항체가 음성인 채 경과되다가, 사춘기 이후에 초감염된 경우는 전염성 단핵구증 같은 증상을 나타낸다.
- 거대세포바이러스 대장염인 경우, 대부분이 재활성화되며, 기저질환으로는 AIDS, 악성종양의 말기, 스테로이드, 면역억제제, 항암제가 투여되는 질환 등이 있다.

감별진단의 포인트

▶ 가장 진단가치가 높은 소견은 깊은 궤양으로, 가장 흔히 볼 수 있는 소견이며(그림 1, 2) 다음으로 얕은 부정형 궤양이 많다(그림 3).

▶ 거대세포바이러스 대장염은 깊은 궤양, 얕은 부정형 궤양, 가로경향 궤양, 넓은 궤양, 세로궤양, 아프타 궤양, 발적 등 매우 다양한 모양을 나타낸다. 이와 같은 다양한 궤양이 동시에 보이는 경우는 본증을 감별하는 데 중요하다(그림 4).

▶ 궤양 주위의 점막은 정상인 경우가 많지만, 부종이나 발적이 보이는 경우가 있다. 특히 작은 궤양이 전 대장에서 보이는 경우는 궤양성 대장염과 감별해야 한다(그림 5). 거대세포바이러스 대장염에서는 어딘가에 깊은 궤양이 나타나는 것이 감별의 포인트이다.

▶ 급성 출혈성 직장궤양에 거대세포바이러스 대장염이 합병되기도 한다. 치상선 바로 위 이외에 깊은 궤양이 보이는 경우는 거대세포바이러스 대장염을 의심하여 생검이나 항원혈증을 검사한다(그림 6).

▶ 세로궤양이나 부정형 궤양이 세로 배열을 보이는 경우는 크론병과 감별해야 하며, 가로궤양이 보이는 경우는 장결핵이나 비스테로이드 소염제 유발 대장염과 감별해야 한다.

▶ 회맹판의 궤양도 종종 보여서, 비스테로이드 소염제 유발 대장염, 캄필로박터 대장염, 베체트 장염, 크론병 등과도 감별해야 한다.

▶ 궤양이 큰 경우는 위막(僞膜)을 동반하는 경우가 많아서, 위막성 대장염, 아메바 대장염, 허혈 대장염 등과 감별해야 한다.

▶ 임상증상으로 출혈과 설사가 가장 흔하며, 장천공이나 대량 출혈 등의 치명적 합병증이 발생할 수 있다. 합병증은 대장염보다 소장염에서 많다.

▶ 원인불명의 소장궤양 천공인 경우는 본증을 염두에 두어야 하며 출혈에 대한 응급내시경시에도 본증을 염두에 두어야 한다.

▶ 임상증상에서는 혈변보다 설사가 우위이고, 내시경소견은 경하지만 발열이 있다. 면역이 떨어진 환자에서 잘 발생하며 신부전, 의식 장애, 다발성 외상, 수술 후 등에서도 발생할 수 있다.

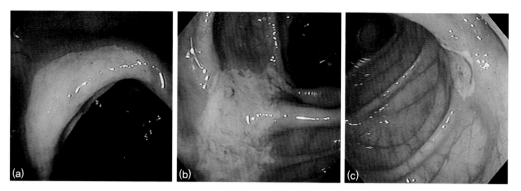

그림 4 · **다양한 궤양의 존재** 회맹판의 얕은 궤양(a)이나 세로궤양(b), 깊은 궤양(c)이 보인다.

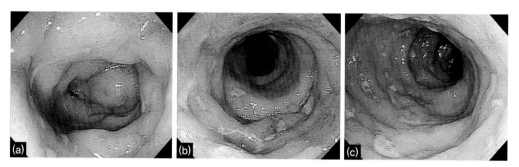

그림 5 · **궤양성 대장염과 감별** 작은 미란(a)과 작은 깊은 궤양(b, c)이 보인다. 주위 점막은 부종이 있고, 혈관상이 불량하며, 궤양성 대장염과 감별해야 한다.

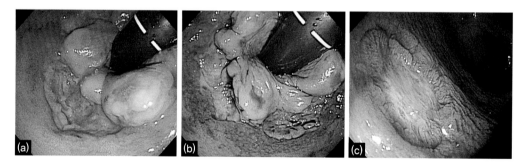

그림 6 · **급성 출혈성 직장궤양과 감별** 항문 바로 위에 다발성 궤양이 보여서, 급성 출혈성 직장궤양이라고 진단하였다 (a, b). Ra에 깊은 궤양이 보이며(c), 생검에서 봉입체가 검출되어, 이 궤양은 거대세포바이러스에 의한 궤양으로 진단하였다.

One point advice

- 궤양 형태나 환자의 병력, 과거력 등을 근거로, 거대세포바이러스 대장염을 의심하여 여러 가지 검사를 하고 확진한다.

- 거대세포바이러스 감염증의 혈액에 의한 진단은 PCR에 의한 혈중 DNA의 증명, 혈액 속의 백혈구 항원의 증명(antigenemia법), 항체검사 등이 있다. 실제로 가장 널리 이용되는 것은 항원혈증 검사법이다. 항체검사는 초감염유무 진단에 유용하다.

- 항원혈증법은 모노클로날항체를 이용하여 다핵백혈구의 핵내에서 검출되는 거대세포바이러스항원을 인식하는 방법이다. 양성 백혈구수를 세어 바이러스혈증의 정도를 반정량화 할 수 있고, 5만개 세포 당 1개 이상을 양성으로 진단한다.

- 장기에 따라서 항원혈증법의 양성률이 낮은 거대세포바이러스 감염증이 있으며, 망막염이 그 대표이다. 소화관도 비교적 항원혈증이 잘 올라가지 않는 장기로, 음성이라고 해서 거대세포바이러스 감염을 배제할 수 없다.

- 병변부 조직에 의한 진단은 HE염색에 의한 핵봉입체의 증명, 효소항체법에 의한 CMV항원의 증명, PCR에 의한 조직 속의 DNA의 증명 등이다.

- 실제 진단은 조직의 핵봉입체, 효소항원법에 의한 CMV항원의 검출, 혈중 항원혈증을 측정한다. 그러나 이것으로 100% 진단할 수 없으며, 임상소견, 내시경소견 등에서 강하게 의심스러운 경우는 조직 DNA, 혈중 DNA 등을 측정하여 진단하기도 한다.

09 장결핵

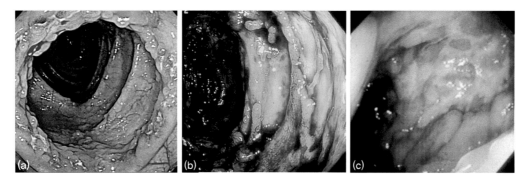

그림 1 · **활동성 장결핵(전형례)** (a) 가로배열을 보이는 부정형 궤양. (b) 지도상의 궤양. (c) 광범위한 지도상의 궤양

질 | 환 | 개 | 념

- 결핵증 중 대부분은 폐결핵이다. 폐외결핵은 약 20%이며, 장결핵은 폐외결핵의 약 5%를 차지한다.

- 장결핵은 결핵균(*Mycobacterium tuberculosis*)이 장점막으로 침입하여 결핵결절(건락성 육아종)을 형성하는 만성 감염성 질환이다.

- 활동성 폐결핵 등 다른 장기로부터 이차성으로 발생하는 속발성 장결핵과 장관을 초발 감염소로 발생하는 원발성 장결핵으로 분류된다. 국내 연구에 의하면 장결핵 진단 당시 한 장기 이상의 장외 결핵이 동반된 경우가 37.3%였다. 동반된 장외 결핵 중 활동 폐결핵이 29.8%로 가장 많았다.

A | 증상 · 검사소견

- 임상증상에는 복통, 설사, 항문출혈, 발열, 복부팽만감, 체중감소, 복부종괴 등이 있지만, 어느 것이나 장결핵에 특이할 만한 것은 없다.

- 최근에는 무증상으로, 검진이나 변잠혈 양성에 대한 정밀검사를 목적으로 대장내시경검사를 시행하여 장결핵이 진단되는 경우가 증가하고 있다.

- 병변은 회맹부에 호발하며, 소장이나 상행결장에서도 높은 빈도로 나타난다.

- 장결핵에서 특이한 검사소견은 없고, 경도의 빈혈이나 저단백혈증, 염증반응의 항진 등이 확인되는 정도이다.

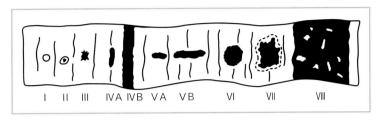

그림 2 · **활동성 장결핵의 궤양의 육안분류[쿠로마루(黑丸)의 분류]**
Ⅰ형 : 좁쌀크기의 점막하종양 같은 융기(결핵결절)를 형성한다.
Ⅱ형 : 결핵결절의 괴사물질이 점막을 덮고, 장관내로 배출되며, 소궤양을 형성한다.
Ⅲ형 : Ⅱ형이 커져서 작은 콩~편도 크기까지의 원형~부정형 궤양.
Ⅳ형 : 장관의 가로 방향의 궤양으로, 진전되면 가로·대상궤양이 된다
    [Ⅳ(a) 장경 2 cm 이하, Ⅳ(b) 장경 2 cm 이상인 것].
Ⅴ형 : 가로방향으로의 궤양 [Ⅴ(a) 장경 2 cm 이하, Ⅴ(b) 장경 2 cm 이상인 것].
Ⅵ형 : 편도크기 이상의 원형~유원형 궤양.
Ⅶ형 : 편도크기 이상의 부정형 궤양.
Ⅷ형 : 궤양이 융합되어, 광범위한 궤양이 된 것.   (문헌1에서 인용)

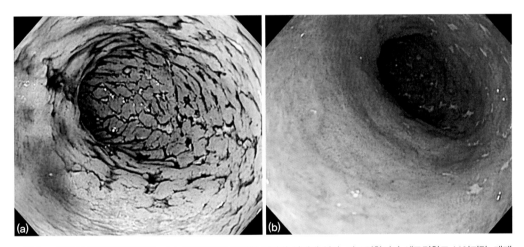

그림 3 · **활동성 장결핵(비전형례)**   (a) 횡행결장에 부정형 궤양이 산재해 있다. 가로경향이나 세로경향도 보이지만, 개재되어 있는 점막에는 염증소견이 없다. (b) 궤양 주위에 반흔과 점막 위축을 동반하고 있다.

B | 영상소견

- 병변은 장간막 부착 반대측에 호발한다.
- 장결핵의 활동성 궤양의 육안형태에 관해서는 쿠로마루(黑丸)가 그림 2에 나타냈듯이 여덟 가지 형태로 분류하고 있다(그림 1~4).
- 장결핵의 병변은 Ⅱ형이나 Ⅲ형 등의 소병변이 대형병변으로 진전되는 것이다.
- 쿠로마루(黑丸)분류의 Ⅳ형(가로궤양)이나 Ⅷ형(광범위한 대상궤양), 가로로 배열하는 소궤양이 장결핵에서 특징적인 궤양형태이다(그림 1).
- 여러 가지 형태의 궤양이 동시에 혼재하여 나타나는 경우가 많다. 또 활동성 궤양과 궤양 반흔이 혼재하여 나타나는 것도 특징적이다.
- 궤양 반흔을 동반하는 반흔 위축대는 장결핵에서 특징적인 형태소견이다(그림 5).

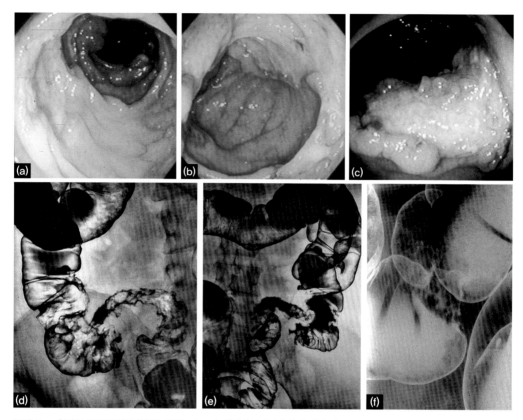

그림 4 · **활동성 장결핵증례 (48세 여성)** (a~c) 대장내시경검사에서 맹장 및 상행결장에서 광범위한 지도상 궤양이 관찰되고 궤양의 주변 점막은 혈관상이나 광택이 유지되고 있다. 또 횡행결장에도 건너뛰기 양상으로 장관의 절반을 차지하는 지도상 궤양이 관찰된다. (d) 회맹부에서 말단회장에 걸쳐서 전주성의 불규칙한 신전불량이나 단축을 보이고, 주위에 집중된 주름이나 변연의 잔털과 같은 모양을 동반하고 있다. (e) 복와위의 이중조영에서는 회맹부에서 대형으로 불규칙한 바륨반점을 확인하여 궤양이 있음을 시사한다. (f) 횡행결장 중간부에도 큰 지도상 궤양이 보인다.

    ✓ 이중조영바륨관장술에서는 바륨이 정상부보다 조금 두껍고, 불균일하게 부착되어, 반점을 나타내는 등의 이상소견이 보인다(그림 6).

    ✓ 장결핵에서 볼 수 있는 장관의 변형소견은 팽대주름의 소실, 장관의 장축방향의 단축, 다발하는 가성 게실 형성이나 협착, 회맹판의 변형 · 회맹판 열림 등이 특징적이다(그림 6).

    ✓ 활동성 궤양의 형태만으로 진단할 수 없을 때에는 궤양 주위에서 볼 수 있는 염증폴립이나 다발성 중심성 궤양 반흔, 반흔 위축대나 장관의 단축, 회맹판의 열림 등의 소견 유무에 주목하면, 장결핵의 진단이 용이해진다.

C | 진단

    ✓ 장결핵의 확정 진단은 ① 직시하의 생검에서, 결핵균 또는 건락성 육아종을 증명 ② 샘검조직의 배양으로 결핵균을 증명 ③ 생검조직의 PCR법으로 결핵균의 특이적 유전자 증명 등을 통해서 가능하다[2].

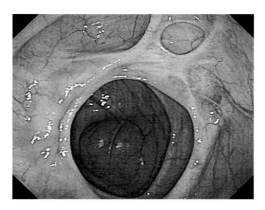

그림 5 · **장결핵 치유기** 맹장~상행결장에 궤양 반흔과 반흔에 의한 가성 게실이 관찰된다.

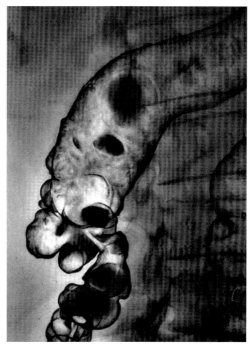

그림 6 · **장결핵 치유기의 이중조영바륨관장술** 회맹부에 다발성 궤양 반흔과 가성게실 형성을 관찰할 수 있다. 팽대주름은 소실되고, 장관의 단축과 반흔, 점막의 위축, 회맹판의 열림도 확인된다.

✓ 임상소견이나 영상진단에서 장결핵이 의심스러워도 결핵균이나 건락성 육아종이 증명되는 경우는 많지 않다. 그래서 장결핵에 합당한 이중조영바륨관장술 소견 · 내시경소견을 보이고, 항결핵제 투여 후 대장의 점막병변이 호전되면 장결핵으로 진단해도 무리는 없다[3].

✓ 변배양에서 장결핵의 약 10%는 배양 양성 소견을 보인다. 그러나 폐결핵이 있는 경우에도 변배양에서 결핵균 배양검사가 양성 소견을 보일 수 있으므로, 변배양 검사에서 결핵균이 검출되었다고 장결핵을 진단하는 우를 범해서는 안된다. 장결핵의 확진을 위해서는 병변부에서 생검시행 후 생검조직으로 도말이나 배양검사를 시행하는 것이 좋다.

D | 치료

✓ 활동성 장결핵의 치료는 폐결핵의 치료에 준하여 항결핵제로 화학요법을 한다. 한국결핵 진료 지침(2011년)에 의하면, 초치료는 RFP+INH+PZA+EMB의 4제병용으로 2개월간 치료 후, RFP+INH+EMB로 4개월간 치료한다. 초치료 시 피라진아미드를 사용하지 못하는 경우 INH+RFP+ EMB로 9개월 동안 투여할 수 있다.

감별진단의 포인트

〈크론병〉

▶ 궤양의 형태가 장결핵은 가로 방향(윤상, 대상궤양), 크론병은 세로 방향(종주궤양)인 경우가 많다.

▶ 궤양부위는 장결핵은 장간막 부착부의 반대측, 크론병은 장간막 부착측에 발생한다.

▶ 장관의 단축이나 변형은 장결핵에서 현저하며, 회맹판도 열려있는 경우가 흔히 관찰된다.

▶ 장결핵에서 볼 수 있는 변형은 좌우대칭성이며, 협착도 모래시계상을 나타내는 경우가 많다. 크론병에서 볼 수 있는 변형은 좌우비대칭성인 경우가 많으며, 협착도 편측성이며 심하다.

▶ 장결핵에서는 항결핵제 투여에 효과를 보일 경우 궤양이 작아지거나 없어지며 치료효과가 나타난다.

〈궤양성 대장염〉

▶ 궤양성 대장염은 직장에서부터 연속되는 전주성, 미만성 염증이 특징적이다. 장결핵의 병변은 구역성으로, 궤양의 형태도 다르다.

〈베체트 장염, 단순성 궤양〉

▶ 회맹부에 호발하는, 원형·난원형의 깊은 궤양이 전형적인 소견이다. 궤양 주위에 발적이나 염증폴립을 동반하는 경우가 적고, 반흔이나 점막 위축소견은 관찰되지 않는다.

〈아메바 대장염〉

▶ 호발부위는 직장 및 맹장이며, 오염된 농성 점액을 동반하는 부정형 궤양을 형성한다. 궤양 주위에 발적된 융기를 동반하는 경우가 많다.

〈비특이성 다발성 소장궤양증〉

▶ 만성적 저단백혈증, 빈혈을 확인하고, 중~하부회장에 얕고 부정형 윤주(輪走)~사주(斜走)하는 다발성 궤양을 형성한다. 궤양의 가장자리점막은 경계가 명료하고 주름이 집중되어 있는 것을 확인하지만, 병변사이의 점막이 정상이며, 염증폴립이나 반흔 위축대가 확인되지 않는다. 다발성 협착을 동반한다.

〈비스테로이드 소염제 유발 대장염〉

▶ 비스테로이드 소염제의 복용력이 있으며, 회맹판과 회장에 호발한다. 깊은 궤양을 나타내는 경우가 많고, 주변 점막에는 염증소견이 관찰되지 않는다. 다발성의 얕은 반원형(略員形)~부정형 궤양이 많다. 막성 협착이 관찰되기도 한다.

 One point advice

● 임상소견이나 영상소견에서 장결핵이 의심스러워도, 결핵균이나 건락성 육아종을 증명할 수 없는 경우가 흔하다.

● 장결핵도 투베르쿨린반응의 음성례가 10% 정도 존재한다. 특히 전신쇠약이 동반되었거나 면역능이 저하된 환자에게는 투베르쿨린 반응이 위음성으로 나오는 경우가 있으므로, 이런 경우 음성결과만으로 결핵을 배제해서는 안된다.

● 생검조직의 PCR법은 신속한 진단이 가능하지만, 검출 민감도에 한계가 있고 진단의 특이도가 높지 않다.

● 근년 폐결핵의 면역학적 진단법으로 인터페론 감마 분비검사(Interferon gamma release assay, IGRA(퀀티페론® TB-Gold)가 있으며, 민감도 89.0%, 특이도 98.1%로 모두 높다. 그러나 이는 잠복결핵의 진단에 유용할 뿐이며 장결핵의 진단에 대해서는 검토가 필요하다.

질환에 | 관한 | 데이터

- 자험례에서 장결핵에 동반하는 궤양의 형태별 빈도를 검토하면, III형(부정미란형)이 81%로 가장 많으며, 다음은 IV형(윤상형) 및 VII형(부정형)이 각각 69%, VI형(유원형)과 VIII형(광범위한 대상형)이 각각 56%의 순이었다. 그러나 크론병에서 특징적인 세로궤양은 한 예도 확인되지 않았다.

- 이중조영바륨관장술에서는 VIII형(광범위한 대상), IV형(윤상) 및 VII형(부정형) 등의 궤양이 높은 빈도로 나타나는 경우가 많았다.

- 장결핵의 진단은 궤양의 형태나 분포뿐 아니라, 동반하는 다른 소견(염증폴립이나 반흔 위축대, 장관의 변형·단축, 회맹판의 열림 등)도 근거로 하여, 종합적으로 진단해야 한다.

문헌

1) 黒丸五郎：結核新書 12―腸結核の病理. 医学書院, 東京, p28-32, 1952
2) 井上詠ほか：腸結核―古くて新しい疾患の内視鏡診断・X 線診断. 消内視鏡 **20**：1271-1276, 2008
3) 八尾恒良：最近の報告例からみた腸結核. 医最近のあゆみ **4**：91-108, 1986

10 클라미디아 직장염

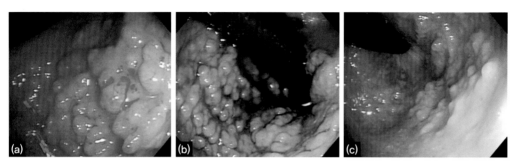

그림 1 · **증례①**　(a) 치료 전. (b) 치료 전. (c) 치료 후　　　　　　　　　　(문헌1에서 인용)

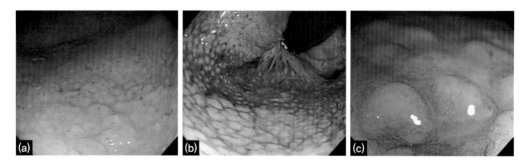

그림 2 · **증례②**　(a) 치료 전. (b) 치료 전. (c) 확대관찰상　　　　　　　　(문헌1에서 인용)

질 | 환 | 개 | 념

✓ 클라미디아 직장염은 성행위로 감염되는 성병이며(sexually transmitted diseases : STD) *Chlamydia trachomatis*(C.t.)의 직장 감염에 의한 직장염이다.

✓ 직장으로 감염경로는 항문을 통한 직접침입과 생식기 감염후에 림프관을 통한 경로가 있다. 전자의 경우는 항문성교 또는, 여성에서 감염된 질분비액에 의한 항문부 오염도 감염경로로 추정되고 있다.

✓ 생식기 감염과 마찬가지로, 직장 감염도 증상이 경미하고 만성적이며, 배변시 출혈이나 소량의 혈변, 항문의 이물감 정도인 경우가 많다. 경한 증상으로 증상의 발생부터 진단까지 기간이 긴 경향이 있고, 자각증상이 없어 진단되지 않은 잠복례도 다수 존재하리라 예상된다.

✓ 내시경검사에서 특징은 직장, 특히 하부직장에서 확인되는 광택 있는 반구상 작은 융

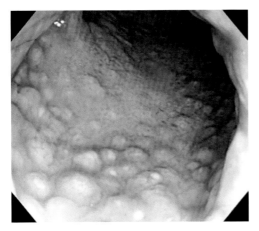

그림 3 · **증례③(아프타 백태)** (池谷賢太郎 외 : 클라미디아 직장염. 아메바 대장염의 임상적 검토. 소화기과 47 : 258-265, 2008에서 인용)

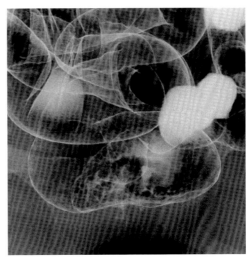

그림 4 · **이중조영바륨관장술(증례①)** (문헌1에서 인용)

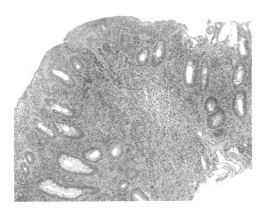

그림 5 · **병리소견**   (문헌1에서 인용)

기가 모여 있으며, 이른바 "알젖갈" 모양 점막이라고 칭한다(그림 1a, b). 치료로 자각 증상과 관련된 융기성 병변의 크기나 밀도의 호전유무를 확인하고(그림 1c), 증상 재발시에는 내시경소견도 악화된다.

✓ 융기성 병변들의 각각의 크기는 비교적 균일하지만, 융기성 병변의 높이나 밀도는 증례에 따라서 차이를 보인다(그림 2a, b). 융기부의 확대관찰에서는 융기 정상에서 I형 피트는 성글고(그림 2c), 이는 정상 선관구조의 소실을 시사한다.

✓ 증례에 따라서 융기성 병변의 표면에 아프타 백태가 있는 경우도 있다(그림 3).

✓ 이중조영바륨관장술에서 하부직장에 비교적 균일한 소결절이 모여 있으며, 직장 전체의 신전은 양호하다(그림 4).

✓ 소융기 병변부는 병리학적으로 비특이적 림프여포염이며, 림프여포의 증식, 만성 염증세포의 침윤을 확인하고, 선관구조가 파괴되어 있다(그림 5).

감별진단의 포인트

▶ 반구상 낮은 융기가 모여 있는 것이 본 질환의 특징적인 소견이지만, 내시경소견이 현저하지 않아 융기의 밀도나 높이가 낮은 경우, 직장 MALT 림프종이나 다발성 림프종폴립증(multiple lymphomatous polyposis, MLP), 양성 림프과형성(benign lymphoid hyperplasia) 등의 림프증식성 질환, 궤양성 대장염이나 크론병 등의 염증성 장질환, 감염 대장염 등과 감별해야 한다[2].
▶ 본 질환에서 병변은 직장에 국한되는 경우가 대부분이며, 병변 외의 점막은 정상이라는 점, 융기의 크기가 일정하다는 점, 미란이나 궤양을 형성하지 않는 점 등이 감별점이 된다.

 One point advice

● 클라미디아의 진단법은 일반적으로, 직접검출법, 분리배양법, 항원검출법, 유전자검출법, 혈청진단법이 있는데, 본 질환에서는 병변부 마찰 검체를 이용한 항원검출법(EIA법)이나 유전자검사법(PCR법) 등이 유효하다.
● 항문부 바로 구측에 주병변이 있는 본 질환에서는 항문부에서 검출키트의 면봉을 삽입하고, 충분히 마찰하는 간편한 수기로 검체의 채취가 가능하다.
● 본 질환에서 클라미디아항체 검사는 민감도나 특이도가 낮아서, 보조적 진단으로 이용한다.
● 치료는 클라미디어 감염에 효과가 있는 마크로라이드, 테트라사이클린, 뉴퀴놀론계 항균제를 투여한다. 치료 불응례, 재발례도 많아서, 생식기 감염에 비해 장기간 투여나, 타 약제로 변경이 필요한 경우도 있다. 또 재감염의 가능성을 고려하여, 파트너도 함께 진단, 치료하는 것이 바람직하다.

문헌

1) 池谷賢太郎ほか：感染性腸炎の最近の知見 クラミジア直腸炎. 胃と腸 **43**：1663-1669，2008
2) 池谷賢太郎ほか：直腸クラミジア症. 消内視鏡 **21**：464-466，2009

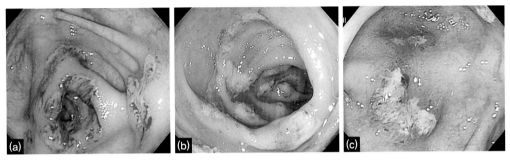

그림 1 · **아메바 대장염**　(a) 맹장. (b) 구불결장. (c) 근접상

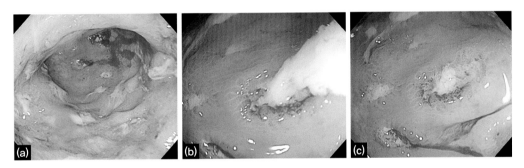

그림 2 · **아메바 대장염②**　(a) 직장. (b) 백색 크림상 농성백태 부착. (c) 백태 제거 후

질 | 환 | 개 | 념

- 아메바 대장염은 병원성 원충인 이질아메바(*Entamoeba histolytica*)의 감염에 의해 발생하며, 아메바 대장염과 장관외 아메바증으로 분류된다.

- 아메바 대장염은 급성으로 복통, 설사, 무지근한 복통, 점액성 혈변(전형적으로 딸기 젤리상)의 이질증상을 동반하는 아메바 이질과, 주로 복통과 설사가 반복되는 비교적 경증의 아메바 대장염의 두 가지 형태로 나누어진다. 며칠~몇 주 간격으로 악화와 관해를 반복하는 만성 감염 대장염이다.

- 성숙낭포를 경구섭취함으로써 감염된다. 낭포는 하부소장에서 탈낭하여 영양체가 되어 대장에서 분열 증식하고, 병원성을 발휘하여 대장 점막내로 침입, 궤양을 형성한다. 그 후, 낭포가 되어 변속으로 배출된다.

- 격리할 필요는 없다.

- 장관외 아메바증, 특히 가장 빈도가 높은 간농양을 합병할 수 있으므로 주의한다.

One point advice

- 환자수가 증가하고 있는 기생충감염증이다.
- 남성동성애자뿐 아니라, 이성간 경항문 성교로 인한 성매개감염병으로 증가하고 있으며, HIV나 매독 등 다른 성매개감염병의 합병에도 주의한다.
- 개발도상국, 특히 동남아시아 등의 열대·아열대지방의 여행자에 의해 수입 감염증으로 증가하고 있다. 심신장애자 시설에서 집단감염도 보고되어 있다.
- 해외여행력, 면역저하를 일으키는 질환의 유무, 이식수술의 유무 등에 대하여 환자의 사생활을 충분히 배려하면서 동성애나 경항문 성교에 관한 문진도 필요하다.

감별진단의 포인트

▶ 진단은 영상소견에서 아메바 대장염을 의심하고, 병력, 임상증상이나 혈청 항체역가 등을 참고로 하여 변이나 생검 조직에서 이질아메바를 증명한다. 타질환과 감별하기 위해서 조직생검을 시행한다.

▶ 병리에 의뢰할 때는 아메바 대장염이 의심된다는 정보를 병리의에게 반드시 제공한다.

▶ 호발부위는 맹장에서 상행결장에 또 구불결장에서 직장에 분포하며, 특히 맹장과 직장에는 각각 약 90%의 증례에서 병변이 존재한다.

▶ 병변은 군데 군데 모여있는 형태로 분포한다.

▶ 내시경소견은 대장의 미란·궤양이지만, 낙지빨판상의 궤양이 특징적이며, 궤양 주위는 발적과 함께 부종을 보이며, 궤양의 바닥에는 크림상, 지저분한 고름모양의 백태 내지 점액이 부착되어 있다 (그림 1~4). 소량의 출혈을 동반하는 경우도 많으며, 아프타 미란(그림 3)이나, 때로 큰 궤양이 나타나기도 한다. 농성점액이 궤양, 미란 주위로 스며 나오는 듯한 소견도 특징적이다.

▶ 병변이 다양한 것이 특징이다. 동일시기에 깊은 궤양이나 미란, 아프타 미란 등이 혼재한다.

▶ 병변 사이의 점막은 경도의 부종 이외는 정상이므로, 송기(送氣)로 충분히 장관벽을 신전시켜 신중하게 관찰(그림 3)한다.

▶ 궤양이 진행하면 근층에 이르며, 아래가 파임으로써 심부에서 연결되는 형태를 취하기도 한다.

▶ 빈도는 낮지만, 전격성 대장염, 궤양부에 괴사성 천공이 발생하기도 한다.

▶ 궤양성 대장염으로 오진하는 경우도 드물지 않으므로, 감별 진단에 주의해야 하며, 병변없는 부분, 특히 직장에서도 생검을 시행한다. 궤양성 대장염으로 오진은 스테로이드, 면역억제제의 투여로 아메바 대장염이 악화될 수 있다.

▶ 때로 크론병, 세균 대장염, 위막성 대장염, 허혈 대장염, 비스테로이드 소염제에 의한 대장 손상 등과 감별을 해야 하는 경우(그림 5, 6)도 있으므로, 주의 깊은 문진 및 진단이 애매한 경우에는 경과 관찰도 중요하다.

▶ 드물게 육아종 병변을 형성하거나, 아메보마라 불리는 융기성 병변을 형성하여, 대장암과 감별을 요하는 경우도 있다.

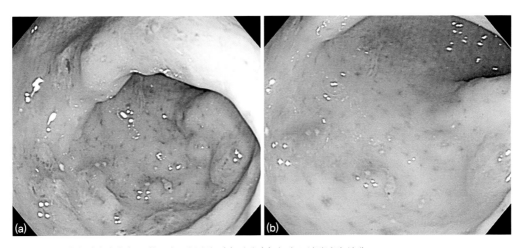

그림 3 · **아메바 대장염에서 보이는 아프타 병변**   (a) 직장. (b) 송기로 신전시킨 상태

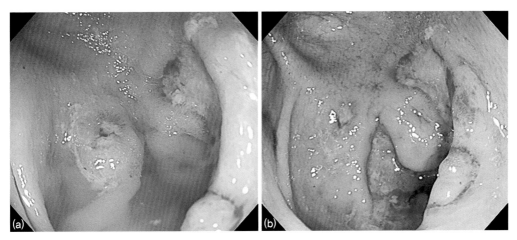

그림 4 · **아메바 대장염에서 보이는 궤양**   (a) 맹장의 다발성 궤양. (b) indigocarmine 도포사진. 궤양은 구멍이 뚫린 듯 깊어 보이지만 주위에 경도의 발적과 부종이 보인다.

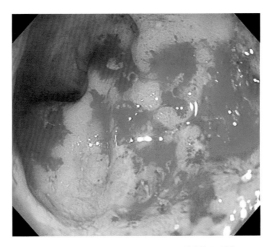

그림 5 · **아메바 대장염에서 보이는 점막출혈(비전형)**

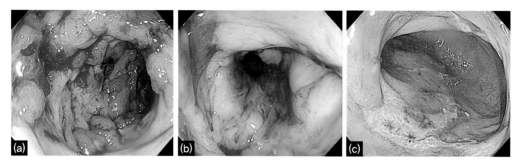

그림 6 · **아메바 대장염에서 보이는 다발성 궤양(비전형)** (a) 부정형, 일부 세로로 배열하는 경향이 있는 큰 지도상궤양을 관찰할 수 있고, 크론병이나 허혈 대장염과 감별을 요하는 사진이다. (b) 구측은 아전주성 궤양, 협착을 보이며, 종양성 병변과 감별을 요하는 사진이다. (c) metronidazole 경구 치료 2주 후에는 현저한 치유경향을 보인다.

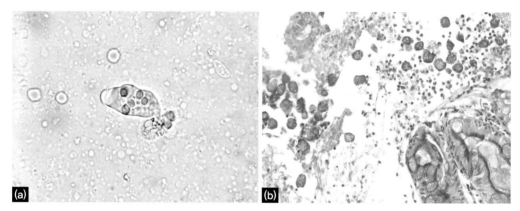

그림 7 · **아메바 대장염의 현미경사진** (a) 농성 삼출물의 직접 도말검사에서 적혈구를 탐식한 영양체. (b) 생검병리사진상. PAS 염색

![one point advice]

- 아메바 대장염의 충체는 농성 삼출물이나 백태 중에 흔히 존재하므로, 병변부, 백태에서 검체를 채취한다.
- 증상으로 분변이나 대장점막조직, 농성백태 등에서 직접 도말 검사에서 운동하는 영양형, 낭포가 발견되면 아메바 대장염으로 진단한다. 특히 세포질 내에 탐식한 적혈구를 함유하고 있는 영양형(hematophagous trophozoite)을 증명하면 확진이 가능하다(그림 7a). 이질 아메바는 장관 외에서는 낭포로 변화하므로, 영양형을 관찰하기 위해서는 검체를 37℃로 보존하여 신속(늦어도 1~2시간이내)히 관찰해야 한다.
- 신속성 및 검사 민감도의 개선을 위해서, 내시경검사시 병변부위에서 검체를 채취하고, 직접 현미경으로 검사하는 방법이 주목된다. 장내용물의 흡인액, 브러시를 이용한 농성백태나 병변부에서 찰과물, 생검조직 등에서 보고되어 있다. 출혈경향이나 항응고 · 항혈소판제 사용 등으로 생검 금기인 경우에도 응용할 수 있다. 통상의 생검겸자를 사용하여 검체를 채취하고 있는데, 검출 감도는 90% 이상, 30분 이내에 판정 가능하다.

One Point Advice (계속)

- 분변의 현미경검사의 검출률은 50% 정도라고 보고되어 있으므로, 연속 3일간 검사를 시행하면 검출 민감도를 높일 수 있다.
- 병변에서 생검조직에서 HE염색보다도 PAS 염색(그림 7b)에서 검출률이 높지만, 시설에 따라서 11.5~82%라고 보고된다.
- 장관병변이 존재하고, 혈청아메바항체 양성이면 아메바 대장염이지만, 양성률은 20~60% 정도로 낮으며, 항체가가 낮은 경우가 많다. 또 과거 감염례에서는 양성이나 위양성도 존재하므로 주의를 요한다.
- ELISA법에 의한 특이항원의 검출, PCR법에 의한 병원체 유전자의 검출은 특이도도 높지만, 아직 일반임상에는 보급되지 않았다.
- 치료는 metronidazole 500 mg을 하루 3회 7~10일 간의 경구투여가 권장된다. 부작용에는 오심, 미각이상, 어지러움, 구토, 간 장애, 발진, 말초신경장애 등이 있다. 고용량에서 중추신경장애가 보고되어 있다. warfarin의 항응고작용을 증강시키므로 병용 투여시에는 주의한다. 본제 투여 중 또는 투약 종료 후 며칠은 음주를 금지한다. 임산부(특히 임신 3개월이내)와 수유부에 대한 투여는 금기이다.
- 중증례나 경구투여가 불가능할 때는 metronidazole 주사액, 또 다른 치료제로 diloxanide, paromonycin이 있으며 국내에서는 투여가 어렵다. 열대병 치료제 연구반(http://www.med.miyazaki-u.ac.jp/parasitoloby/orphan/index.html)에서 입수 가능하다.
- 치료효과 판정에는 임상증상의 개선과 여러 차례의 분변검사 음성을 확인한다. 치료 후에 내시경을 재검하여, 병변의 치유를 확인하는 것이 바람직하다. 혈청 항체가에 의한 치유판정이 어려우며, 재발이나 재감염의 평가도 어렵다.
- 병원성 *E. histolytica*와 비병원성 *E. dispar*의 낭포는 광학현미경적으로 감별할 수 없다. 또 다른 아메바원충도 여러 종 존재한다. 분변에서 아메바원충이 검출되더라도 증상이 있는 경우와 병원성 *E. histolytica*가 검출된 경우에만 원칙적으로 치료의 대상이 된다.

아메바 대장염과 감별을 요하는 타 질환

- 궤양성 대장염의 경과 중에는 그림 8에 나타냈듯이, 활동성 병변이 비연속성으로 보이는 수가 있으므로 주의한다. 부종, 작은 발적, 소미란이 산재하며, 병변 사이의 점막은 거의 정상으로 관찰된다.
- 궤양성 대장염에 거대세포바이러스가 감염된 증례에서는 다발성의 두꺼운 백태로 덮힌 부정형 궤양이 있다. 병변사이의 점막은 균일하게 부종상으로 혈관상이 소실된다 (그림 9).
- 바이러스성 설사에 위막성 대장염이 합병된 증례에서는 유백색 위막 같은 물질이 부착되어 보이지만, 전형적인 증례보다도 높이가 낮고, 소량의 출혈도 관찰된다(그림 10).

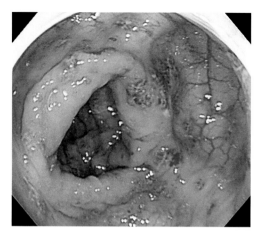

그림 8 · 궤양성 대장염 증례

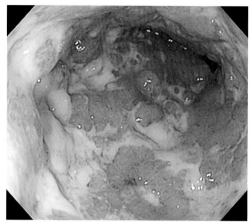

그림 9 · 궤양성 대장염에 거대세포바이러스가 감염된 증례

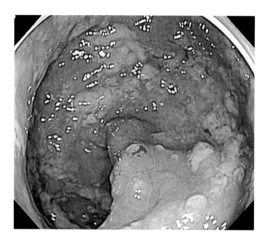

그림 10 · 바이러스성 설사에 위막성 대장염이 합병된 증례

문헌

1) 小林　拓ほか：アメーバ性大腸炎. 消内視鏡 **21**：460-463. 2009
2) 牛尾恭輔ほか：アメーバ性大腸炎. 胃と腸 **37**：415-427. 2002
3) 北野厚生ほか：アメーバ赤痢. 胃と腸 **32**：481-487. 1997

헤르페스바이러스 대장염 12

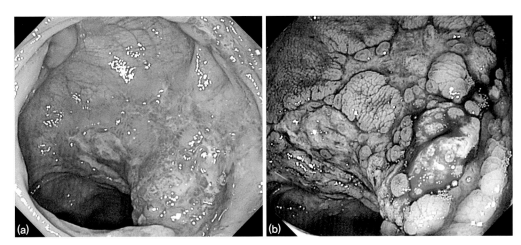

그림 1 · **헤르페스바이러스 대장염**   상행결장 하단부터 맹장에 걸쳐서, 회맹판 반대측에 발적과 눈에 띄는 크고 작은 부정형 궤양이 관찰된다. 궤양의 바닥은 요철이 불규칙하고 육아 조직 같은 발적부분과 백태가 부착된 부분이 혼재되어 있다 (a). indigocarmine 도포시 궤양의 가장자리 점막이 명료하고, 주위 점막에는 확실한 염증소견이 확인되지 않는다(b).

질 | 환 | 개 | 념

- 헤르페스바이러스 대장염은 헤르페스바이러스과 α헤르페스바이러스아과에 속하는 단순헤르페스바이러스(Herpes simplex virus : HSV) 감염에 의한 대장염이다.

- HSV에 의한 소화관 병변에는, 구인두~식도의 병변은 HSV-1, 음부~직장병변은 HSV-2에 의한 경우가 많다. 식도병변이 많아서 약 90%를 차지하며, 하부 소화관 병변은 동성애자의 성행위감염병으로 직장염의 보고가 증가하고 있지만, 그 이외의 대장염의 보고는 드물다[1].

- HSV는 초감염 후에 잠복감염되어 거대세포바이러스 대장염과 마찬가지로 기회감염으로 증상이 발생되기 쉽지만, 건강인에게도 나타나며, 초감염시의 대장염 발생 증례도 있다.

- 동성애자의 직장염 중에서 급성 헤르페스바이러스 감염은 주요한 원인의 하나이며, 그 대부분이 초감염으로 알려져있다[3].

- 증상, 임상경과가 매우 다양하여, 혈성 설사, 수양성 설사, 복통, 발열 등이 흔히 나타나며, 단백누출성 소장증이 합병된 예도 있다.

- 내시경소견은 부정형 궤양, 깊은 궤양, 미란, 발적, 출혈 등, 비특이적이지만, 궤양 주위의 점막에서 눈에 띄는 염증소견은 확인되지 않는다(그림 1, 2). 전 대장에서 병변

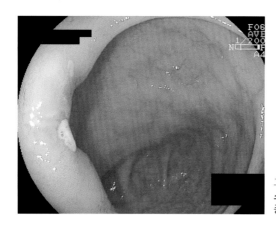

그림 2 · **헤르페스바이러스 대장염에서 보이는 회맹판의 소궤양** 궤양의 가장자리점막이 명료하고, 주위 점막의 염증소견은 관찰되지 않는다.

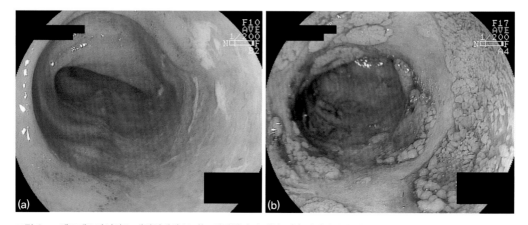

그림 3 · **헤르페스바이러스 대장염에서 보이는 말단회장의 궤양** (a) 말단회장에 점액이 부착된 광범위한 얕고 부드러운 지도상 궤양을 확인한다. (b) indigocarmine 도포로 섬모의 위축이 더 명료해지고, 얕은 지도상 궤양이 구측으로 광범위하게 확대되어 있는 것을 확인할 수 있다. 본 증례는 스테로이드를 투여한 증례이며, 단백누출성 소장증으로 임상 증상이 발현하였다.

을 확인하는 경우가 많지만, 맹장에 국한하여 병변이 발생하거나, 구불결장~직장 국한성 병변, 회장병변도 보고되고 있으나(그림 3), 호발부위는 알려진 바 없다. 궤양 바닥의 괴사물질 내에 종종 칸디다를 발견할 수 있다.

병리소견에서 호중구 침윤, 상피세포의 종대나 다핵으로 융합되어 보이며, 이 세포핵 내에 Cowdry A형 봉입체(호산성, 원형 halo)를 동반한다. 핵질을 핵막측으로 압박하는 무구조인 봉입체를 보이기도 한다. 면역염색에서는 핵내봉입체가 항 HSV-1항체로 염색된다(그림 4, 5).

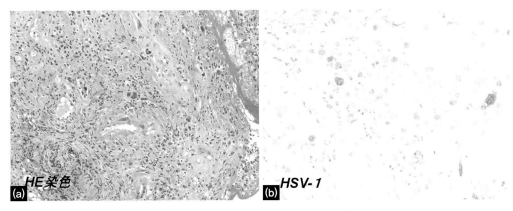

그림 4 · **그림 1의 생검병리조직** 음와상피에서 항HSV-1 항체 양성세포를 확인할 수 있다.

감별진단의 포인트

▶ 염증성 장질환에서 합병증으로 동반된다는 보고도 드물게 보이며, 염증성 장질환의 약 10%에서 HSV감염이 합병되었다는 보고도 있다. 염증성 장질환 환자에게 거대세포바이러스 및 HSV항체를 측정했더니, HSV항체 보균자에서 유의하게 원질환의 이환범위나 악화기간이 길었다는 보고도 있다. 염증성 장질환 급성 악화시에는 거대세포바이러스 감염과 더불어 항상 염두에 두어야 할 질환이다[1].

▶ 거대세포바이러스 대장염과는 육안상 구별이 되지 않는 경우도 많다. 병리학적으로 거대세포바이러스 대장염은 미란 등의 상피 아래에 혈관내피의 거대세포화가 보이며, 이른바 "올빼미 눈"이라는 명료한 붉은 핵내봉입체를 확인하는 경우가 많은 데 반해서, HSV에서는 상피세포내에서 봉입체를 보인다. 진단에는 생검조직에서의 병리학적 특징에 추가하여, 생검표본에서의 HSV의 직접 분리나 항HSV-1항체, 항HSV-2항체에 의한 면역염색이 감별진단에 유용하다.

One point advice

● HSV가 대장에 일차적으로 감염되어 질병을 일으키는지 아니면 기존의 대장질환에서 이차적으로 추가 감염되어 악화인자로 작용하는지는 아직까지 확실하지 않지만, HSV감염은 거대세포바이러스 감염과 마찬가지로, 염증성 장질환의 감별질환에 중요하다.

● 원인불명의 미란, 궤양 등이 있는 장염을 확인한 경우에는 헤르페스바이러스 감염의 가능성을 염두에 두고 검사하는 것이 중요하다.

● 예후는 자연 치유되는 예에서 사망에 이르는 증례까지 다양하며, 면역결핍이 동반된 증례나 대증요법에 반응하지 않는 중증례에는 항바이러스제(acyclovir, valacyclovir)를 투여한다[2].

문헌

1) Colemont LJ et al : Herpes simplex virus type 1 colitis ; an unusual cause of diarrhea. Am J Gastroenterol **85** : 1182-1185, 1990
2) Delis S et al : Herpes simplex colitis in a child with combined liver and small bowel transplant. Pediatr Transplant **5** : 374-377, 2001
3) Goodell SE et al : Herpes simplex virus proctitis in homosexual men. Clinical, sigmoidoscopic, and histopathological features. N Engl J Med **308** : 868-871, 1983

13 만성활동성 Epstein–Barr (EB)바이러스감염증

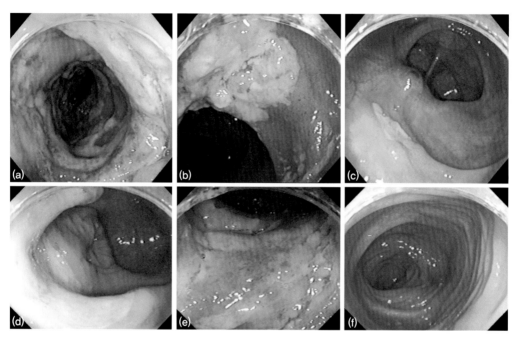

그림 1 ㆍ **초진시** (a, b) 말단회장. (c) 상행결장. (d) 횡행결장 우측. (e) 비만곡부. (f) 하행결장. (c~e) 상행결장부터 횡행 결장에 비연속성으로 유원형 궤양. 비만곡부에 전주성의 얕은 궤양. (f) 하행결장부터 직장에는 이상소견 없음. 34세 남성. 반년 이상 계속되는 발열, 설사, 체중감소로 내원. 크론병, 장결핵 의증하에 영양요법, 항결핵치료 시행하였으나 병변의 범 위는 항문측으로 넓어지고 협착도 나타났다(그림 2a, b).

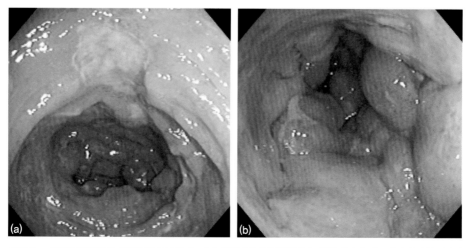

그림 2 ㆍ **중심정맥영양과 스테로이드 투여 후** (a) 횡행결장. (b) 하행결장. 횡행결장에 세로궤양이 하행결장에 전주성 부종과 궤양이 관찰되며, 관강이 좁아져 있다.

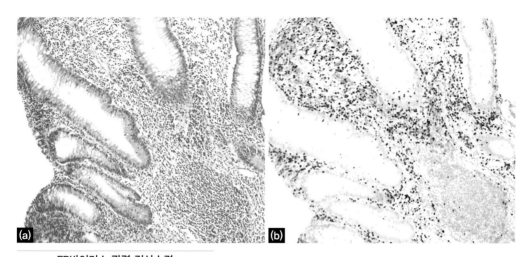

EB바이러스 관련 검사소견	
VCA–IgG	1,280×(40배이하)
VCA–IgM	10×(40배이하)
EA–IgG	40×(40배이하)
EBNA	80×(40배이하)
EBV–DNA	5,300copies/μgDNA

그림 3 • **생검조직소견에서 EBER 양성** (a) HE 염색. (b) EBER.
(문헌1에서 인용)

질|환|개|념

- 만성 활동성 EB바이러스감염증(chronic active Epstein-Barr virus infection : CAE-BV)은 1980년대부터 제시되고 있는 새로운 질환개념이다. 확실하게 면역부전이 없는 사람에서 전염성 단핵구증 같은 증상이 반복 또는 지속되다가, EBV항체가와 말초혈액과 조직에서 EB바이러스 게놈량이 비정상적으로 높은 수치를 확인하는 것이다.

- 증상의 발병연령은 9개월~53세(평균 11.3세)로 소아, 젊은 성인에게 더 호발하며 남녀차는 보이지 않는다.

- 3대 주증상인 발열, 간비장종대, 림프절종대 소견이 80~90%에서 나타나며, 때로 빈혈, 설사도 동반된다.

- 경과 중 높은 빈도로 다장기부전, DIC(disseminated intravascular coagulation, 범발성 혈관내 응고증후군), 관동맥류, 악성림프종, 혈구탐식증후군, 소화관궤양/천공 등의 치명적 합병증이 발생할 수 있으며, 5년에 약 반수가 사망한다.

- CAEBV의 본질은 감염증이 아니라, EB바이러스 관련 T/NK세포 림프증식증으로 종양, 또는 전 종양상태라고 이해하는 것이 중요하다.

- 소화관 병변 형성의 병인는 불분명하지만, 증식된 EB바이러스감염으로 T/NK세포가 소화관으로 침윤되어 궤양, 미란을 일으키는 것이다.

- 치료로 항바이러스제(vidarabine, acyclovir), 면역억제요법(스테로이드, cyclosporin), 항암요법(etoposide+스테로이드+cyclosporin) 등이 있지만 효과가 충분하지 않으며, EB바이러스감염세포의 제거와 숙주의 면역 체계를 재구축하려는 목적으로 시행하는 조혈모세포이식이 가장 유효하다.

감별진단의 포인트

▶ CAEBV의 소화관 병변의 특징은 아직까지 밝혀지지 않았지만, 세로궤양, 전주성 궤양, 유원형 궤양(그림 1), 협착, 미란, 부종(그림 2) 등 여러 가지 형태를 보일 가능성이 있다.
▶ 크론병, 장결핵, 베체트 장염이 의심스러우면서, 경과나 궤양형태가 비전형적일 경우에는 CAEBV를 의심하고, EB바이러스 관련 항체의 측정, in situ hybridization법을 이용한 병변조직의 EBER(그림 3)을 동정함으로써 확진할 수 있다.

 One point advice

● 증상의 발생연령이 8세 이상, 진단시 혈소판 감소(12만 이하)를 보이고, EB바이러스가 T세포에 감염되어 있는 경우 유의하게 예후가 불량하다.
● 항VCA (viral capsid antigen) IgG항체, 항EA (early antigen) IgG항체가 비정상적으로 높게 나타나며, 항EBNA (EBV-associated nuclear antigen) 항체가 낮은 수치를 나타내는 것이 특징이다 그러나 예외도 많아서, 진단에는 혈중 EBV-DNA가 102.5 copies/μg DNA이상이라는 점이 중요하다.

문헌

1) 上田　渉ほか：Crohn 病類似の腸病変を呈した慢性活動性 Epstein-Barr virus 感染症の 1 例．胃と腸 43：1983-1991，2008

스피로헤타 대장염 14 Chapter
(intestinal spirochetosis)

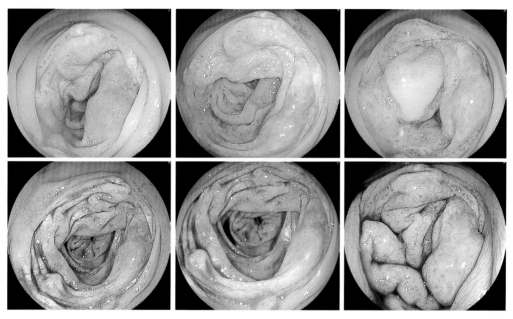

그림 1 · **스피로헤타 대장염** 상행결장에서 발적, 부종, 궤양과 부종상의 융기를 확인한다.

질 | 환 | 개 | 념

- 스피로헤타 대장염(intestinal spirochetosis)은 그람음성간균인 Brachyspira속을 원인으로 하며, 사람, 개, 돼지, 원숭이, 닭 등 광범위하게 분포가 확인되는 인수공통감염병이다.

- 구미에서는 널리 알려져 있으며, 그 빈도는 2.5~9%, 개발도상국은 11~33%이며, HIV양성자가 44% 정도라고 보고되어 있다.

- 원인균은 두 종류로, 한 종류는 Brachyspira aalborgi로 병원성이 불분명하며, 사람에게만 감염되고, 구미에서의 주요 원인균이 되고 있다. 또 다른 종류는 Brachyspira pilosicoli로 유증상이며, 사람 이외의 동물에게도 감염(소, 말, 돼지, 닭, 개, 오리 등)된다.

- 감염경로 : 경구감염으로 추정하고 있다.

- 증상 : 북미증례의 86%가 설사, 혈변, 복통, 변비 등의 증상이 있지만[1] 개발도상국에서는 무증상환자가 많으며, 만성 설사증의 0.7%는 스피로헤타 대장염이 원인이라는 보고도 있다.

- 호발부위 : 전 결장~우측결장, 직장에서 특히 상행결장에 호발한다[1, 2].

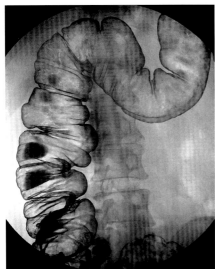

그림 2 • **스피로헤타 대장염 이중조영바륨관장술**　상행결장에 팽대주름이 좌우비대칭과 점막의 부종상 변화(thumb-printing transverse ridging)를 확인한다.

🔍 감별진단의 포인트

▶ 이중조영바륨관장술 : 팽대주름이 좌우비대칭과 점막의 부종(thumb-printing transverse ridging)(그림 2).

▶ 초음파 내시경소견 : 점막과 점막하층의 부종에 의한 제1층에서 제3층의 비후소견을 볼 수 있다. 제4층 고유근층에는 이상소견이 확인되지 않는다(그림 3).

▶ 병리소견 : 광학현미경으로 진단이 가능하며, 3 mm 두께의 호염기성 균체가 점막 표면에 부착되어 있다. Grocott염색이나 Warthin-Starry염색이 진단에 유용하다(그림 4).

▶ 병리조직소견 : 선관상피의 파괴나 선관내로 호중구의 침윤되었으나 간질의 염증이 경하게 보이는 것이 특징이다.

▶ 원인균주의 동정 : 생검조직의 포르말린 절편에서 스피로헤타의 리보솜 RNA를 추출한다. 대조로 호중구가 세균에 반응하여 활성화되고, 활성 산소를 방출할 때에 필요한 효소인 NADH oxidase (Nox)의 발현을 검출한다. 본 증례에서는 사람 리보솜 RNA(오른쪽 끝의 lane) 외에, *B. aalborgi* 및 *B. pilosicoli*의 리보솜 RNA와 그것에 대한 Nox의 발현이 확인되고 있으며, 양 균주의 이중 감염이라고 진단되었다(그림 5).

▶ 치료 : metronidazole은 *B. pilosicoli*에 유효하며, 하루 1,000 mg을 7일간, 또는 penicillin G 2.4MU 1회 근육주사 또는 1.2 MU의 2~4주 내복한다.

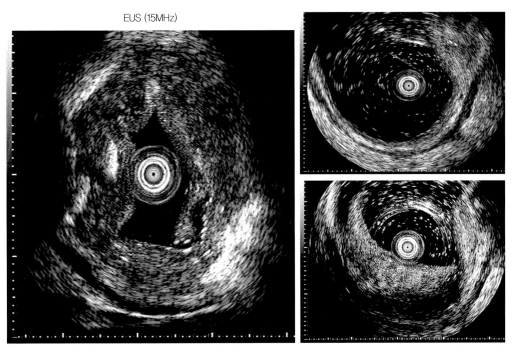

그림 3 · **스피로헤타 대장염의 초음파 내시경검사 소견** 점막~점막하층의 비후상이 관찰되며 이는 점막과 점막하층의 부종에 기인한다.

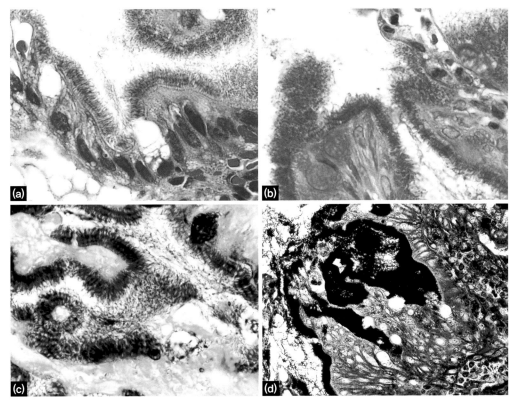

그림 4 · **스피로헤타 대장염의 병리조직소견** (a) HE염색(×1,000). (b) PAS염색(×1,000). (c) Grocott염색(×1,000). (d) Warthin–Starry염색(×400)

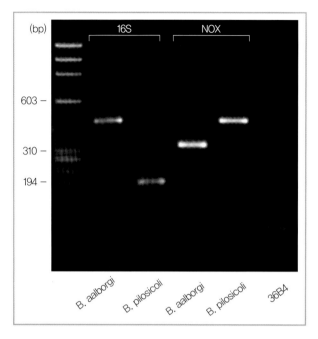

그림 5 · **PCR법을 이용한 스피로헤타균주의 동정** 16S : 16S ribosomal RNA, Nox : NADH oxidase, 36B4 : human ribosomal protein (내재성 control)

One point advice

- 특히 상행결장 부근의 부종, 발적, 미란 등의 비특이성 장염이라고 생각되는 소견이 관찰될 경우, 무증상이라도 스피로헤타 대장염을 염두에 두고, 반드시 생검을 시행한다.
- 통상의 병리진단에서는 간과되기 쉬우므로, 위에 기술한 소견을 보이는 경우, 스피로헤타 대장염을 염두에 두고, 병리의뢰서에 스피로헤타에 대한 검색을 부탁한다.
- 아메바 대장염 등 다른 감염증과의 중복 감염도 발생할 수 있으므로 진단에 주의한다.

문헌

1) Umeno J et al : Intestinal spirochetosis due to *Brachyspira aalborgi* ; endoscopic and radiographic features. J Gastroenterol **42** : 253-256, 2007
2) 田邊　寬ほか：腸管スピロヘータ症（Intestinal spirochetosis）自験例 34 例からみた内視鏡像・臨床的意義・治療. 胃と腸 **43**：1670-1679, 2009

방선균증 15

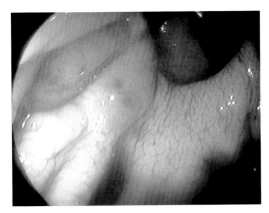

그림 1 · 대장내시경상에서는 경도의 발적과 융기가 보이지만, 미란이나 궤양소견은 관찰되지 않는다.

(문헌2에서 인용)

질|환|개|념

- 방선균증은 구강내 상재균으로 그람양성 혐기성 또는 미호기성 균인 *Actinomyces israelii*에 의한 만성 화농성 육아종성 질환이다.
- 방선균은 과거에는 진균으로 분류되었지만, 현재는 대형 간균으로 분류된다[1].
- 구강내에서 식도, 위, 장에 감염되고, 창상부나 충치, 소화관 궤양부위, 염증 부위로 침입한다.
- 최근에는 생선뼈에 의한 장천공이나 피임기구(intrauterine contraceptive device : IUD)에 합병된다는 보고가 많다.
- 임상증상에서 특이할 만한 것은 없고, 복통, 발열, 체중감소 등이다.
- 신체검사에서 만성으로 진행할 경우 복부 종괴가 촉지되거나, 누공을 형성하기도 한다.
- 임상병리 검사는 다른 감염증과 비교하여 특이할 만한 소견은 없고, 백혈구 증가, 염증반응의 상승이나 경도의 빈혈이 있는 정도이다.
- 영상진단에는 다른 질병과 감별진단이 어려워 고민하게 되는 경우가 많아서, 염증성 종괴의 존재 이외의 특이적 소견이 적지만, 다음에 비교적 특징적인 소견을 예로 들었다.
- 대장내시경검사 소견에서는 기본적으로 점막하층 이하의 염증성 종괴의 형태를 취한다(그림 1). 때로는 점막에 과립상 변화를 동반하기도 하며, 경도의 협착도 있을 수 있다. 확실한 궤양 형성을 동반하는 경우는 거의 없으며, 증례보고 수준이다.

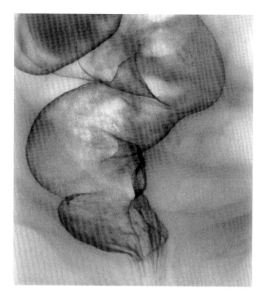

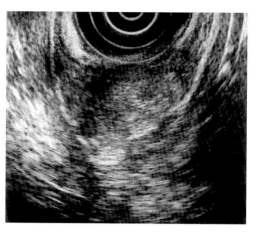

그림 3 · **초음파내시경검사**   점막하층 이하에서 불균질한 종괴를 보이며, 경계는 명확하지 않다. GIST 등의 종양성 병변과는 확실히 다르다.   (문헌2에서 인용)

그림 2 · **이중조영바륨관장술**   상피하종양과 유사한 융기소견이다. 본 증례에서는 점막표면이 매끈하지만, 이른바 톱니바퀴상이나 국소적인 협착을 나타내는 경우도 흔하다.
(문헌2에서 인용)

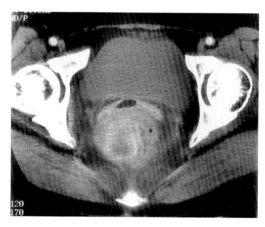

그림 4 · **복부 전산화단층촬영 검사**   주위는 조영증강효과가 높고, 내부는 다소 저흡수역이며 염증성 종괴임을 알 수 있다.   (문헌2에서 인용)

- ✓ 이중조영바륨관장술 소견(그림 2)에서 ① 장관의 압박, 협착, 음영결손 ② 톱니바퀴상·부정상이 나타나고 ③ 점막에 미란, 궤양 소견은 관찰되지 않는다. ④ 과립, 결절상 음영, 불규칙한 결절상 ⑤ 누공 형성 등을 보이기도 한다[2]. 기본적으로 장관외에서 발생하는 염증성 종괴이므로, 내시경소견보다도 이중조영바륨관장술에서 얻을 수 있는 정보가 더 많다.

- ✓ 초음파 내시경검사 소견에서 일치하는 부위에 불균일한 에코의 종괴가 관찰된다. 특히 초음파내시경 소견(그림 3)에서는 제1, 2층의 비후소견과 제3층에 장막외까지 확장된 종괴를 확인할 수 있다.

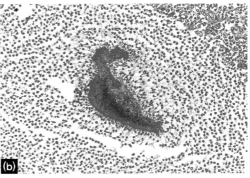

그림 5 · **수술조직의 현미경 소견과 방선균덩어리(Drüse, sulfur granules)**   현저한 염증성 세포 침윤과 농양 형성을 확인할 수 있고 섬유화가 심하다. 현미경 소견에서는 특징적인 방선균덩어리가 관찰된다.   (문헌2에서 인용)

  복부 전산화단층촬영소견(그림 4)에서는 관벽의 비후와 그 주위의 염증성 종괴가 보인다. 주위 장기로 염증이 퍼지며, 천공을 일으키기도 한다. 또 본증은 생선뼈가 원인이 되는 수가 있으므로, 단순 전산화단층촬영소견에서 생선뼈를 시사하는 높은 부분이 있는가를 신중히 관찰해야 한다. CT유도하 침생검이 가능한 경우가 있어, 조직학적 진단에 도움이 된다.

  치료는 종괴부 절개배농, 적출술이 시행되고 술후에 페니실린계 항균제를 사용함으로써 90% 이상의 근치를 얻게 된다. 항균제 사용기간에 관해서는 아직 일치된 견해가 없다.

  초기에는 항균제만으로 완치된 증례 보고도 있다[3].

  그림 5와 같이 심한 농양소견 속에서 특징적인 방선균덩어리(Drüse, sulfur granules)를 증명하면 확진이 가능하다.

감별진단의 포인트

▶ 감별질환에는 장간막 지방층염, 전이성 대장종양(암성 복막염 포함), 미만침윤성 대장암, GIST (gastrointestinal stromal tumor, 소화관간질종양) 등의 간엽계 종양과 감별진단이 중요하다.
▶ 특히 악성질환과의 감별이 중요하지만, 본증이 염증성 질환이므로, 병변 부위가 송기나 내시경 삽입시 신전성이 비교적 양호하다는 점에서 감별에 도움을 받을 수 있다.

One Point advice

● 병력과 영상소견을 종합적으로 판단하는 것이 중요하다.
● 특히 자궁내 장치(IUD)에 관해서 문진 또는 영상학적 진단을 통해 확인하는 것이 진단에 도움이 된다.
● 항균제는 페니실린계가 일차 선택 약제지만, 세펨계나 테트라사이클린계도 유효하다.
● 내시경검사는 염증에 동반하는 부종과 협착으로 충분한 관찰을 할 수 없는 경우도 많아서, 본증이 의심스러운 경우에는 이중조영바륨관장술을 시행하기도 한다.

문헌

1) 伊藤勝基：細菌感染症 腸放線菌症. 別冊日臨 **23**：503-505，1994
2) 太田智之ほか：消化管感染症 2002 放線菌感染症. 胃と腸 **37**：389-394，2002
3) 多賀茂樹ほか：保存的治療が奏効した骨盤放線菌症の 2 症例. 日産婦中国四国会誌 **55**：87-89，2007

면역결핍에 합병하는 감염증 **16** Chapter

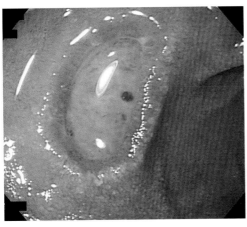

그림 1 · **거대세포바이러스 감염에 의한 십이지장병변** 피부근염으로 고용량 스테로이드요법 시행 후, 십이지장 구부 전벽에 경계가 명료한 깊은 궤양을 확인할 수 있다.

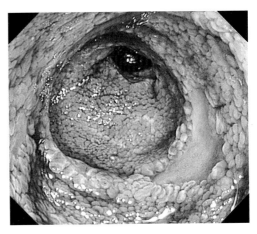

그림 2 · **거대세포바이러스 감염에 의한 회장병변①** 미확정 대장염으로 스테로이드 치료 중, 회장 말단에서 부정형 궤양을 관찰할 수 있다.

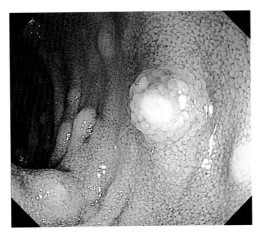

그림 3 · **거대세포바이러스 감염에 의한 회장병변②** 간이식 후 면역억제제 투여 중 말단회장에 다발성 낙지 빨판상 내지 아프타 미란을 관찰할 수 있다.

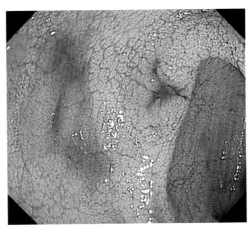

그림 4 · **거대세포바이러스 대장염** 악성림프종에 대한 치료로 제대혈이식 후 발생한 이식편대숙주병(Graft versus host disease)에 대해서 스테로이드치료 중 구불결장에서 거대세포바이러스 대장염에 의한 부정형 미란, 작은 궤양을 관찰할 수 있다. 궤양의 주변에는 이식편대숙주병에 의한 경도 부종을 동반하는 거북이등 점막이 보인다.

질 | 환 | 개 | 념

- 면역결핍증은 선천성과 후천성 원인으로 분류할 수 있으며, 후천성 면역결핍의 원인은 HIV감염, HTLV-1감염, 악성종양, 자가면역질환, 항암제나 스테로이드 면역억제제 투여 후에 발생할 수 있는 의인성 요인 등을 들 수 있다. 어떤 요인에 의해서든 여러 가지 장관감염증이 합병될 수 있다.

- 면역결핍에 합병되는 소화관 감염증의 병원체는 원충·기생충, 진균, 거대세포바이러스(CMV), 비전형 항산균이 포함된다. 이 병원체들은 건강인에서 감염되면 증상이 없거나 경미한 데 반해서, 면역결핍 상태에서는 중증화되는 경우가 많아 기회감염이라고 한다.

A | 거대세포바이러스 감염증

- HIV감염, 악성종양 외에, 염증성 장질환이나 이식편대숙주병(graft-versus-host disease : GVHD) 등에 대한 스테로이드 치료 중에 합병되는 수가 있다.

- 소화관은 거대세포바이러스 감염의 호발부위이며, 식도에서 대장에 이르는 전 소화관에 궤양성 병변이 발생할 수 있다.

- 소장·대장병변은 복통, 혈변을 일으키고, 심하면 천공이 발생하기도 한다.

- 확정 진단은 궤양에서 생검(핵내봉입체 내지 면역염색에 의한 거대세포바이러스 항원의 검출) 또는 거대세포바이러스 항원혈증검사가 필요하다. 그러나 항원혈증의 역할에 대해서 아직 정립된 바는 없다.

🎯 감별진단의 포인트

▶ 대장염은 아프타 미란, 깊은 궤양(그림 1), 부정형 궤양(그림 2), 지도상 궤양이나 세로궤양 등, 다양한 궤양성 병변을 나타낸다.
▶ 다발성 아프타 미란·소궤양이 관찰되기도 한다(그림 3).
▶ 이식편대숙주병치료 중에 병발한 거대세포바이러스 감염에서는 이식편대숙주병에 의한 부종, 귀갑(거북이등)상 점막, 점막 탈락 등의 소견에, 거대세포바이러스 감염에 의한 미란이나 궤양 등의 소견이 혼재하여 나타난다(그림 4).

B | Mycobacterium avium complex (MAC) 감염증

- HIV감염자에서 호발한다. 전신성 비전형 항산균증의 일부로 대장에 병변을 형성하며, 만성 설사나 저단백혈증을 일으킨다.

- 십이지장부터 공장에 걸쳐서, 미만성 주름종대나 백색과립상 점막을 보이는데 이는 감염에 의한 직접 소견이라기보다는 저알부민혈증에 의한 이차적인 병변으로 국소적인 림프관 확장에 의해 발생한다.

- 병리조직학적으로 대식세포가 다수 집합되어 보이고, 림프관 확장이 보인다. 림프관 확장은 MAC의 림프절 침윤에 의한 림프액의 저류에 기인한다.

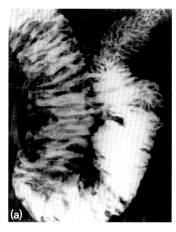
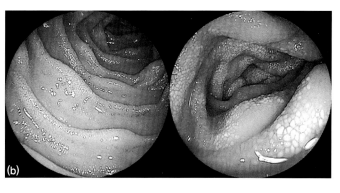

그림 5 · **MAC 감염증** (a) 소장조영술. 후천적 면역결핍 환자에서 전신성 MAC 감염이 발생 공장에서 미만성 주름종대를 확인할 수 있다. (b) 이중 풍선소장내시경검사. 공장에 부종, 주름종대 및 백색과립상 점막을 보인다.

확정 진단은 생검조직배양에 의한 균의 동정이 필요하다.

감별진단의 포인트

▶ 소장조영술검사에서는 미만성 주름종대가 보인다(그림 5a).
▶ 내시경에서 부종, 주름 종대, 백색과립상 점막 등의 소견을 보이지만(그림 5b, c), 확실한 이상 소견이 없는 경우도 있다.
▶ 공장도 호발부위이므로, 이중 풍선소장내시경검사가 진단에 유용하다.

C │ 아메바 대장염

아메바원충(Entamoeba histolytica) 낭포에 오염된 음식, 음료수의 경구 섭취나 성행위로 감염된다.

HIV감염자, 남성동성애자나 동남아시아로 여행했던 사람에서 호발한다.

전 대장에 병변을 일으킬 수 있지만, 직장과 맹장에 호발한다.

급성기에는 복통, 혈성설사, 발열 등의 증상이 나타난다. 만성기에는 소량의 점액성 혈변에 그치고, 무증상인 경우도 있다.

확정 진단에는 아메바원충의 증명이 필요하다(그림 6b). 미란이나 궤양 중심의 괴사물질을 채취하면 진단률이 높아진다.

감별진단의 포인트

▶ 발적을 동반하는 아프타 병변, 크고 작은 낙지빨판 같은 융기, 취약성이 동반된 미란(그림 6a), 깊은 궤양이나 부정형 궤양(그림 7, 8) 등 다양한 병변이 나타난다.

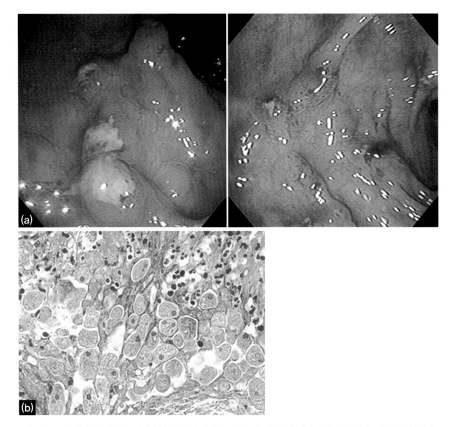

그림 6 · **아메바 대장염**① 　(a) 남성동성애자. 구불결장에 다발하는 낙지빨판 같은 융기, 취약성을 동반한 미란을 관찰할 수 있다. (b) 직장생검조직. 적혈구를 탐식한 영양형 아메바를 다수 확인한다.

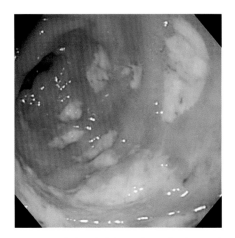

그림 7 · **아메바 대장염**② 　남성동성애자. 구불결장에 다발성 깊이 파인 궤양이 관찰된다.

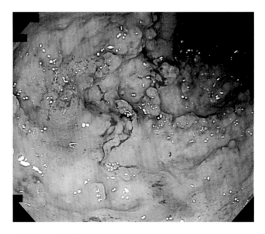

그림 8 · **아메바 대장염**③ 　남성동성애자. 직장에서 불균일한 육아조직을 형성하는 거대한 궤양이 관찰된다.

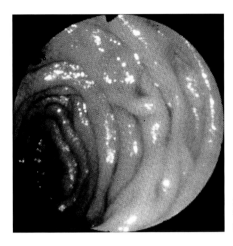

그림 9 · **분선충증의 십이지장병변①**　류마티스 관절염 때문에 스테로이드치료 중. 십이지장 하행부에 미만성으로 주름 종대가 관찰된다.

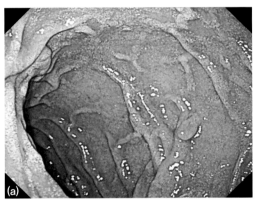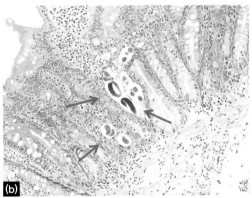

그림 10 · **분선충증의 십이지장병변②**　(a) HTLV−1항체 양성자. 십이지장 하행부에 과립상 점막과 주름의 평탄화를 보인다. (b) 생검조직. 점막내에 염증세포의 침윤을 동반하고 분선충의 충체를 확인할 수 있다.

D | 분선충증

- 분선충(Strongyloides stercoralis)에 의한 기생충 감염이다. 유충은 경피적으로 감염되어, 폐에서 인두를 거쳐 소화관으로 들어가서, 주로 십이지장이나 소장 상부에 기생한다.

- HIV감염자나 스테로이드 투여 중에 발생하고, 일본에서는 HTLV-1감염자에게 호발한다.

- 경증례에서는 거의 증상이 없지만, 병변이 광범위하게 침범되면 반복되는 설사나 체중감소를 일으킨다. 고도의 면역부전상태에서는 중증화되고, 폐렴이나 수막염으로 사망에 이르기도 한다.

- 확정 진단에는 충체의 증명이 필요하다. 분변검사나 생검(그림 10b)에서 검출된다.

감별진단의 포인트

▶ 경증례에서는 전형적인 내시경소견이 없지만, 병세가 진행되면, 점막의 부종, 주름 종대(그림 9), 주름 소실, 과립상변화(그림 10a), 미란, 궤양 형성 등이 나타난다.

one point advice

- 면역결핍상태에서는 상기 이외에도 Cryptosporidium, Isospora belli 등의 원충감염증도 발생한다. 또 면역결핍에 합병되는 소화관감염증 중에서는 Candida albicans 감염증의 빈도가 높지만, 식도칸디다증이 대부분이며, 장관에서 병변이 보이는 경우는 매우 적다.
- 소장병변의 빈도가 높으므로, 위내시경, 대장내시경검사에서 이상을 확인하지 못하는 경우라도 소장조영술검사나 이중풍선 소장내시경검사를 시행하는 것이 바람직하다.
- 어떤 질환도 확진에는 병원체의 확인이 중요하다. 병변에서의 확실한 생검이나 분변, 십이지장액 등의 평가가 필요하다.

〈감사의 말씀〉
귀중한 증례를 제공해 주신 新日鐵八幡기념병원 八板弘樹선생님께 깊이 감사드립니다.

문헌

1) 松本主之ほか：免疫異常状態における消化管炎症性病変の臨床像と画像診断. 胃と腸 **40**：1135-1145, 2005
2) 八尾恒良ほか（編）：小腸疾患の臨床. 医学書院, 東京, 2004
3) 山田義也ほか：AIDS・ATL・その他の免疫不全状態における消化管感染症. 胃と腸 **37**：463-466, 2002

염증성 장질환의 감별진단에서의 돌파구

증상으로 되돌아간다

• 염증성 장질환의 증상은 설사, 혈변, 복통, 오심, 구토, 발열 등이 대표적이다. 이 증상들은 침범하는 장관의 부위와 범위, 점막손상의 정도, 장벽의 부종의 정도 등의 여러 가지 조합에 따라서 결정된다. 감염 대장염을 예로 들어, 병원체에 의한 증상의 차이를 표 1에 정리하였다.

표 1 여러 감염 대장염의 증상들의 증후

병원체	복통	설사	혈변	구토	발열
캄필로박터	(+)	(+)~(++)	(−)~(++)	(±)	(+)~(++)
비티푸스성 살모넬라	(+)~(++)	(++)	(−)~(+)	(±)~(++)	(+)~(++)
장염 비브리오	(+)	(++)	(−)	(±)~(+)	(±)~(+)
병원성 대장균 O157	(+)~(++)	(+)~(++)	(−)~(++)	(±)	(−)~(+)
황색포도구균	(+)	(+)	(−)	(+)~(++)	(+)
예르시니아	(+)~(++)	(−)~(+)	(−)~(+)	(±)~(+)	(+)
에로모나스	(+)	(+)~(++)	(−)~(±)	(−)~(±)	(−)~(+)
웰슈균	(+)	(+)	(−)	(−)~(±)	(−)~(±)
세레우스균	(−)~(+)	(±)~(+)	(−)	(±)~(+)	(−)~(±)
콜레라	(−)~(±)	(++)	(−)	(+)~(++)	(−)~(±)
세균이질	(+)	(++)	(+)	(−)~(±)	(+)~(++)
장티푸스 · 파라티푸스	(±)~(+)	(−)~(+)	(−)~(+)	(−)~(+)	(+)~(++)
결핵균	(−)~(+)	(−)~(+)	(−)~(±)	(−)~(±)	(−)~(+)
아메바 대장염	(−)~(±)	(−)~(+)	(−)~(+)	(−)	(−)~(±)
아니사키스	(+)~(++)	(−)~(±)	(−)	(±)~(+)	(−)
선미선충 type X유충	(+)~(++)	(±)	(−)	(±)~(+)	(−)
람블편모충	(−)~(+)	(+)~(++)	(−)	(−)~(±)	(−)~(+)
노로바이러스	(+)	(±)~(+)	(−)	(+)~(++)	(±)~(+)
로타바이러스	(+)	(+)~(++)	(−)	(−)~(+)	(+)
거대세포바이러스	(−)~(+)	(−)~(+)	(−)~(+)	(−)~(±)	(−)~(+)

- 설사는 광범위한 염증으로 인한 장투과성의 항진(삼출성 설사), 세균독성 등으로 인한 능동 분비의 항진(분비성 설사), 장벽의 부종 등으로 인한 흡수장애 등 여러 가지 기전이 겹쳐서 발생한다. 그러나 회맹부에 비교적 좁은 범위에 염증이 존재하는 장결핵이나 예르시니아 장염 등에서는 설사가 나타나지 않는 경우가 많다.

- 혈변은 점막에 미란·궤양을 형성하는 경향이 강한 질환에서 나타나고, 감염증에서는 캄필로박터 대장염, 병원성 대장균 O157대장염, 아메바 대장염이 대표적이다.

- 장벽의 부종이 심한 경우에는 통과 장애를 일으키고, 복통이나 오심구토가 발생하며, 특히 소장에 염증을 일으킨 경우가 현저하다. 살모넬라 장염, 황색포도구균대장염, 노로바이러스대장염, 아니사키스증나 선미선충 type X 유충이행증이 해당된다.

- 증상의 지속기간에 따라서 장염은 급성 대장염과 만성 대장염으로 크게 나뉘는데, 구별하는 기준은 2~3주이다. 전자에서는 식중독을 포함한 감염 대장염, 식이알레르기, 항생제 관련 대장염, 허혈 대장염이 대부분을 차지한다. 후자에서는 궤양성 대장염, 크론병, 약제유발 대장염(NSAIDs 기인성 장염, 교원질성 대장염 등)이 중요하다.

- 급성 질환에서는 검사시점도 진단에 중요한 요소이다.

- 증상의 발생이 급성인지 만성인지도 질환을 추정하는 데에 중요하며, 급성 장염은 증상의 발생 양식도 급성인 경우가 많다. 특히 발병 시각을 추정할 수 있는 급격한 발병은 혈관성 병변에서 나타나며, 복통, 설사, 혈변이 순차 출현하는 경우에는 허혈 대장염이 대표적이다.

- 각 질환에서 볼 수 있는 증상과 그 시간적 추이를 숙지함으로써, 질환의 추측이 가능하며, 신속하고 효율적으로 장염을 진단할 수 있다.

PART III

그 밖의 염증성 질환

01 허혈 대장염

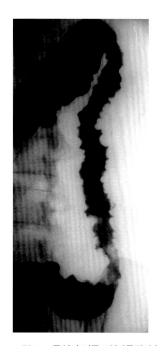

그림 1 · **급성기 이중조영바륨관장술**

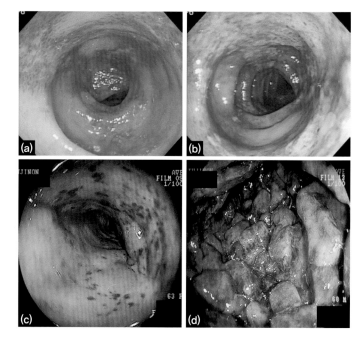

그림 2 · **허혈 대장염의 급성기** (c, d) 괴저형

질 | 환 | 개 | 념

- 허혈 대장염(ischemic colitis : IC)은 대장의 주혈관이 확실한 폐색을 동반하지 않고 대장 점막의 혈류장애에 의해서 발생하는 일시적(가역성)인 대장의 구역성 급성염증으로, 이 중 원인이 불분명한 경우를 대개 언급한다.

- 혈압저하, 동맥경화, 혈관염, 소혈관의 연축 등의 혈관측 인자와, 변비나 관장 등에 의한 장관의 내압상승이나, 연동운동항진 등의 장관측 인자가 복잡하게 얽혀서 혈류장애를 일으킨다.

- 일반적으로 젊은 연령에 발생하는 경우(40세 미만)는 변비 등의 장관측 인자, 고령자에서는 기저질환으로 동맥경화, 당뇨병, 신부전, 교원성 질환, 복부 수술력 등의 혈관측 인자에 의해서 주로 발생한다.

- 중년 또는 고령의 여성에게 많으며, 전형적인 경우는 야간에 급성 복통→설사→혈변이 순서로 발병한다.

- 호발부위는 하행결장과 구불결장, 횡행결장 순이며, 상행결장이나 직장에는 드물게 발생한다.

표 1　허혈 대장염의 진단기준

1. 복통과 혈변으로 갑자기 발병
2. 직장을 제외한 좌측결장에 발생
3. 항생제의 미사용
4. 분변 또는 생검조직의 세균 배양이 음성
5. 특징적인 내시경소견과 변화 　• 급성기 : 발적, 부종, 출혈, 세로궤양 　• 만성기 : 정상~세로궤양 반흔(일과성형) 　　　　　　관강 협착, 세로궤양 반흔(협착형)
6. 특징적 이중조영바륨관장술과 변화 　• 급성기 : 모지압흔상(thumbprinting), 세로궤양 　• 만성기 : 정상~세로궤양 반흔(일과성형) 　　　　　　관강 협소화, 세로궤양 반흔, 낭형성(협착형)
7. 특징적인 생검조직소견 　• 급성기 : 점막상피의 변성 · 탈락 · 괴사, 재생, 출혈, 부종, 단백성분이 풍부한 삼출물 　• 만성기 : 담철세포

3, 4는 필수항목　　　　　　　　　　　　　　　　　　　　　　　　　　　(문헌1에서 인용)

- 일본에서는 일반적으로 표 1에 정리한 이이다(飯田)팀의 진단기준[1]이 이용되고 있다.
- 발병 후의 임상경과에 따라서 일과성형, 협착형 및 괴저형으로 분류되는데, 가역성 순환장애라는 개념에서, 일반적으로 비가역성 장관의 전층성 괴사를 일으키는 괴저형은 제외하는 경우가 많다.
- 일본에서는 일과성형이 대부분이며, 협착형이 적고(10% 미만), 괴저형은 드물다.
- 일과성형과 협착형의 명확한 기준은 없지만, 치유기에 이중조영바륨관장술 정상 장관강의 70% 미만[1], 내시경에서는 협착이나 변형을 동반하는 경우에는 협착형이 된다.
- 재발례는 10% 정도 되고, 같은 부위 재발이 많다. 또 비재발례에 비해 기저질환이 있는 경우가 많아서, 협착형으로 진행하는 비율이 높다[2].

영 | 상 | 진 | 단

- 급성기에는 백혈구 증가, CRP 상승 등의 염증소견이 관찰되며, 일반적으로 일과성형에서 협착형, 또 괴저형이 됨에 따라서 염증의 정도가 심해진다. 괴저형에서는 혈청 Creatinine phosphokinase 상승이나 장벽내 가스를 동반하기도 한다[3].
- 급성기 이중조영바륨관장술에서 장관의 부종, 모지압흔상(thumbprinting), 세로궤양이 특징적이다(그림 1).
- 급성기 내시경에서는 결장띠에 일치하여 종주하는 점막의 발적이나 부종, 출혈, 미란이나 궤양이 특징적이며(그림 2a), 허혈이 심한 경우에는 미란이나 궤양이 띠모양상으로 전주성으로 확대된다(그림 2b).
- 괴저형에서는 점막하 혈종처럼 검게 변한 괴사점막을 보이기도 한다(그림 2c, d).
- 급성기 X선 · 내시경에 의해 일과성형과 협착형의 감별은 용이하지 않다.
- 급성기 초음파내시경에서 일과성형은 허혈에 동반하는 층구조의 불명료화가 점막하층까지 국한되어 있는 경우가 많다.

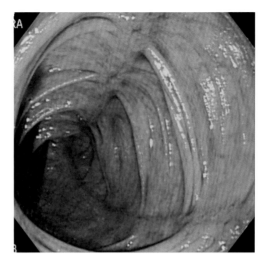

그림 3 · 허혈 대장염의 치유기(일과성형)

- 생검조직에서는 점막의 변성 · 괴사, 출혈이나 부종 등을 확인하고, 특히 점막상피가 기존의 선관구조(윤곽)를 남긴 채 탈락한 ghost-like appearance가 특징적이다.

- 일과성형에서는 증상 발병 후 1주 이내에 미란이나 궤양이 소실되고, 2주 정도 경과 후에 정상으로 돌아오거나 궤양 반흔만 남기게 된다(그림 3).

- 협착형에서는 치유기에 관강 협소화, 낭형성, 편측성 변형 등을 일으키지만(그림 4), 협착의 정도가 서서히 개선되는 경우가 많다(그림 4).

감별진단의 포인트

▶ 허혈 대장염의 급성기에서는 증상의 발생양상(급성 복통, 설사, 하혈)과 영상소견(부종, 출혈, 세로 궤양 등)에서 항생제관련 대장염 중 급성 출혈성 대장염(antibiotic-associated colitis : AHC)이나 장 출혈 대장균 대장염(EHEC) 등의 감염 대장염과의 감별진단이 문제가 된다.

▶ AHC와 EHEC는 허혈 대장염과는 병변의 분포가 다르고, 상행결장을 주침범 부위로 우측결장에 호 발한다(그림 5, 6a, b).

▶ 단, 일부 세균성 장염과는 감별이 어려운 경우도 있어서(그림 6c, d), 상세한 병력의 문진(항균제 투 여력, 음식력 등), 변이나 생검조직의 세균 배양이 필수다(표 1).

▶ 허혈 대장염의 치유기(그림 7a)에서는 이중조영바륨관장술에서 세로궤양이나 세로궤양 반흔을 나 타내는 크론병나 교원질성 대장염와의 감별이 문제가 된다.

▶ 크론병에서는 세로궤양 주위에 조약돌 점막상을 동반하고 있는 경우가 많으며(그림 7b), 그 밖에 치 루나 대장에서는 회맹부 병변이 높은 비율로 관찰된다.

▶ 교원질성 대장염의 세로궤양은 허혈 대장염과 달리 변연이 날카롭고 주위 점막의 발적이 없다(그림 7c). 단, 교원질성 대장염과 허혈 대장염의 치유 후 세로궤양 반흔은 영상소견상에서 감별이 쉽지 않고, 설사증상이나 약제 복용력(NSAIDs나 일부 PPI 등), 생검 소견(collagen band)도 중요하다.

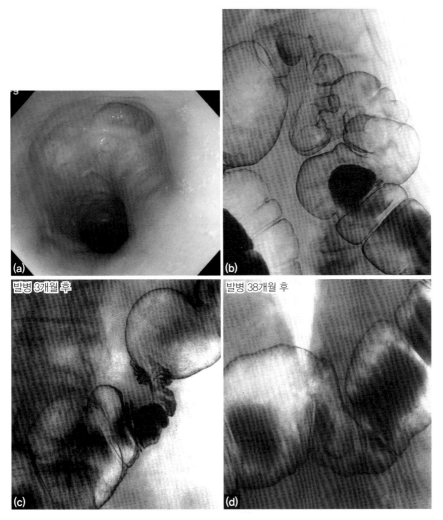

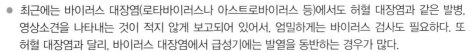

그림 4 · **허혈 대장염 치유기**   (a) 치유기 내시경소견(협착형). (b) 치유기 이중조영바륨관장술 소견(협착형). (c, d) 치유기 이중조영바륨관장술 소견상(시간이 경과함에 따라 협착형의 변화)

One point advice

- 최근에는 바이러스 대장염(로타바이러스나 아스트로바이러스 등)에서도 허혈 대장염과 같은 발병, 영상소견을 나타내는 것이 적지 않게 보고되어 있어서, 엄밀하게는 바이러스 검사도 필요하다. 또 허혈 대장염과 달리, 바이러스 대장염에서 급성기에는 발열을 동반하는 경우가 많다.
- 괴저형에서는 혈청 CPK 상승, 복막자극증상, 장벽내 가스 등을 동반하기도 한다. 내시경검사에서, 괴사가 의심스러운 경우에는(그림 2c, d), 심부로의 삽입이나 송기로 천공의 발생 가능성이 있으므로, 관찰은 최소한으로 하고 공기를 흡기하면서 시행한다.
- 일과성형에서는 금식이나 수액치료만으로 며칠 만에 증상이 호전된다.
- 협착형에서는 비교적 고도의 협착이더라도 시간이 경과함에 따라 개선되는 경우가 적지 않으므로, 증상이 심하지 않으면 조급한 수술은 삼가야 한다. 단, 괴저형이 의심스러운 경우에는 예후가 불량하므로 신속히 대장절제술을 고려해야 한다.

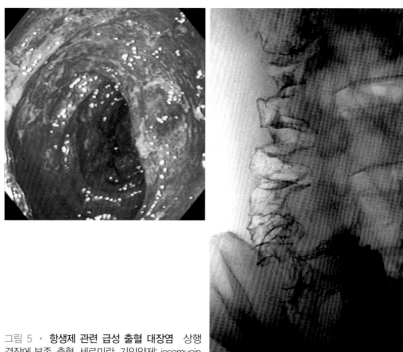

그림 5 · **항생제 관련 급성 출혈 대장염** 상행 결장에 부종, 출혈, 세로미란. 기인약제: josamycin

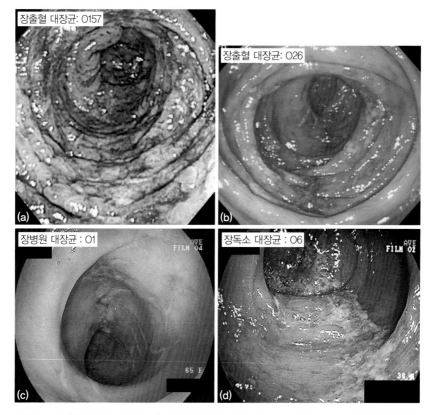

그림 6 · **병원성 대장균 대장염** (a, b) 상행결장의 부종, 발적, 세로미란. (c, d) 하행결장의 발적, 미란, 세로궤양으로 내시경소견만으로는 허혈 대장염과의 감별이 어렵다.

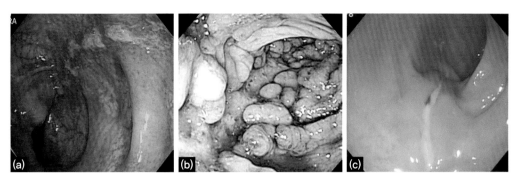

그림 7 · **세로궤양의 특징**　(a) 허혈 대장염. 치유기. (b) 크론병. (c) 교원질성 대장염

문헌

1) 飯田三雄, 松本主之ほか：虚血性腸病変の臨床像—虚血性大腸炎の再評価と問題点を中心に. 胃と腸 **28**：899-911, 1993
2) 小田秀也ほか：虚血性大腸炎の長期経過—狭窄型, 再発例を中心に. 日本大腸肛門病会誌 **49**：554-566, 1996
3) 小田秀也：虚血性大腸炎の臨床的特徴. 日腹部救急医会誌 **22**：25-32, 2002

Chapter 02

특발성 정맥경화 대장염

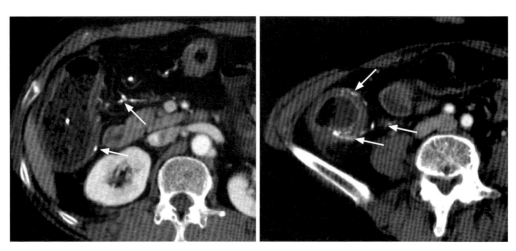

그림 1 **· 복부 전산화단층촬영** 장관벽을 따라 존재하는 석회화를 동반한다. 장관벽의 비후소견과 정맥의 석회화소견을 보여준다.

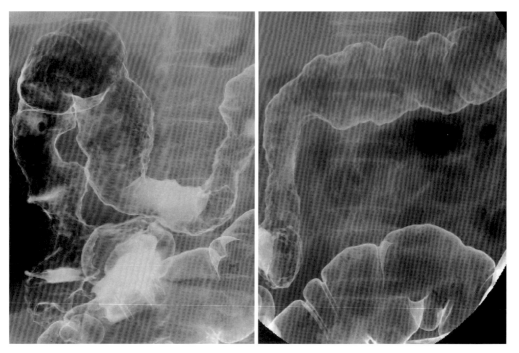

그림 2 **· 이중조영바륨관장술(횡행결장~맹장)** 우측결장의 팽대주름의 소실, 관강의 부정상, 경화, 관강의 협착. 모지압흔상(thumbprinting)과 장관벽을 따라 석회화를 확인할 수 있다.

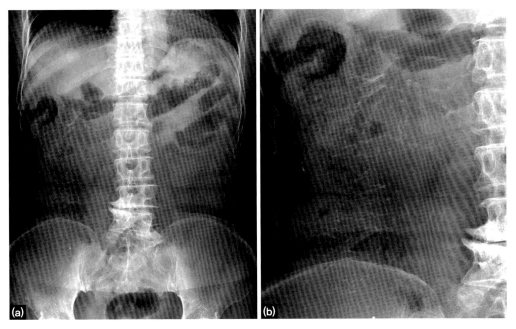

그림 3 · **복부 단순촬영**   (b)는 (a)의 상행결장부분의 확대상. 상행결장을 따라 다발성의 실모양의 석회화를 관찰할 수 있다.

질 | 환 | 개 | 념

- 특발성 장간막 정맥경화 대장염(idiopathic mesenteric phlebosclerosis : IMP)은 1991년, 고야마(小山)팀에 의해서 처음 보고되었고, 그 후, Iwashita, Yao팀[1]의 보고에 의해 질환 개념이 제창되었다.

- 주로 우측 결장벽 및 상장간막정맥 영역 등의 정맥에 초자화와 석회화를 동반하는 만성 경과를 밟는 허혈성 대장병변이다.

- 비교적 드문 질환으로, 보고례는 지금까지 25례 정도에 불과하며, 그 대부분이 일본이다.

- 임상적으로 설사, 변비, 혈변, 복통 등으로 발병하고, 중년부터 고령의 여성에게 많으며, 만성 경과를 취하며 오심, 구토 등의 마비성 장폐쇄나 경한 장운동장애를 반복한다.

- 병인은 불분명하지만, 문맥압항진증, 공피증이나 CREST증후군 등의 교원병, 항인지질항체 증후군과의 관련성, 또 한약제를 비롯한 환경이나 식사에 포함되는, 일종의 독성 물질이나 생물화학 물질과의 관련성이 보고되어 있다[2].

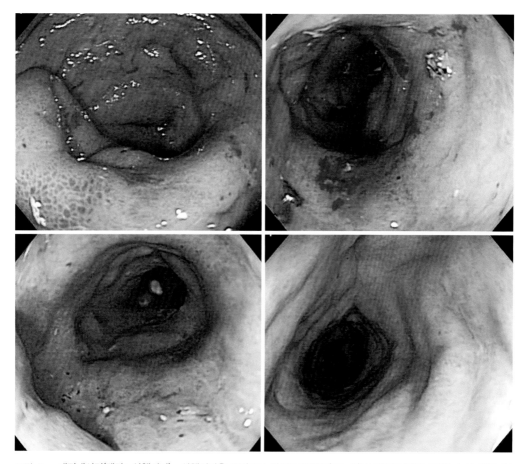

그림 4 · **대장내시경(맹장~상행결장)** 상행결장을 중심으로 미만성 암자색(암녹색)의 점막과 팽대주름의 소실, 충혈, 부종, 미란 등을 확인한다.

감별진단의 포인트

▶ 영상의학적 특징으로 ① 단순복부촬영에서 상행결장을 따라 다발성 실모양의 석회화(그림 3) ② 전산화단층촬영검사에서 장관벽을 따라 존재하는 석회화를 동반하고, 장관벽의 비후나 상장간막정맥 부근까지 정맥의 석회화(그림 1) ③ 대장조영술에서 우측 결장의 팽기추벽의 소실, 내강의 비정상 경화상, 장관의 협소화 및 모지압흔상(thumbprinting)(그림 2) ④ 혈관조영상에서 확인되는 직혈관(vasa recta)과 변연 동맥(marginal artery)의 굴곡과 비틀림(tortuosity)과 함께 직혈관과 나란히 주행하는 정맥의 굴곡 확장소견을 보인다.

▶ 내시경소견의 특징으로서, 상행결장을 중심으로 미만성 암자색(암녹색)의 점막을 나타내고, 팽대주름 소실, 충혈, 부종, 미란 등을 확인한다(그림 4, 5).

▶ 병리조직학적 소견의 특징으로서, ① 육안적으로 우측결장의 암갈색의 외관과 장벽의 비후 ② 조직학적으로는 정맥벽의 비후와 굴곡 사행하는 정맥 ③ 정맥벽의 석회화를 동반하는 섬유변성 또는 석회화를 동반하는 정맥경화 ④ 점막하층의 현저한 섬유화 등의 소견을 확인한다. 본 증례에서도 점막간질의 혈관벽과 점막근판에 Congo-red염색 음성(그림 6b), Masson Trichrome염색 양성(그림 6c)의 호산성 무구조의 침착물이 확인되고(그림 6a), 석회화가 보이지 않는 소견에서 특발성 장간막정맥경화 대장염이라고 진단했다.

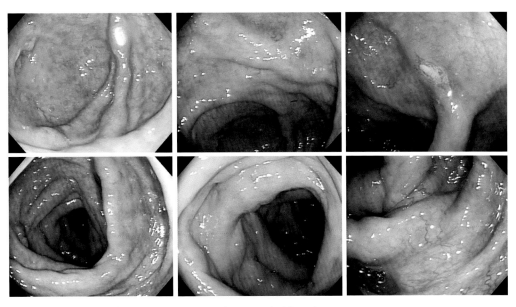

그림 5 · **대장내시경검사(타 증례의 상행결장~맹장)**   그림 4와 같은 소견

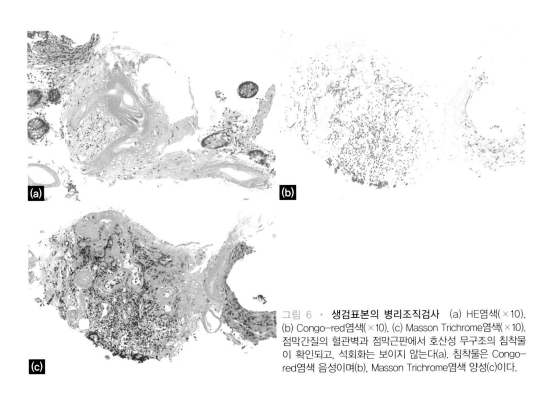

그림 6 · **생검표본의 병리조직검사**   (a) HE염색(×10). (b) Congo—red염색(×10). (c) Masson Trichrome염색(×10). 점막간질의 혈관벽과 점막근판에서 호산성 무구조의 침착물이 확인되고, 석회화는 보이지 않는다(a). 침착물은 Congo—red염색 음성이며(b), Masson Trichrome염색 양성(c)이다.

One point advice

- 특발성 장간막 정맥경화 대장염은 대부분 진단이 되지 않은 잠복례가 있을 것으로 예상되며, 진단을 위해서는 한약 등의 약제복용력을 포함한 상세한 병력청취와 평소에 세심한 단순 복부촬영의 판독이 중요하다.

문헌

1) Iwashita A et al : Mesenteric phlebosclerosis-a new disease entity causing ischemic colitis. Dis Colon Rectum **46** : 209-220, 2003
2) Chang KM : New histologic findings in idiopathic mesenteric phlebosclerosis ; clues to its pathogenesis and etiology-probably ingested toxic agent-related. J Chin Med Assoc **70** : 227-235, 2007

허혈 소장염 03

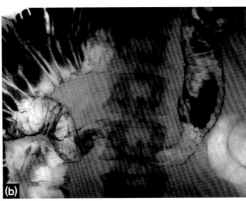

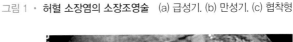

그림 1 • **허혈 소장염의 소장조영술** (a) 급성기. (b) 만성기. (c) 협착형

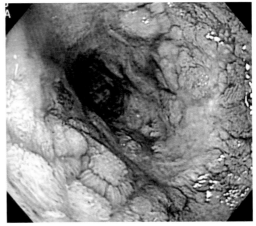

그림 2 • **허혈 소장염 만성기** 그림 1(b)의 내시경상

질 | 환 | 개 | 념

- 허혈 소장염(ischemic enteritis: IE)은 허혈 대장염에 해당되는 소장의 혈류장애에 의해서 발생하는 일과성(가역성)의 구역성 급성 염증으로, 좁은 의미로는 이 중 원인이 불분명한 것이다.

- 원인으로는 혈관 인자(혈전, 색전, 동맥경화, 전신의 순환부전 등)와 장관 인자(연동운동항진, 장관내압의 상승 등)가 서로 복잡하게 얽혀서 발생한다.

- 일반적으로 고혈압, 허혈성 심질환, 부정맥이나 당뇨병 등의 기저질환이 있는 고령자(60세 정도)에게 발생하며, 첫 증상으로는 복통, 구토, 설사를 일으키고, 발열을 동반

하기도 한다.

 ✓ 급성 발병 후에 본래대로 되돌아가는 일과성형과, 만성 경과 후에 병변부가 협착으로 진전되는 협착형으로 분류된다.

 ✓ 호발부위는 회장이며, 대부분이 단발성이지만 다발성 병변이 관찰되는 경우도 있다.

 ✓ 협착형의 대부분은 발병 후에 일시적으로 증상이 개선되지만, 시간이 경과함에 따라 협착이 진행되어 장폐색 증상을 나타내게 된다. 장관 협착의 길이는 다양하며 10 cm 를 넘는 긴 병변이 흔하다.

 ✓ 급성기에는 백혈구 증가, CRP상승 등의 염증소견이 있고 협착형에서는 일과성형에 비해 염증의 정도가 심하다. 그러나 두 군 간에 임상상에서 현저한 차이는 없다.

진 | 단 | 과 | 치 | 료

 ✓ 급성기 복부 전산화단층촬영 · 초음파검사에서 장관의 부종에 의한 장관벽의 비후와 저밀도 음영을 관찰할 수 있고, 만성기 협착형에서는 관강이 좁아지고 협소화되며 구 측 장관의 확장이 동반된다.

 ✓ 소장조영술에서 급성기에는 장관의 부종, 모지압흔상(thumbprinting)을 확인할 수 있 고 세로궤양을 나타내는 경우는 드물다(그림 1a). 만성기에는 작은 궤양, 육아조직이 나 재생점막에 의한 과립상 변화를 확인할 수 있다(그림 1b). 협착이 진행되면 구측 장관의 확장을 동반하는 전주로 관강의 협착으로 진전되고, 협착으로 이행부는 누두 상을 나타낸다(그림 1c).

 ✓ 내시경에서 급성기에는 점막의 부종, 다발성 미란이나 궤양을 관찰할 수 있고, 시간이 경과함에 따라 일과성형에서는 정상으로 되돌아가거나 소궤양 반흔이 된다. 협착형 에서는 요철이 불규칙한 과립상 점막이나 전주성 관강 협착을 일으킨다(그림 2).

 ✓ 급성기에는 소장조영술 · 내시경소견으로 일과성형과 협착형은 감별이 쉽지 않으며, 시간 경과에 따라 영상검사로 병변의 변화를 관찰하다가, 협착의 정도나 장폐색증상 이 진행되면 수술을 고려한다.

🎯 감별진단의 포인트

▶ 급성기 증상이나 소장조영술에서는 소장 아니사키스증이나 헤노흐–쉔라인 자색반과의 감별이 문 제가 된다. 만성기 협착형에서는 관상 협착을 나타내는 소장암, 악성림프종 등의 종양성 질환이나 장결핵 등의 염증성 질환의 감별이 필요하다.

▶ 소장 아니사키스에서 병변범위는 수십 cm 이상으로 길고, X선상은 모지압흔상(thumbprinting)에서 Kerckring주름의 비후 · 부종을 주병변으로 하는 점과, 소장조영술에서 충체를 보여주거나(그림 3) 혈청 아니사키스 항체가 양성이면 감별이 가능하다.

▶ 헤노흐–쉔라인 자색반은(그림 4a, b) 십이지장에서 높은 빈도로 침범하며 출혈성 미란이나 궤양을 동반하고, 양쪽 하지에서 특징적인 자반을 보여준다.

▶ 소장암은 협착의 길이가 짧고 병변 주위와의 경계가 누두상이 아니라 제방 모양을 나타내는 점(그 림 5), 소장림프종에서는 경계부에 점막하 종양 같은 양상을 나타내며 구측 장관의 확장이 적은 점 (그림 6)이 감별 진단에 요점이 된다.

▶ 결핵에서는 통상 협착의 길이가 짧고, 주변 장관에서 반흔 위축이나 염증폴립을 확인함으로써 감별 진단이 가능하다(그림 7).

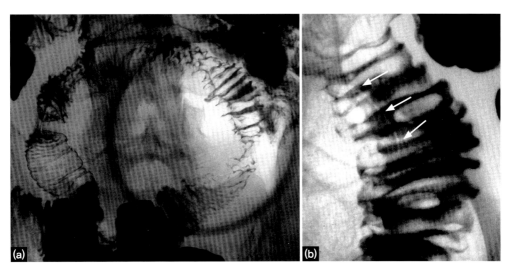

그림 3 • **소장 아니사키스증** (a) 소장조영술. (b) 아니사키스충체(화살표)

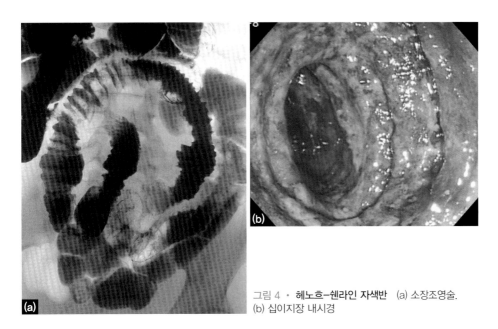

그림 4 • **헤노흐-쉔라인 자색반** (a) 소장조영술.
(b) 십이지장 내시경

그림 5 • **소장암**

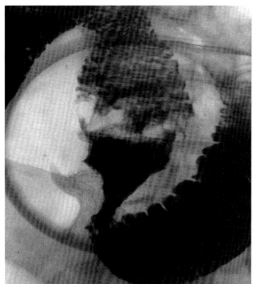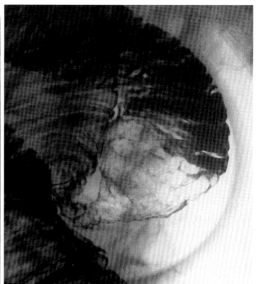

그림 6 · **소장림프종**

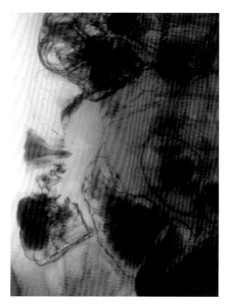

그림 7 · **소장결핵**

One point advice

- 허혈 소장염은 장관허혈에 의해서 발생하는 허혈 대장염과 원인이나 질병의 분류 등 많은 공통점이 있지만, 다음과 같은 다른 임상상을 나타낸다.
  ① 소장은 측부혈행로가 발달해 있어 발생빈도가 적다.
  ② 남성에게 흔히 발생하며 혈변을 보이는 빈도가 적다.
  ③ 일과성형이 적고, 대부분이 협착형이다.
  ④ 협착형의 대부분은 진행형으로 결국에는 수술(장관절제)이 필요하다.

문헌

1) 飯田三雄ほか：虚血性小腸炎 15 例の臨床像および X 線像の分析. 胃と腸 **25**：523-535, 1990
2) 山本智文ほか：血管性病変—虚血性小腸疾患. 小腸疾患の臨床, 八尾恒良ほか（編）, 医学書院, 東京, pp199-210, 2004
3) 佐田美和ほか：小腸炎症性疾患, 虚血性腸炎. 胃と腸 **43**：617-623, 2008

04 비특이성 다발성 소장궤양증

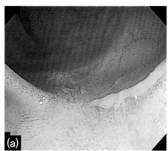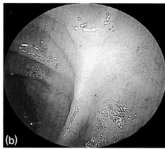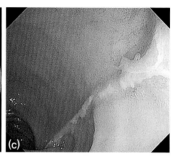

그림 1 · **비특이성 다발성 소장궤양증의 소장내시경**

질 | 환 | 개 | 념

- 비특이성 다발성 소장궤양증은 소장궤양에서 만성적으로 지속적인 출혈에 의한 빈혈과 저단백혈증을 주요 임상상으로 한다.

- 소장병변은 점막하층까지 침범하는 다발궤양이며, 조직학적으로 특이적 소견은 보이지 않는다.

- 발생연령은 10~20대로 젊고, 여성에게 많다.

- 궤양은 잘 치유되지 않는 얕은 점막결손으로, 가로형, 비스듬형(斜走), 또는 세로형이며 융합하는 경향을 나타낸다.

- 난치성 · 재발성 경과를 보이며, 장기간에 걸쳐서 빈혈과 저영양에 대한 대증요법을 요하는 난치성 질환이다.

감별진단의 포인트

▶ 만성적인 잠재성 소화관 출혈과 이로 인한 빈혈 및 저단백혈증이 특징적이다.

▶ 다른 염증성 장질환과는 달리, 설사, 육안적 혈변 등의 증상을 나타내는 경우가 적다.

▶ 혈액검사에서는 염증반응이 없거나 또는 경한 상승 소견만 보인다.

▶ 궤양은 중부 회장에서 원위부 회장에 호발하지만, 말단회장은 이환되지 않는 경우가 많다.

▶ 육안소견과 내시경소견에서는 가로형(그림 1a), 비스듬형(그림 1b), 세로(그림 1c)형 또는 지도상 궤양이 보이고 궤양사이의 점막은 정상이다.

▶ 경과 중에 궤양이 호전과 악화을 반복하면서 관강이 좁아지며, 가장 좁은 부위에는 점막결손이 항상 존재한다(그림 2a)[1].

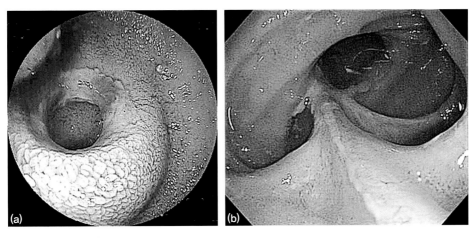

그림 2 · **협착성 병변**

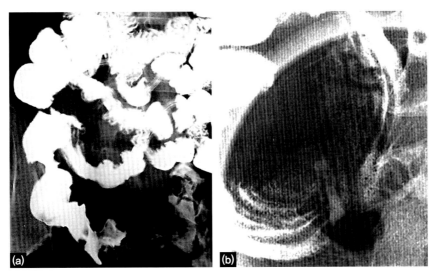

그림 3 · **비특이성 다발성 소장궤양증의 소장조영술**   (a) 충만상. (b) 압박상

감별진단의 포인트 (계속)

▶ 궤양이 비스듬하게 위치하거나·융합하므로, 관강의 현저한 변형이나 나선상의 협착을 나타낸다 (그림 2b)[2].

▶ 조직학적으로 점막 내지 점막하층까지 침범하는 얕은 궤양이다.

▶ 소장조영술에서 회장에 비대칭성으로 변연의 경화상과 다발성의 변형이(그림 2a), 이중조영상이나 압박상에서 옅은 바륨반점이 나타나는 수가 있다(그림 3b).

▶ 상부소화관이나 대장에서도 소장병변과 유사한 궤양이 관찰되는 경우가 있다(그림 4)[3].

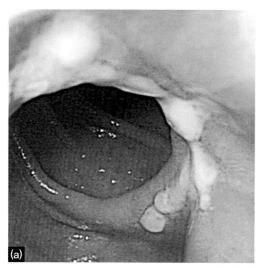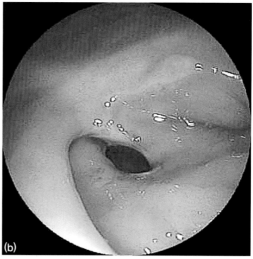

그림 4 · **비특이성 다발성 소장궤양증의 위·대장병변**   (a) 위부분절제 후 문합부에서 관찰되는 궤양. (b) 간만곡부에서 관찰되는 궤양을 동반하는 전주성 협착

One point advice

● 본증의 임상상은 크론병, 베체트 장염, 장결핵과는 달리 잠재성 출혈을 특징으로 한다. 크론병은 궤양이 깊고, 세로경향과 조약돌 점막상을 동반하는데 반해서, 장결핵은 궤양의 가장자리점막이 불규칙하고 궤양사이 점막에 위축, 반흔을 동반하며, 단순 궤양은 병변이 난원형이며 아래가 파인 경향을 보인다는 점에서 감별이 가능하다.

● 비스테로이드소염제의 장기 복용 증례에서 볼 수 있는 소장궤양의 임상상은 본증과 유사한 점이 있지만, 복용력과 함께 소장병변이 치유경향이 강한 가로궤양이라는 점에서 감별이 가능하다.

● 영양요법으로 궤양이 치유경향을 나타내지만, 고도의 관강 협착을 일으킨다. 외과적 절제술 또는, 내시경적 풍선 확장술을 시도할 수 있다.

문헌

1) 松本主之ほか：非特異性多発性小腸潰瘍症の小腸内視鏡所見—非ステロイド性抗炎症薬起因性小腸潰瘍症との比較. 胃と腸 **41**：1637-1648. 2006
2) 八尾恒良ほか：慢性出血性小腸潰瘍—いわゆる非特異性多発性小腸潰瘍症. 小腸疾患の臨床, 八尾恒良ほか（編）, 医学書院. 東京. pp176-186. 2004
3) 松井敏幸ほか：非特異性多発性小腸潰瘍症の長期経過. 胃と腸 **24**：1157-1169, 1989

베체트 장염, 단순 궤양 05

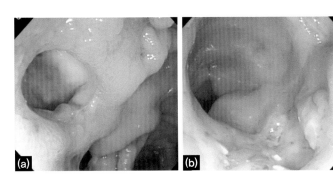

그림 1 · **베체트 장염①** (29세 여성, **불완전형**) 회맹판에 난원형의 깊은 궤양이 관찰된다(a). 말단회장부에도 다발성 궤양이 관찰된다(b).

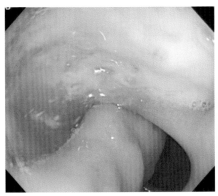

그림 2 · **단순 궤양①** (54세 여성) 회맹판 상부에서 두꺼운 백태를 동반한 큰 난원형의 깊은 궤양이 관찰된다.

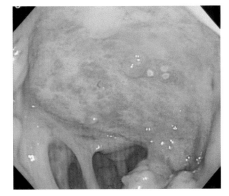

그림 3 · **베체트 장염②** (14세 여성, 불완전형) 회맹판에 관강의 절반 정도를 차지하는 큰 난원형 궤양이 관찰된다. 궤양의 바닥은 거의 평탄하다.

질 | 환 | 개 | 념

- 베체트 장염은 재발성 구강내 아프타 궤양, 피부증상, 안증상, 외음부궤양을 네 가지 주증상으로 하는 원인 불명의 난치성 전신성 염증성 질환이다.

- 후생노동성 연구반의 베체트병의 진단기준에서는 다섯 가지 부증상에 관절염, 부고환염, 혈관염, 소화관증상, 중추신경증상이 있으며 경과 중에 나타나는 주증상, 부증상에 따라서 진단, 병형을 분류한다(표 1)[1].

- 소화관병변이 임상증상의 중심인 것을 특수병형으로, 베체트 장염이라고 한다.

- 베체트병의 소화관병변은 전 소화관에 생길 수 있지만, 호발부위는 회맹부이며 실제 증례는 난치성의 아래가 깊은 궤양을 보여준다(그림 1).

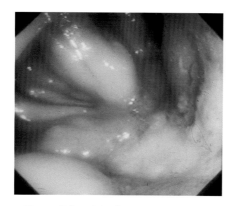

그림 4 · **베체트 장염③ (41세 남성, 불완전형)** 말단회장부에서 현저하게 점막이 집중된 난원형 궤양을 확인한다.

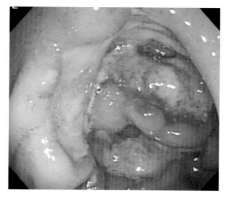

그림 5 · **단순 궤양② (58세 남성)** 회맹판의 거의 전 둘레를 둘러싸는 아래가 깊이 파인 궤양으로, 주위에 부종에 의한 융기를 동반한다.

표 1 **베체트병 진단기준(2003년)**

1. 주증상
 a. 구강점막의 재발성 아프타 궤양
 b. 피부증상
  1) 결절성 홍반
  2) 피하의 혈전성 정맥염
  3) 모낭염성 피진, 좌창성 피진
  ※참고소견 : 피부의 피자극성 항진
 c. 안증상
  1) 홍채모양체염
  2) 망막포도막염(망맥락막염)
  3) 다음의 소견이 있으면 1), 2)와 동일한 기준으로 한다.
   1), 2)병변의 후유증으로 생각되는 홍채후 유착, 수정체 색소 침착, 망맥락막 위축, 시신경 위축, 동반 녹내장, 이차성 녹내장, 안구로
 d. 외음부궤양
	3. 병형진단의 기준
	 a. 완전형
	  경과 중에 네 가지 주증상이 출현한 것
	 b. 불완전형
	  1) 경과 중에 세 가지 주증상, 또는 두 가지 주증상과 두 가지 부증상이 출현한 것
	  2) 경과 중에 전형적 안증상과 그 밖의 한 가지 주증상, 또는 두 가지 부증상이 출현한 것
	 c. 의심형
	  주증상의 일부가 출현하지만, 불완전 조건을 충족시키지 못하는 것 및 전형적인 부증상이 반복 또는 악화되는 것
	 d. 특수병형
	  1) 베체트 장염
	  2) 혈관 베체트병
	  3) 신경 베체트병

2. 부증상
 a. 변형이나 경직을 동반하지 않는 관절염
 b. 부고환염
 c. 회맹부 궤양에서 대표되는 소화기병변
 d. 혈관병변
 e. 중등도 이상의 중추신경병변
	4. 참고가 되는 검사소견
	  1) 피부의 바늘반응(Pathergy test)
	  2) 연쇄구균 백신에 의한 프릭테스트
	  3) 염증반응 : 적혈구 침강속도, CRP, 말초혈액 백혈구수
	  4) HLA−B51(B5)의 양성(약 60%)
	  5) 병리소견

(문헌1에서 작성)

- 단순 궤양은 회맹부에 원형 내지 난원형의 깊은 궤양으로, 베체트병의 다른 증상을 동반하지 않는 것을 가리킨다(그림 2). 이는 베체트 장염과 형태학적, 조직학적으로 서로 차이가 없어서 양 질환의 같고 다름에 관하여 의논이 계속되고 있지만, 아직 결론이 나지 않은 상태이다[2].

- 베체트병 증상으로 구강 아프타 궤양만 동반되는 경우에도 단순 궤양이라고 하는가에 대해서는 아직 논란의 여지가 있다[3].

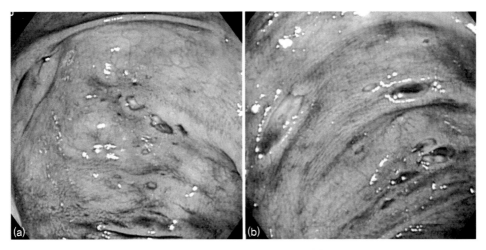

그림 6 · **아프타 병변 (43세, 불완전형 베체트병)** 맹장(a)부터 상행결장(b)에 걸쳐서, 크고 작은 아프타 병변들이 다수 산재해 있다.
(문헌2에서 인용)

A │ 베체트 장염 · 전형적인 단순 궤양의 병변

ᵛ 베체트 장염 · 전형적인 단순 궤양은 깊은 원형 내지 난원형의 경계가 분명한 큰 궤양으로, 회맹부에 호발한다(그림 1~5). 또 종종 주병변의 주변에도 깊은 궤양이 나타난다(그림 1b).

ᵛ 궤양면은 비교적 평탄한 경우가 많고, 궤양의 가장자리점막에 점막 집중이나 부종에 의한 제방 모양의 융기를 동반하기도 한다(그림 4, 5).

ᵛ 궤양 사이의 점막은 거의 정상이며, 염증폴립을 동반하는 경우가 적다.

ᵛ 장간막과의 위치관계에서는 장간막 부착의 반대측(antimesenteric side)에 많다.

ᵛ 궤양은 조직학적으로 여러 염증세포가 혼재한 만성 활동성 비특이적 염증상을 나타낸다. 크론병의 궤양과 비교하면, 궤양의 바닥이 일반적으로 불규칙하지 않고, 섬유화 경향이 적으며, 천공을 동반하는 경우가 더욱 많다.

B │ 비전형적인 병변

ᵛ 베체트 장염은 장관에 광범위하게 다발성의 작은 궤양이나 아프타 병변을 나타내는 경우도 있다(그림 6). 가장자리점막이 선명한 난원형 궤양이나 아프타 궤양이 산재하여 분포하고, 주변 점막이 정상이며, 그 배열에 방향성은 없다.

ᵛ 베체트 장염은 드물게 궤양성 대장염과 유사한 미만성 대장병변을 나타내기도 한다(그림 7). 작은 아프타 병변이 밀집된 예에서는 감별하기가 어렵지만, 궤양 주변 점막의 성상이나 병변의 분포로 감별진단에 도움이 된다.

ᵛ 베체트 장염에서 궤양의 형태가 다양하여 크론병과 유사한 세로궤양을 동반하는 경우도 드물게 보이지만(그림 8), 크론병과 달리 주위에 조약돌 점막상을 동반하는 경우는 없다. 그러나 크론병에 있는 세로로 배열된 아프타 병변이 관찰되기도 한다(그림 9).

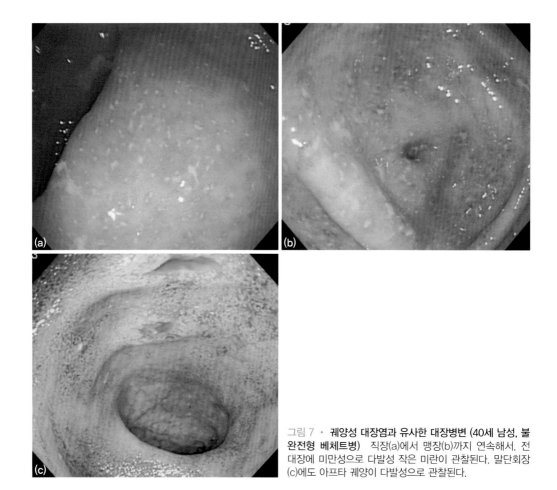

그림 7 · **궤양성 대장염과 유사한 대장병변 (40세 남성, 불완전형 베체트병)** 직장(a)에서 맹장(b)까지 연속해서, 전 대장에 미만성으로 다발성 작은 미란이 관찰된다. 말단회장 (c)에도 아프타 궤양이 다발성으로 관찰된다.

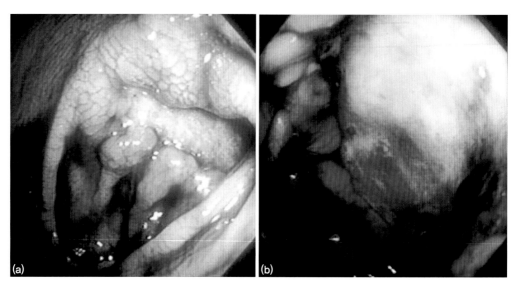

그림 8 · **세로배열 경향이 있는 궤양 (70세 여성, 불완전형 베체트병)** 횡행결장 근위부에 세로배열 경향이 있는 깊은 궤양을 보여준다(a). 그 원위부에 아래가 파인 큰 궤양을 동반한다(b).

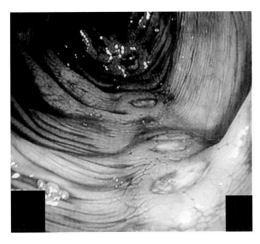 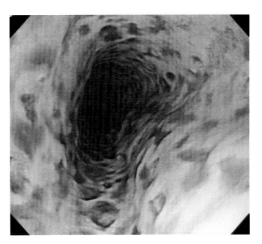

그림 9 • **세로로 배열한 아프타 궤양 (31세 남성, 완전형 베체트병)** 횡행결장에 세로로 배열한 난원형 아프타 궤양을 보여준다.

그림 10 • **베체트병에 보이는 식도 다발궤양 (그림 1과 동일 증례)** 식도에 다양한 형태의 다발성 작은 궤양을 보여준다.

✓ 이와 같은 비전형적인 병변은 종종 전형적인 병변과 공존하여 나타난다.

✓ 베체트병에서는 대장이나 소장뿐 아니라, 식도 등 상부소화관에도 광범위한 병변을 동반한 증례도 있다(그림 10).

🎯 감별진단의 포인트

▶ 베체트병에는 특이한 검사법이나 병리소견이 없어서, 타 질환과의 감별시 세심한 주의를 요한다.

▶ 크론병도 회맹부에 호발하지만, 세로궤양이나 조약돌 점막상이 전형적이어서 감별이 용이하다. 그러나 비전형병변, 특히 작은 아프타성 병변만으로 이루어진 증례에서는 감별이 어렵다. 그런 경우는 상부 소화관소견이나 장관외 증상의 유무 등을 참고로 진단에 도움을 받기도 하지만 크론병도 상부 위장관 병변이 동반되고 구강궤양, 포도막염 등의 안증상, 그리고 관절염 등의 장관외 증상을 동반하는 경우도 있다.

▶ 궤양성 대장염은 미만성·연속성 병변으로, 난원형 궤양을 동반하기도 하지만, 궤양 주위 점막에 미만성 염증을 동반하므로 감별할 수 있다.

▶ 장결핵은 회맹부에 궤양을 만들지만, 대부분이 얕은 다발성 궤양으로, 가로경향을 나타낸다. 궤양의 가장자리점막이 발적을 나타내고, 종종 염증폴립을 동반한다. 위축성 반흔대가 보이는 경우도 많다.

▶ 전신성 홍반성 낭창 등의 교원병이나 알레르기성 자반병, Churg-Strauss 증후군 등의 혈관염에 동반되는 대장궤양, 거대세포바이러스 대장염에서도 베체트 장염과 유사한 난원형 궤양이 나타나기도 한다.

▶ NSAIDs에 의한 대장병변에서도 난원형 궤양이 보이며 회맹부에 호발하지만, 다발성의 얕은 궤양이 특징이며, NSAIDs 복용력을 확인하는 것이 감별진단에 유용하다.

▶ 회맹부의 전형적인 궤양에서는 악성림프종이나 암과 감별해야 하므로, 궤양의 가장자리점막의 소견, 재생 상피의 변화 유무 등에 유의한다.

One point advice

- 베체트병의 증상이 나타나기 전에 소화관 병변이 선행하기도 하므로, 내시경검사에서 베체트 장염이 의심스러우면, 상세한 병력청취와 함께 임상증상의 경과를 추적해야 한다.
- 베체트병의 장관외 증상은 크론병이나 궤양성 대장염 등에서도 나타나므로, 비전형적인 병변만으로 이루어지는 증례의 감별진단은 특히 신중해야 한다.
- 재발성 구강 아프타는 베체트병의 필수 증상이지만, 외음부 궤양은 크론병이나 궤양성 대장염에서는 매우 드물기 때문에 감별의 기준이 될 수 있다.
- 베체트 장염의 내과적 치료는 다른 염증성 장질환과 기본적으로 차이가 없지만, 치료에 어려움을 겪는 경우도 많다. 특히 전형적인 병변은 비전형적인 병변에 비해 치료 불응례가 많으며, 출혈·천공 등의 합병증도 더 많다. 또 외과적 치료 등을 포함한 관해 유도 후 재발도 더욱 높은 빈도로 나타난다.

문헌

1) 松田隆秀ほか：Behçet 病の診断—臨床像と自然歴を含めて. 医のあゆみ 215：41-47, 2005
2) 渕上忠彦ほか：腸型 Behçet 病. 単純性潰瘍（炎症性腸疾患 1997), 胃と腸 32：451-458, 1997
3) 堺　勇二ほか：単純性潰瘍·腸型 Behçet 病. 腸疾患診療—プロセスとノウハウ, 清水誠治ほか（編）, 医学書院, 東京, pp339-346, 2007

비스테로이드 소염제 유발 대장염 06

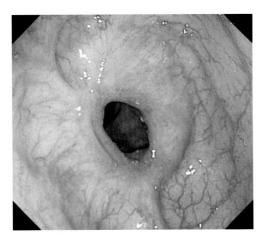 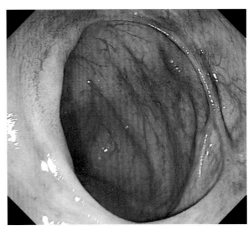

그림 1 • **비스테로이드 소염제 유발 대장염 (전형례)①** 상행결장에 막모양의 짧은 협착(diaphragm–like appearance)

그림 2 • **비스테로이드 소염제 유발 대장염 (전형례)②** 반월주름의 선단에 발생한 얇은 가로궤양 반흔

질 | 환 | 개 | 념

- 약제유발 대장염이란 약물의 투여로 장관에 미란이나 궤양 등의 염증성 변화가 발생하고, 복통, 설사, 혈변 등의 임상 증상을 일으키는 질환이다(다음장의 표 I 참조).

- 약제유발 대장염 중, 비스테로이드 소염제(non-steroidal anti-inflammatory drugs : NSAIDs)가 원인이 되는 장염을 비스테로이드 소염제 유발 대장염이라고 한다.

- 비스테로이드 소염제 유발 대장염의 발생기전은 ① 비스테로이드 소염제가 상피 미토콘드리아의 산화적 인산화를 저해하고 ATP생산을 감소시켜서 상피간의 밀착연접(tight junction)을 저해하거나, 세포막 인지질의 소수성(疎水性), 점성을 변화시키는 등으로 점막의 투과성을 증가시키고 그 결과, 담즙, 단백분해효소, 세균 등 유해물질의 점막내 침입을 용이하게 하며, 호중구를 비롯한 염증성 세포 침윤을 일으킨다. ② 비스테로이드 소염제가 COX(cyclooxygenase) 활성을 억제하여 점막방어인자인 프로스타글란딘 E_2의 합성을 저해한다는 점에서 장관 점막장애에 기여한다.

- 비스테로이드 소염제는 최근 고령화에 동반하여 관절염 등의 만성 통증이나 혈전예방제로 정형외과, 심장내과, 신경과 영역에서 장기 투여가 증가하고 있어 비스테로이드 소염제 유발 대장염의 빈도가 증가하고 있다.

- 비스테로이드 소염제 유발 대장염의 발생빈도에 대한 부검 연구 결과에 의하면 NSAIDs복용력이 있었던 경우 8.4%에서 소장병변을 확인했다는 보고가 있고, 건강자원자에게 diclofenac를 복용하게 한 다음 캡슐내시경으로 관찰했더니 68%에서 소

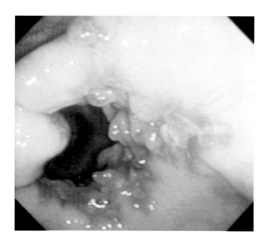

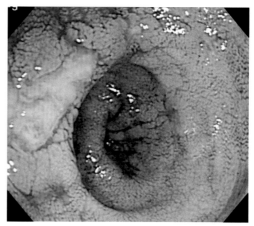

그림 3 · **장결핵의 윤상협착** 비스테로이드 소염제 유발 대장염에 의한 협착(그림 1)과의 감별

그림 4 · **비스테로이드 소염제 유발 대장염** 아프타 궤양. 난원형 궤양(말단회장)

장병변이 확인되었다는 보고가 있다.

- 비스테로이드 소염제 유발 대장염의 호발연령은 60대이지만, 폭넓은 연령층에서 나타난다. 남녀비는 약 1:2로 여성에게 많다.

- 비스테로이드 소염제에는 많은 종류가 있지만, 비스테로이드 소염제 유발 대장염의 원인으로 많은 빈도를 보이는 것은 diclofenac, loxoprofen, mefenamic acid, ampiroxicam, indometacin, 저용량 aspirin 등이다.

- 비스테로이드 소염제 유발 대장염은 경구 투여에 의해 발생하는 것이 많지만, 좌약에 의해서 발병하기도 한다.

- 비스테로이드 소염제 유발 대장염의 진단기준으로 확립된 것은 없지만, 비스테로이드 소염제 투여 후에 발병하고, 투여 중지만으로 병변이 치유되는 점, 대변이나 생검에서 배양검사가 음성이며, 병리학적으로 혈관염이나 육아종 등의 소견이 없고, 기존의 장질환이 없어야 한다는 점 등을 들 수 있다.

- 비스테로이드 소염제 유발 대장염의 자각증상으로 복통, 설사, 궤양 출혈에 의한 혈변, 철결핍성 빈혈, 저단백혈증 등을 들 수 있다. 또 궤양의 천공에 의한 복막염이나 궤양의 반흔 협착에 의한 장폐색 등으로 발생하기도 한다.

- 비스테로이드 소염제 유발 대장염의 병변부위는 소장, 대장의 어디에나 발생하지만, 소장에서 발병빈도가 높다. 소장에서는 공장보다도 원위부 회장에 병변이 호발한다는 보고가 있는 한편, 일정한 경향이 없다는 보고도 있다. 대장에서는 병변이 어느 부위에나 발생하지만, 회맹부에 가까운 근위부 대장에 호발하며, 소견도 타부위에 비해서 더욱 심하다.

- 비스테로이드 소염제 유발 대장염의 병변으로, 종래부터 중부~원위회장에 다발하는 막모양의 짧은 협착(diaphragm-like strictures)이 특징적이지만, 이 막모양의 짧은 협착은 대장에서도 확인된다(그림 1). 윤상주름이나 반월주름의 꼭대기에 발생하는 가로궤양(그림 2)이나 전주성 궤양이 반흔 수축화된 것이 막모양의 짧은 협착이다. 장결핵에 의한 가로 협착과 감별해야 하지만, 장결핵에서는 협착부 및 주위 점막의 염

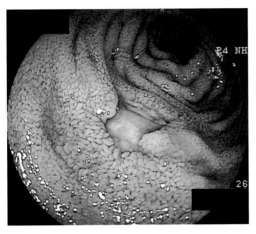

그림 5 · 비스테로이드 소염제 유발 대장염　깊은 원형궤양(말단회장)

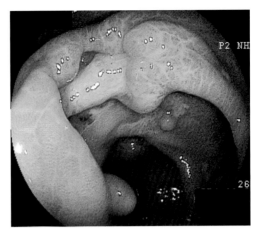

그림 7 · 비스테로이드 소염제 유발 대장염　그림 6a의 소장조영술 검사에서 부정형 궤양을 회맹판에 근접한 사진

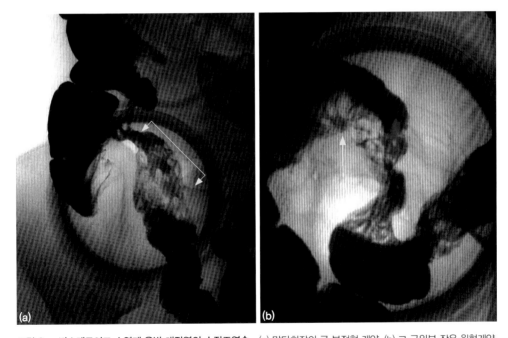

그림 6 · 비스테로이드 소염제 유발 대장염의 소장조영술　(a) 말단회장의 큰 부정형 궤양. (b) 그 근위부 작은 원형궤양

증이 더욱 심하고, 발적, 미란, 궤양, 염증폴립 등 다양한 소견을 동반한다(그림 3).

비스테로이드 소염제의 장기 투여례에서는 가로궤양, 전주성 궤양 및 막모양의 짧은 협착 등을 확인하는 경우가 많지만, 협착 이외 한 개 또는 여러 개의 다양한 모양의 궤양을 관찰할 수 있다. 궤양의 모양은 아프타 궤양(그림 4), 난원형 궤양(그림 4, 5, 6b), 가로궤양(그림 2), 전주성 궤양이나 회맹부의 큰 부정형 궤양(그림 6a, 7, 8), 회맹판 상의 난원형 궤양 등 다양하다. 궤양의 깊이는 비교적 얕은 것에서 깊은 것(그림 5, 7, 8)까지 여러 가지이다.

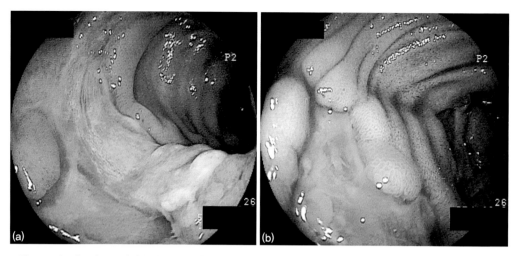

그림 8 · **비스테로이드 소염제 유발 대장염**   (a) 부정형 궤양은 회맹판을 지나서 근위부까지 확장되어 있다. (b) (a)의 색소 내시경상

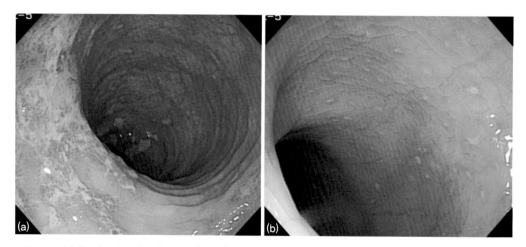

그림 9 · **비스테로이드 소염제 유발 대장염 (장염형)**   (a) 구불결장에 얕은 지도상 궤양. (b) 직장에 아프타 궤양

  ✓ 궤양의 위치는, 장결핵이나 베체트 장염은 장간막 부착 반대측(antimesenteric side)에, 크론병은 장간막 부착(mesenteric side)측에 발생하지만, 비스테로이드 소염제 유발 대장염에서는 일정한 경향이 확인되지 않는다.

  ✓ 일본에서는 병변의 특징에 따라 비스테로이드 소염제 유발 대장염을 궤양형과 장염형으로 분류한다. 궤양형은 diclofenac, loxoprofen 투여례에 많으며, 한 개 또는 여러 개의 경계가 명확한 난원형 궤양, 가로경향이 있는 부정형 궤양이나 큰 지도상 · 모양이 일정하지 않은 부정형 궤양이 주로 회맹부나 우측 결장에 호발하는 것이 특징이다. 장염형(그림 9)은 mefenamic acid와 piroxicam 투여례에서 많고, 전 대장이나 회장 말단에 호발하는 미만성 또는 국소적인 점막부종, 발적, 아프타 병변, 얕은 지도상 궤양 등이 특징이며 때로 위막성 대장염을 일으킨다는 보고도 있다.

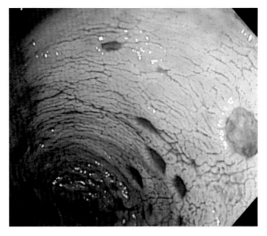

그림 10 · **베체트 장염의 아프타 궤양, 작은 원형궤양**　비스
테로이드 소염제 유발 대장염의 아프타 궤양, 작은 원형궤양
(그림 4, 5)과 감별

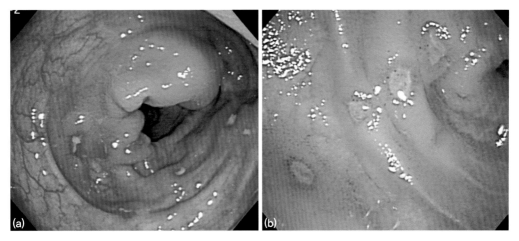

그림 11 · **크론병의 아프타 궤양**　(a) 세로 배열 경향 없음. (b) 세로 배열 경향 있음. 비스테로이드 소염제 유발 대장염의
아프타 궤양(그림 4)과 감별

감별진단의 포인트

▶ 감별진단은 비스테로이드 소염제 유발 대장염에서, 특징적인 막모양의 짧은 협착을 확인하면 비교
적 용이하지만, 막모양의 짧은 협착을 일으키지 않은 경우는 대부분의 질환과 감별해야 한다. 즉, 단
순 궤양, 베체트 장염(그림 10), 장결핵, 허혈 대장염, 비특이성 다발성 소장궤양증, 감염 대장염, 항
생제 관련대장염, 염증성 장질환(크론병(그림 11), 궤양성 대장염) 등과 감별해야 한다.
▶ 비스테로이드 소염제에 의한 직장병변으로 점막부종, 발적, 출혈, 미란, 다양한 궤양성 병변(난원형
궤양, 부정형 궤양, 전주성 궤양, 가로궤양 · 협착) 등을 확인한다. 이 병변들은 장기간 누워 지내는
환자에게 많이 발생하는 급성 출혈성 직장궤양증이나 숙변 궤양 또는, 거대세포바이러스 직장염 등
의 궤양과도 감별해야 한다.

One point advice

- 치료는 가능한 비스테로이드 소염제의 투여를 중지하는 것이다. 중지할 수 없는 경우는 비스테로이드 소염제의 종류를 바꾸어 본다.
- 비스테로이드 소염제 중에서도 선택적 COX-2저해제(celecoxib)는 통상형 비스테로이드 소염제보다도 점막 병변의 발생이 적다.
- 또 미소프로스톨(misoprostol, 프로스타글란딘제제)은 병변의 예방효과가 있다. 장내세균이나 이차적인 염증 병변 발생에 관여하고 있다는 견해도 있어서, 유산균제제나 항균제, 메살라민(5-aminosalicylic acid) 등의 투여가 시도되는 경우도 있다.
- 막모양의 짧은 협착에는 내시경적 풍선확장술을 시도할 수 있지만, 고도의 협착이나 천공, 대량 출혈의 발생시에는 수술적 치료를 선택한다.

약제유발 대장염 07
(항생제 관련 대장염을 중심으로)

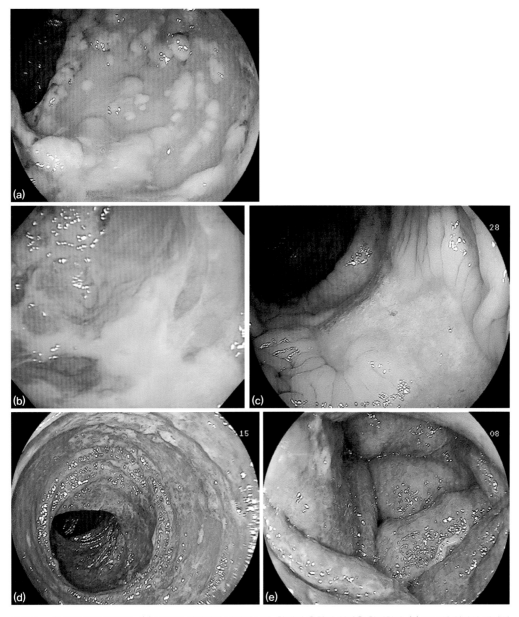

그림 1 • **항생제 관련 대장염**   (a) 위막성 대장염의 내시경소견. 황색의 융합된 위막을 확인한다. (b) 고도인 위막성 대장염의 내시경소견. 대장점막의 거의 전체를 덮는 광범위한 위막의 형성이 보인다. (c) 동일증례의 vancomycin 투여 3주 후. 위막이 소실된 부위에서 궤양을 관찰할 수 있다. 회복기에는 위막이 존재한 부위에서 미란이나 아프타 병변이 관찰되는 경우가 많다. (d, e) 항생제 관련 급성 출혈 대장염. 미만성 발적(d)이나 부종이 있는 점막(e)을 관찰할 수 있다.

표 1 약제유발 대장염의 정의

1. 발병시, 또는 발병 직전에 원인 약제의 투여 중이어야 한다.
2. 대변 또는 생검조직의 배양검사가 시행되고, 감염 대장염이 배제되어야 한다.
3. 원인 약제의 투여 중지만으로 임상 증상 및 영상소견의 개선을 확인되어야 한다

상기 3조건을 만족해야 한다.   (문헌1에서 인용)

표 2 약제유발 대장염의 원인 약제

- 항생제
- 비스테로이드 소염제
- 항암제(5–FU 등)
- 관장액, 설사제
- 염화칼륨
- 사이아자이드계 유도체
- 디지털리스(digitalis)
- 경구피임제
- Gold(金製劑)
- 면역억제제
- Proton pump inhibitors
- 기타(수은, 비소, 비스무스, 셀륨, 리튬 등)

[小林淸典 : 약제유발 대장염. 장질환 진료–프로세스와 노하우. 淸水誠治 외 (편), 의학서원, 동경, p.385–392, 2007에서 인용]

표 3 약물에 의한 장관병변의 분류

- 염증성 대장염 유발형
- 궤양 · 천공 형성형
- 허혈 대장염형
- 흡수장애형
- 감염 · 괴사 대장염 유발형
- 장관 운동장애형
- 기타

(문헌2에서 인용)

질 | 환 | 개 | 념

- 약제유발 대장염이란 약물의 투여로 설사, 혈변 등의 임상증상이 발생하고, 대장에 미란이나 궤양 등을 일으키는 염증성 질환으로, 표 1에 정의하였다[1].

- 원인 약제로는 항균제가 가장 많고, 그 밖에 비스테로이드 소염제, 항암제, 중금속제제, 면역억제제, 경구피임제 등이 알려져 있다(표 2).

- 대장염의 발병양상에 따라 여러 형이 보고되어 있지만(표 3)[2], 그 기전에 관해서는 약제의 대장점막에 대한 직접장애 이외에, 장내세균총의 변화를 통한 이차적인 것도 있다. 본 항에서는 주로 항생제 관련 대장염에 관하여 기술하였다.

- 항생제 관련 대장염은 위막성 대장염과 급성 출혈 대장염으로 크게 나뉜다.

A | 위막성 대장염(pseudomembranous colitis : PMC)

- PMC는 *Clostridium difficile* 이상증식이 그 원인이며 원내감염의 흔한 원인이다.

- 원인 약제는 세펨계, 클린다마이신이 대표적이지만, 카르페넴계나 퀴놀론계 투여 후에도 발생한다.

- PMC 발병의 위험요인으로 고령, 면역 저하, 입원, 장내세균총을 변화시키는 다른 치료 등이 있다.

- 임상 증상으로는 항균제 투여 며칠 후부터 2~3주 후에 발생하는 설사이며, 종종 38℃를 넘는 발열이 동반되기도 한다.

- PMC는 *C. difficile*의 toxin이 주요 원인이며 A, B의 두 종류가 있다.

- toxin A는 장액의 증가와 장관점막의 투과성을 증가시켜, 장액과 단백의 손실을 일으

키며, PMC의 주증상인 설사의 원인이 된다.

✓ toxin B는 강한 세포장애를 일으켜 증상을 악화시킨다.

✓ 진단은 항균제 투여 후 환자에게 설사가 나타났을 때에 본 질환을 의심하는 것이 중요하다.

✓ 대변에서 *C. difficile* toxin의 검출은 toxin B를 검출하는 뛰어난 검사법으로, PMC환자의 95%에서 양성이다.

🔍 감별진단의 포인트

▶ PMC의 진단에 가장 확실한 검사법은 내시경검사이다.
▶ 병변은 하부대장, 특히 직장에서 가장 현저하므로, 대부분의 경우 구불결장까지 관찰로 충분하다.
▶ 전형적인 증례는 하부대장을 중심으로, 지름 몇 mm까지의 위막이 다발성으로 존재한다(그림 1a).
▶ 위막은 2~5 mm 크기의 황색 또는 백색의 평반상 내지 반구상의 융기를 나타내다가, 중증이 되면 이 위막이 융합된다(그림 1b).
▶ 위막은 점액, 섬유소, 상피잔설, 괴사물질, 호중구 등으로 이루어진다.
▶ 위막 형성 초기 또는 회복기에 일과성으로 아프타 병변이 나타나며, 궤양성 대장염이나 아메바 대장염 등과 유사한 소견이 관찰되기도 하는데, 연령, 발병의 배경 등을 고려하면 감별이 어렵지 않다.
▶ 치료방침 : 항균제 투여를 중지하고, 수액 치료를 한다. 약물요법으로는 vancomycin (125 mg/qid, 7일, 경구투여) 또는 metronidazole (250 mg/qid, 7~10일, 경구투여)이 있다. 이 약제들의 투여로 통상 48시간 이내에 설사나 발열 등의 전신상태가 개선되며, 일반적으로 7일 정도에 설사도 소실된다. 그림 1c는 개선된 내시경소견이다. *Clostridium difficile* 양성인 무증상 환자는 치료하지 않아도 된다.

B | 급성 출혈 대장염(acute hemorrhagic colitis : AHC)

✓ AHC는 페니실린제제의 사용으로 발생하고, 혈성 설사를 주증상으로 한다.

✓ 이환부위는 구역성으로 근위부 대장까지 종종 침범한다.

✓ 전신상태는 자각증상이 강한데 비해서 양호하며, 항균제 투여중지로 증상이 신속히 개선된다.

🔍 감별진단의 포인트

▶ 내시경소견은 미만성 부종을 동반하는 발적으로, 특히 점막내 출혈을 반영한 선명한 발적이 특징이다(그림 1d).
▶ 때로 부정형의 얕은 지도상 궤양을 나타내기도 하지만 깊은 궤양의 동반은 드물다.
▶ 팽기 추벽에는 현저한 부종이 있지만 소실되지 않는다.
▶ 병변부에서는 장관 연축이 강하고(그림 1e), 언뜻 보기에 협착처럼 보여도 내시경은 통과한다.
▶ O157감염증과 증상, 내시경소견이 유사하며 대변 배양검사가 감별 진단에 중요하다.
▶ 발병기전은 Klebsiella oxitoca라는 페니실린 내성균이 흔히 배양되므로, 균교대현상이 의심스럽지만, 상세한 기전은 불분명하며 미세순환장애설, 알레르기설, 사이토카인에 의한 국소적인 반응에 의해서 조직장애가 일어나는 Shwartzman 반응의 관여도 추정되고 있다.

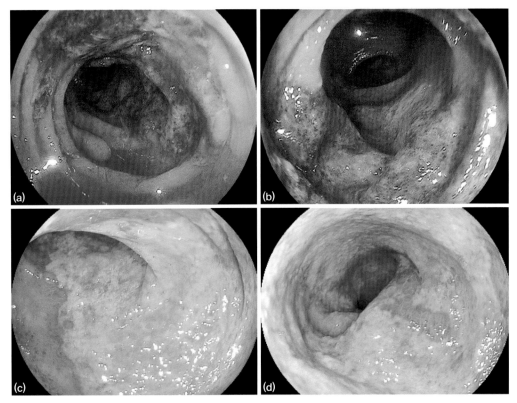

그림 2 • **니프레크®, loperamide에 의한 장염**   장관운동 조절제에 의해서 허혈 대장염 같은 염증을 나타내는 수가 있다.
(a, b) 니프레크® 내복 30분 후에 혈변이 발병하였다. 구불결장에서 출혈을 동반하는 암적색의 궤양의 바닥을 동반한 세로
궤양을 관찰할 수 있다. (c, d) loperamide 내복 며칠 후, 출혈이 발병하였다. 구불결장에서 일부 전주성이 된다. 얕은 편측
성 궤양을 관찰할 수 있다.

C │ 그 밖의 약제유발 대장염

① 대장내시경 전처치제, 지사제로 인한 대장염

✓ 대장내시경 전처치제 투여 중에 혈변을 일으키고, 허혈 대장염 같은 편측성 세로궤양
을 나타낸다(그림 2a, b). 또 loperamide 내복 후에도 허혈 대장염 같은 세로궤양을
나타낸다(그림 2c, d). 이 장염 유발기전은 불분명하지만, 장관내압의 급격한 변화로
인한 허혈장애가 시사되고 있다.

② 프로톤 펌프 저해제(PPI)에 의한 교원질성 대장염(collagenous colitis) (그림 3)

✓ PPI나 NSAIDs의 내복으로 일어나므로, 약제유발 대장염의 일종으로 생각된다[3].

✓ PPI에서는 lansoprazole에 의한 보고가 많지만, omeprazole나 rabeprazole에 의한 대
장염의 보고도 드물게 보인다.

✓ 병태 등의 상세한 내용은 다른 항에서 기술하겠지만, 일반적으로 내시경에서 이상소
견이 확인되지 않고, 생검에서 상피하의 collagen band 두께가 10 μm 이상, 점막고
유층의 단핵구 침윤이 특징이다. 그러나 실제로는 미세한 내시경 이상소견이 보이는
경우가 많으며, 본 증례에서도 혈관상 소실을 확인할 수 있다.

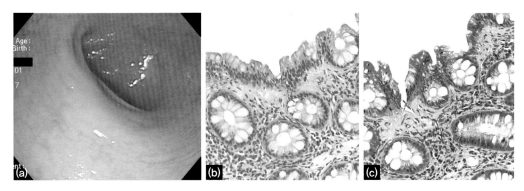

그림 3 · **교원질성 대장염** 증례는 60세 여성. PPI 내복 1개월 후부터 수양성 설사를 반복하여, 내시경검사를 시행. 직장에서 일부 혈관상의 소실을 보이는 점막을 관찰할 수 있다(a). 생검의 HE염색에서 점막 아래에 교원섬유의 증식이 관찰된다(b). Masson's Trichrome 염색에서는 같은 부위에 파랗게 염색되는 교원섬유의 증식이 명료하다(c). 이상에서 교원질성 대장염이라고 진단, PPI 복용 중단으로 증상이 호전되었다(히로시마기념병원, 隅井雅晴선생님 제공).

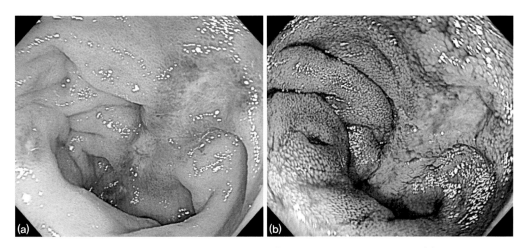

그림 4 · **항암제에 의한 소장염** TS-1 투여 4일 후에 설사가 출현하여, 내시경검사가 시행되었다. (a) 말단회장에서 종주궤양 및 주위에서 미란을 확인할 수 있었다. (b) 같은 부위의 indigocarmine 도포상

❸ **항암제에 의한 소장염** (그림 4)

  ✓ 항암제는 종양세포의 세포주기에 영향을 미치므로, 세포주기가 짧은 정상 소장의 상피세포의 핵분열도 억제하여, 점막의 항상성 장애와 점막병변을 일으킨다. Fluoro-uracil에 의한 소장염이 흔히 알려져 있으며, 투여 후에 설사나 복부팽만감을 일으킨다. 드물게 천공을 일으키기도 한다.

  ✓ 영상소견의 특징은 불분명하지만, 부종, 궤양 등이 있다.

  ✓ 본 증례는 원발성 간암 및 폐전이로 TS-1을 투여하였고 4일 후 설사로 발병한 증례로 말단회장에서 세로궤양을 확인할 수 있었다.

‖ 문헌 ‖

1) Bockus HL : Gastroenterology vol.2., 5th ed, WB Saunders, Philadelphia, pp1657-1671, 1995
2) 吉田　豊ほか：薬物による腸管病変とは―発症機序と起因物質．日内会誌 **84** : 241-248, 1995
3) Lazenby AJ : Collagenous and lymphocytic colitis. Semin Diagn Pathol **22** : 295-300, 2005

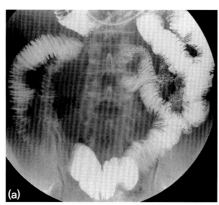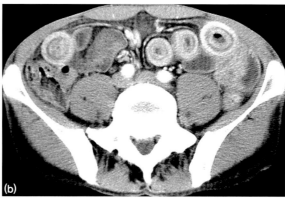

그림 1 • **증례①** 20년 전부터 기관지천식으로 치료 중인 44세 남성이 오심 · 구토를 주소로 내원하였고 혈액검사에서 WBC 6,300/mm³(호산구 31.0%). IgE 1,270 IU/dL.소견을 보였다. (a) 소장조영술 검사. Kerckring 주름의 간격이 단축되고, 신전 불량이나 협착과 함께, 완만한 결절상 융기가 보인다. (b) 조영제 증강 전산화단층촬영검사. 광범위하게 소장벽이 벽구조를 유지한 채 현저히 비후되고, 고유근층의 조영증강효과가 현저하다.

질 | 환 | 개 | 념

✓ 호산구 위장염은 1937년에 Kaijer[1]이 첫 증례를 보고하였고, 소화관벽에 호산구 침윤에 의해 여러 가지 증상이 발생하는데, 조직학적으로 혈관염은 보이지 않는다.

✓ 기관지천식, 알레르기성 비염, 아토피성 피부염 등이 약 반수에서 동반되고, 특정한 식품섭취나 약제복용 후 발병하기도 하므로, 알레르기 반응이 발병 기전에 관여할 것으로 추정된다.

✓ Tally팀의 진단기준이 일반적이며, ① 소화관 증상의 존재 ② 한 군데 이상 소화관의 생검에서 호산구 침윤이 증명되거나 또는, 말초혈액 검사에서 호산구 증가와 특징적인 소장조영술 소견이 보일 경우 ③ 기생충 등 호산구 증가를 일으킬 수 있는 타 질환의 배제, 세 항목이다[2].

✓ 위와 소장(그림 1)에 발생하는 경우가 많으며, 식도나 대장(그림 2)에는 보고가 적다.

✓ Klein팀은 병리학적으로 호산구의 침윤부위와 임상적 병변을 조합하여 ① 점막병변을 주로 하는 '점막층형' ② 근층병변을 주로 하는 '근육층형' ③ '장막하층형'으로 분류하였다[3]. 일본의 보고례에서는 ①이 약 반수, ②가 20% 정도, ③은 드물다고 한다. 그러나 이 분류를 적용하는 것이 그다지 용이한 것은 아니다.

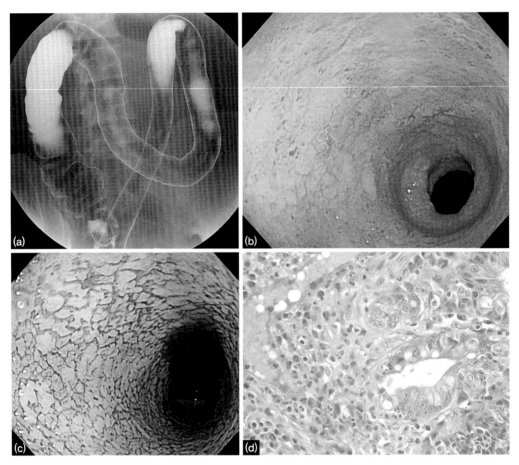

그림 2 · **증례②**   3년 전부터 무른 변이 지속되어, 과민성 장증후군으로 진단받았던 20세 남성이 설사를 주소로 내원하였고 하루 8~10회의 설사가 있었다. 알레르기 소인 및 혈액검사에서 호산구 증가는 없었다. (a) 결장 전체에 팽대주름이 소실되고, 좌측결장의 단축, 미세 과립상의 점막상이 보인다. (b) 통상 내시경에서 점막은 발적과 위축이 혼합된 미세 과립상 점막이 보인다. (c) 색소 도포로, 가는 돌을 겹친 것 같은 표면 모양이 명료해진다. (d) 생검에서 점막고유층에 다수의 호산구 침윤이 관찰되었다.

감별진단의 포인트

▶ 말초혈액검사 소견 중 호산구 증가는 약 80%, Ig E 상승은 약 60%에서 보이지만, CRP나 적혈구 침강속도는 정상인 경우가 많다.

▶ 복수가 보이는 경우, 성상은 삼출성으로 호산구가 풍부하지만, 혈성인 경우도 있다.

▶ 영상소견이 다양하고, 발생하는 부위에 따라서 영상소견도 달라진다[4].

▶ 소장병변에서 부종을 보여주고, 국한성 또는 미만성으로 Kerckring 주름의 비후와 간격의 단축, 결절상의 융기형성, 신전불량이나 협착이 보이지만, 궤양이 보이는 경우는 드물다. 이 소견들은 내시경검사보다 소장조영술검사가 파악하기 쉽다. 복부 전산화단층촬영검사나 복부 초음파검사에서도 Kerckring 주름의 종대, 장관벽의 비후, 통과장애에 동반하는 구측 장관의 확장, 장간막림프절 종대, 복수 등의 소견이 보이는 경우도 있다.

▶ 대장병변에서는 미만성 과립상점막, 궤양성 대장염과 유사한 미란, 발적 반점이나 점상출혈, 부종 등이 나타나서, 소장병변과는 소견이 상당히 다르다.

▶ 생검에서 부종과 호산구 주체로 하는 염증세포 침윤이 특징적이며, 선와상피의 변성이나 재생도 확인할 수 있다. 생검에서 호산구 침윤이 보이는 것은 전 증례의 60% 정도이다.

▶ 감별을 요하는 질환에는, 소장병변에서 루프스장염, 아니사키스증이나 선미선충 type X 유충이행증 등 소장에 광범위한 부종을 일으키는 질환이 있으며, 대장병변에는 궤양성 대장염을 감별해야 한다.

one point advice

● 소장병변에서는 광범위한 부종이 주병변이며, 생검조직에서 호산구 침윤보다도 말초혈액에서 호산구 증가가 진단의 근거가 된다. 부종은 내시경보다도 소장조영술검사, 복부 초음파검사, 전산화단층촬영검사가 파악하기 쉽다.

● 대장병변에서는 궤양성 대장염과 유사한 소견을 나타내지만, 일반적으로 혈변이 보이지 않는 경우가 많고, 생검으로 진단하는 경우가 많다.

문헌

1) Kaijser R : Zur Kenntnis der allergischen Affectionen des Verdauungscannals vom Standpunct des Chirurgen aus. Arch Klin Chir **188** : 36-64, 1937

2) Tally NJ et al : Eosinophillic gastroenteritis : a clinicopathological study of patients with disease of the mucosa, muscle layer, and subserosal tissues. Gut **31** : 54-58, 1990

3) Klein NC et al : Eosinophilic gastroenteritis. Medicine **49** : 299-319, 1970

4) 上尾太郎ほか : 好酸球性胃腸炎. 胃と腸 **38** : 553-558, 2003

09 혈관염에 의한 대장병변

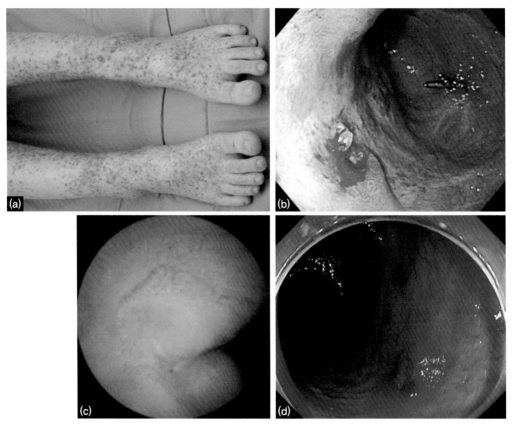

그림 1 · **헤노흐-쉔라인 자색반**   (a) 하지의 자반. (b) 십이지장 하행부~수평부까지 노출혈관을 동반하는 지도상의 광범위한 궤양이 보인다. (c) 캡슐내시경으로 상부~중부소장에서 보이는 소미란 · 발적. (d) 말단회장부의 작은 궤양

질 | 환 | 개 | 념

- 혈관염 증후군은 혈관벽의 염증을 초래하고, 여러 가지 임상증상을 나타내는 전신성 염증성 질환의 총칭이다. 장애가 되는 혈관부위와 두께에 따라서, 각각 다른 임상상을 보인다.

- 전신증상의 하나로 소화관 병변이 종종 발생하고 복통이나 소화관출혈을 동반하며, 때로 천공 등의 심각한 증상으로 발병하는 경우도 적지 않다.

- 질환에 따라서 합병증의 발생빈도와 예후가 다르므로 구별해서 이해해야 한다.

- 소화관병변을 계기로 진단하는 예도 증가하고 있어서 본 질환군의 특징적인 임상경

과와 소화관 소견을 인지하고 있어야 한다.

- 소화관에서 혈관염으로 혈관투과성 항진에 의한 삼출, 출혈, 발적점막을 나타내고, 혈관 손상이 진행되면 허혈 변화가 일어나며 부종, 미란, 궤양이 생긴다.
- 마찬가지로 미세혈관을 침범하는 Wegener육아종증이나 현미경적 다발혈관염과 함께 항호중구 세포질 항체(anti-neutrophil cytoplasmic antibody: ANCA) 양성 유무를 확인하며, 이는 ANCA 관련 혈관염으로 분류한다.

🔍 감별진단의 포인트

▶ 혈관염 증후군의 소화관 병변은 감별진단이 어려우므로, 임상증상의 특징을 충분히 숙지한 후에 임상적 대응을 해야 한다.
▶ 대장 병변 이외에도 여러 장기에 질환의 합병이 진단에 도움이 되는 수도 있으므로, 의심될 경우 전신적인 접근이 필요하다.
▶ 진단은 감염증, 악성종양 및 교원병 등에 동반하는 혈관염을 제외한 후에 각 질환의 진단기준에 준하여 진단한다.
▶ 대부분의 경우에서 생검 소견이 중요하지만, 소화관 점막의 생검 조직으로 혈관염을 증명하기가 쉽지 않으므로 특징적인 피부소견이 관찰될 경우는 시기를 놓치지 말고 반드시 피부생검을 시행하는 것이 중요하다.

🎯 One Point advice

● 혈관염 증후군은 침범한 혈관의 굵기에 따라서 현재 열 가지 혈관염으로 분류한다(Chapel Hill 분류).

A | 헤노흐-쉰라인 자색반, 알레르기 자색반(anaphylactoid purpura) (그림 1)

- 두통, 인두통, 감기 같은 증상이 선행하며, 피부나 관절, 소화기, 신장 등에 증상이 나타난다. 소아에게 호발하지만 성인에서도 진단된다. 양측의 하지 대퇴부나 발등을 중심으로 때로는 대퇴~상지~복부까지, 직경 10 mm 이내의 촉지되는 자색반(palpable purpura)이 다발성으로 나타난다.
- 세균이나 바이러스, 약제 등의 항원과 항체가 반응한 면역글로불린 A 면역복합체가 모세혈관, 세정맥, 세동맥의 혈관벽에 침착하고, 면역계를 활성화시켜서 혈관염을 일으킨다(III형 알레르기반응).
- 소화기 증상은 70~80%에서 나타나며, 복통, 구토, 설사, 혈변 등의 증상을 보이며, 드물게 장중첩이나 천공 등의 중증 합병증을 일으키기도 한다.
- 내시경검사에서 십이지장부터 대장에 걸쳐서 병변이 관찰되는데 주로 점막 발적이나 부종, 미란, 부정형 궤양 등을 보인다. 혈관염의 중등도와 검사시행 시기에 따라서 다양한 소견을 보인다. 콩모양의 응고혈 변화나 궤양 바닥의 암적색 융기는 본증의 특징적인 소견이다.

✓ 대장에서는 자색반 같은 병변이 보인다는 보고가 많지만, 깊은 난원형 궤양을 볼 수 있다.

One Point advice

● 병변부위는 십이지장을 포함하는 소장이 100%, 대장 90%, 위 60%, 식도 4% 순이다.
● 소화관외 증상의 빈도는 피부증상이 거의 전례에서 관찰되며, 관절증상은 50~60%로 출현하고 통증, 부종이 있다. 신장 기능장애는 20~60%로 나타나는데 본 질환의 예후는 신장기능 장애의 정도에 의해 결정된다.

B│ 알레르기성 육아종성 혈관염(Churg-Strauss증후군)

✓ 기관지 천식을 주로 하는 알레르기 질환이 선행하고, 호산구 증가 및 결절성 동맥주위염 세 가지 주징후를 특징으로 하는 비교적 드문 질환이다.

✓ 병인으로는 기관지 천식을 비롯하여, 알레르기성 질환이 선행하는 점을 고려하면 I형 알레르기 반응이 관여하였음을 시사한다.

✓ 남녀간 발생비는 차이가 없고, 호발연령은 40대이다.

✓ 혈관염에 의한 임상소견으로 소화관 병변, 다발성 또는 단신경염(mononeuropathy or polyneuropathy), 피부 병변 등을 보인다.

✓ 소화관병변은 약 반수에서 확인되며, 십이지장, 소장, 대장을 중심으로 주로 부정형 궤양이나 소궤양이 관찰되며, 종종 생검에서 호산구 침윤을 확인할 수 있다. 궤양의 가장자리점막의 발적이 심하고 병변 사이의 점막은 부종, 미란 등이 관찰된다. 때로 깊은 궤양으로 천공이 발생하기도 한다.

One Point advice

● 신장병변이 동반되는 경우가 적고, 스테로이드에 반응이 좋아서 비교적 예후가 양호하지만, 소화관 침범이 약 50%를 초과하므로, 소화관 병변이 예후를 결정하는 요인이다.
● 기관지 천식 치료 후의 류코트리엔 수용체 길항제의 관여가 시사되고 있다.
● 임상적으로 세가지 병기로 분류된다. ① 전구기 : 알레르기성 비염, 아토피성 질환, 천식을 나타내는 시기. 기관지 천식은 중요한 증상으로, 본증의 발병증보다 약 몇 주부터 몇 년 선행하며, 종종 중증으로 스테로이드 치료를 요한다. ② 호산구 증가기 : 말초혈액에서 호산구 증가증과 함께, 폐나 소화관을 중심으로 여러 장기에 호산구의 침윤을 확인할 수 있다. ③ 혈관염기 : 전신성으로 소동맥의 혈관염을 확인할 수 있고, 여러 장기에서 다양한 증상을 나타낸다.

C│ Wegener 육아종 (그림 2)

✓ 중년부터 고령(40~60대)의 남성에게 호발한다.

✓ 소화관 증상을 나타내는 경우는 매우 드물지만, 식도에서 대장까지 전 소화관에 병변을 보인다는 보고가 있다. 신장병변의 합병이 많으며 상기도 병변이 적은 전신성 혈

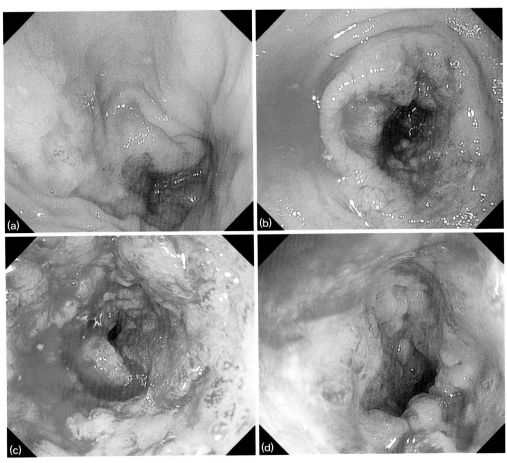

그림 2 · **Wegener육아종에 동반하는 대장병변**   우측 횡행결장~회맹부에 걸쳐서, 점막 부종으로 관강이 좁아짐을 관찰할 수 있다. 같은 병변 가장자리점막에서는 깊은 궤양과 발적, 미란이 보이며, 협착부 취약성과 세로로 배열하는 경향이 있는 깊은 궤양이 관찰된다.

관염을 나타내는 증례가 많다.

- 예후는 5년 생존률 약 50%로 불량하고, 치료는 강력한 면역억제제나 고용량의 감마글로부린을 투여한다.

◎ one point advice

- 최근 PR-3 ANCA가 발병요인으로 주목받고 있다. PR-3 ANCA와 염증 사이토카인의 존재하에 호중구가 활성화되고, 활성산소나 단백분해효소가 혈관벽에 부착된 호중구에서 방출되어 혈관염이나 육아종성 염증을 일으킨다.

D | 현미경적 다발혈관염 (그림 3)

- 중년 남성에게 많고, 임상 증상으로는 소화관 출혈이 약 60%, 천공이 약 20%에서 발병한다.

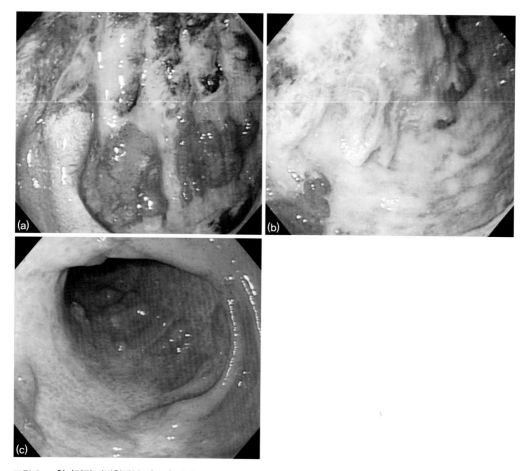

그림 3 · **현미경적 다발혈관염**   (a, b) 십이지장 하행각~수평각에 걸쳐서 보이는 광범위한 궤양. (c) 스테로이드 치료 후, 궤양의 바닥의 상피화를 관찰할 수 있다.

    ∨ 중간형 혈관을 침범하는 혈관염으로 분류되고 전신의 중·소동맥에 괴사성 혈관염을 일으키는 질환이며, 신장, 폐를 높은 빈도로 침범하여 기능 장애를 유발한다.

    ∨ 소화관에도 약 40%의 빈도로 병변을 확인할 수 있다. 주로 장간막동맥염을 동반하므로 장관 허혈로 인한 증상으로 생각된다.

    ∨ 소장, 대장에서는 부정형 궤양을 나타내고, 다발성으로 궤양 사이는 경한 부종상 또는 거의 정상 점막을 보이며 장간막 부착 반대측에 호발한다.

 One point advice

● 내시경검사에 동반하여 대장 천공례의 보고가 있으므로 검사시 주의를 요한다.
● 궤양의 형태는 주로 부정형이며 큰 궤양의 경우 장간막측으로 확대되는 경향이 있어 대부분이 내강을 둘러싸는 가로궤양이 되지만, 대체로 장간막 부착 반대측에 폭이 넓고, 장관 장축방향의 길이가 길지 않아서 거의 3 cm 이하이다.

방사선 대장염 10

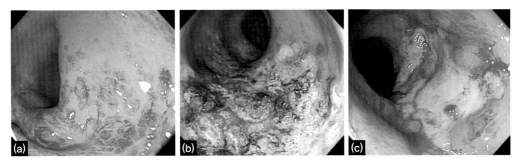

그림 1 · **전형례** (a) 전립선암에 대해 방사선 조사 후에 발생한 방사선 직장염. (b) 아르곤 플라스마 응고소작술(APC) 후. (c) 아르곤 플라스마 응고소작술(APC) 후 궤양내의 박동성 노출혈관

질 | 환 | 개 | 념

- 전립선, 자궁, 직장 등에 대한 방사선조사 후 직장 또는 구불결장에 염증성 병변을 일으킨다고 알려져 있다.

- 가장 높은 빈도는 전립선암에 대한 방사선조사 후에 발생한 장관손상이다. 특히 직장 전벽은 전립선과 인접해 있어 전립선과 거의 동등한 방사선조사를 받으므로, 가장 손상을 받기 쉬운 장관 부위이다[1].

- 만성 방사선 손상의 발병원인으로 폐색성 혈관염 및 만성 점막허혈에 동반하는 점막 위축과 섬유화가 관여하고, 다발성 모세혈관확장증을 일으킨다[2].

- 급성 방사선 대장염은 조사 후 6주 이내에 발병하고, 설사, 무직한 복통 등이 주증상이며 혈변은 드물다. 통상 2~6개월에 자연 치유된다[3].

- 만성 방사선 대장염은 대부분 조사 후 9~14개월 사이에 발병하지만 2년 이상 또는, 최장 30년 경과 후 발병하는 경우도 있으며 주증상은 혈변이다[4, 5].

- 전립선암 조사 후, 만성 방사선 직장염의 발병빈도는 경증이 16%, 중등증 이상은 2%로 보고되어 있다[4].

감별진단의 포인트

▶ 급성 방사선 대장염의 내시경소견은 혈관상 소실, 부종 등이다.
▶ 만성 방사선 대장염의 내시경소견은 모세혈관확장증이 전형적이지만, 중증례에서는 궤양, 누공, 협착 등을 일으키기도 한다. 아래에 만성 방사선 대장염의 증례를 제시하였다.

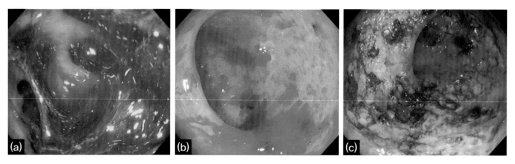

그림 2 • **대량 출혈례**   (a) 자궁경부암에 대해 방사선 조사 후 발생한 방사선 직장염. (b) 모세혈관확장증에서 활동성 출혈이 관찰됨. (c) 아르곤 플라스마 응고소작술후

증 | 례 | 제 | 시

증례① (전형증례)

- 전립선암에 대해 방사선 조사 41개월 후, 혈변으로 대장내시경을 시행하였다. 하부직장의 전벽에 다발성 모세혈관확장증을 확인할 수 있다(그림 1a).

- 지혈을 목적으로 아르곤 플라스마 응고소작술을 시행하였다(그림 1b). 2개월 후, 대량의 혈변으로 다시 대장내시경을 시행하였고 아르곤 플라스마 응고소작술후 궤양내에 노출 혈관에서 박동성 출혈을 확인하여(그림 1c), 내시경적 클립지혈술을 시행하였다.

증례② (대량출혈례)

- 자궁경부암에 대해 방사선 조사 9개월 후, 대량의 혈변으로 응급 대장내시경이 시행되었다. 직장내에는 대량의 응고된 혈괴가 관찰된다(그림 2a).

- 직장전벽을 중심으로 취약성이 있는 다발성 모세혈관확장증을 확인하였다(그림 2b). 아르곤 플라스마 응고소작술을 시행하였다(그림 2c).

증례③ (협착례)

- 자궁경부암에 대해 방사선 조사 25년 후, 대변의 굵기가 감소하여 대장내시경을 시행하였다. 항문연 상방 약 30 cm 구불결장에 고도의 협착이 관찰된다(그림 3).

- 내시경은 협착부를 통과하지 못했고 협착부 생검에서 악성소견은 확인되지 않았다. 협착부는 조사범위 내로 추측되므로 방사선 대장염에 동반된 대장 협착으로 진단하고, 대장루를 시행하였다.

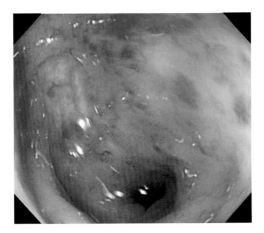

그림 3 · **협착례**   자궁경부암에 대해 방사선 조사 후에 구불결장에 발생한 방사선 대장염

One point advice

- 혈변으로 내원한 환자는 반드시 방사선 조사력을 청취해야 한다. 만성 방사선 대장염은 조사 후, 몇 년 경과 후에 발병하기도 한다.
- 수크랄페이트(sucralfate) 관장, 메트로니다졸(metronidazole) 복용, 포름알데히드 국소요법, 여성호르몬 복용, 고압산소요법 등의 보고되어 있지만 흔히 시행되지는 않는다[2].
- 최근에는 모세혈관확장증에 의한 출혈의 치료로 아르곤 플라스마 응고소작술이 주로 시행된다. 대장염의 이환범위를 점수화하여 중증과 경증을 분류했더니, 중증례에서는 평균 2.9회의 치료로 환자의 약 80%의 출혈이나 빈혈이 조절되었다.
- 아르곤 플라스마 응고소작술 시행 후 발생한 궤양에서 새로운 출혈이 발생하기도 하므로 대량 출혈 시에는 추적 내시경을 반드시 시행한다.
- 아르곤 플라스마 응고소작술은 중증 합병증은 드물지만, 경도의 항문통을 호소하는 경우가 종종 있고 장관 내의 가연성 가스 저류에 의한 폭발로 장관 천공이 발생한 보고가 있으므로 시행 도중 반드시 가스를 자주 흡인해야 한다[2].
- 협착, 누공이 생긴 중증례에는 외과적 치료를 고려한다.

문헌

1) Czito BG : Incidence and Prevention of Radiation Proctitis, Up To Date, Massachusetts, 2009
2) Nostrant TT : Diagnosis and Treatment of Chronic Radiation Proctitis, Up To Date, Massachusetts, 2009
3) Babb RR : Radiation proctitis ; a review. Am J Gastroenterol **91** : 1309-1311, 1996
4) Schultheiss TE et al : Late GI and GU complications in the treatment of prostate cancer. Int J Radiat Oncol Biol Phys **37** : 3-11, 1997
5) Gilinsky NH et al : The natural history of radiation-induced proctosigmoiditis ; an analysis of **88** patients. Q J Med **52** : 40-53, 1983
6) Karamanolis G et al : Argon plasma coagulation has a long-lasting therapeutic effect in patients with chronic radiation proctitis. Endoscopy **41** : 529-531, 2009

11 장간막 지방층염
(mesenteric panniculitis)

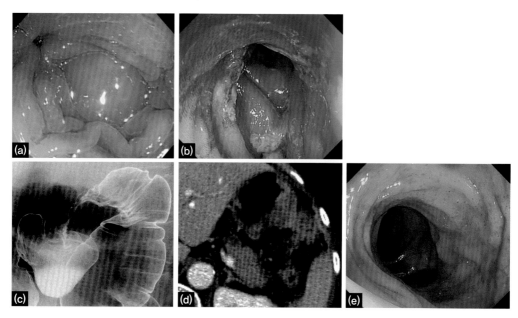

그림 1 • **고도의 협착을 동반한 장간막 지방층염**　(a, b) 장간막 지방층염에 의한 협착은 투명한 부종을 동반한 융기성 병변을 보인다. (c) 좌측 횡행결장에서 구역성으로 양측성 관강의 신전 불량을 확인할 수 있다. (d) 장관벽 비후와 주위 장간막 지방층의 조영 증강을 확인할 수 있다. (e) 같은 협착부는 스테로이드 치료 후, 관강의 개통을 확인할 수 있다.

질|환|개|념

- 장간막 지방층염(mensenteric panniculitis)(그림 1, 2)은 비교적 드물게 장간막 지방층에 생기는 원인불명의 비특이성 염증질환이다.

- 40세 이후의 중년 남성에 많다(남:여 = 3:1).

- 발생부위는 구미에서는 소장에 많은 데 반해서 일본에서는 대장에 많으며, 특히 구불결장에 많다.

- 급성기에는 복통, 발열, 변비, 배변이상, 구역, 구토, 때로 혈변 등의 증상을 일으키며, 만성기에는 복부 종괴, 장폐색 등을 일으킨다. 때로 무증상으로 복부 종괴가 촉지되어 발견된 증례 보고도 있다.

- 대부분의 증례는 경증으로 6개월 이내에 자연 치유되지만, 장기간에 걸쳐서 종괴가 남아있거나 복통을 호소하는 증례도 있으므로, 신중하게 경과를 관찰해야 한다.

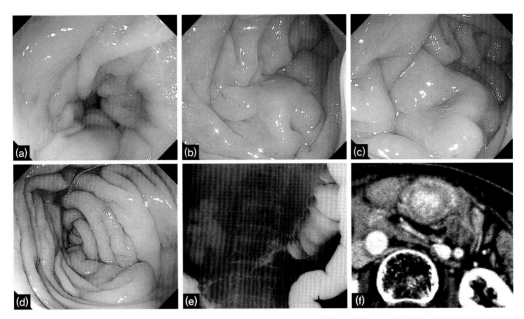

그림 2 • **횡행결장의 장간막 지방층염** (a~d) 횡행결장에 관강이 좁아져 있고, 점막 부종과 대장 주름의 부종을 관찰할 수 있다. (e) 이중조영바륨관장술 소견에서는 궤양을 동반하지 않는 협착을 확인할 수 있다. (f) 같은 부위의 전산화단층촬영 소견에서는 장관 주위와 장간막 지방층의 조영 증강을 확인할 수 있다.

감별진단의 포인트

▶ 미만침윤형 대장암, 장간막 종양, 후복막 종양, 궤양성 대장염, 크론병, 방사선 대장염, 허혈 대장염 등과 감별을 해야한다. 이 질환들을 충분히 염두에 두고 여러 검사를 진행해야 한다.

▶ 대장내시경 소견은 관강이 좁아져 있고 부종을 동반하며, 송기를 해도 장관의 신전성이 불량하다. 점막은 구상 융기를 나타내는 점막 부종이 장간막 부착측에서 관찰되며, 융기 표면에는 발적 · 미란 이 있지만 심한 염증이나 궤양은 관찰되지 않는다.

▶ 이중조영바륨관장술에서 병변부는 전주성 협착을 나타내고, 대장 팽대 주름의 소실과, 편측성 진전 불량이나 불규칙한 톱니모양의 음영을 동반하는 구역성 협착을 확인할 수 있다. 또 장관내에는 가 는 주름이 보이며 부종상 종대를 나타낸다.

▶ 전산화단층촬영검사에서 조영 증강 정도는 병기에 따라서 다르며, 초기에는 지방의 HU (Hounsfield Unit)에 가깝지만, 병기가 진행되어 섬유화가 되면, HU가 상승하게 된다. 즉 염증이 주병변인 시기 에는 장간막 지방층의 농도상승으로 관찰되며, 진행과 더불어 섬유화가 주병변이 되면 연부 종괴가 관찰되며 CT에서 "fat ring sign"이나 "tumor pseudocapsule" 등의 특징적 소견이 나타난다.

One point advice

- 발병 초기 단계에서는 장간막 지방이영양증(mesenteric lipodystrophy), 제2단계에서 염증(장간막 지방층염, mesenteric panniculitis), 최종단계에서 섬유화(퇴축성 장간막염, retractile mesenteritis: sclerosing panniculitis)와 병기의 진행과 더불어 섬유증식 변화가 진행된다.
- 조직학적으로는 지방괴사, 림프구, 형질세포, 대식세포의 침윤, 섬유화가 보인다. 급성기에서 섬유화는 관찰되지 않고, 주로 대식세포와 림프구 침윤이 나타난다.
- 섬유화 되기 이전이면 가역적인 염증성 질환으로 예후가 양호하므로, 확립된 치료법은 없지만 경험적으로 항균제, 스테로이드나 면역조절제 등에 의한 보존적 치료를 우선시행한다.
- 장관괴사나 폐색 등이 없으면 장절제나 종괴절제술 등의 외과적 치료는 필요 없다. 진단적 개복술로 본 질환이라고 진단을 내린 경우는 필요에 따라서 최소한의 대장절제술 · 복강내 배액술을 시행하는 경우가 많고, 폐색을 일으킨 증례에는 장루술이나 우회 수술을 시행한다.

유전분증(아밀로이드증) 12

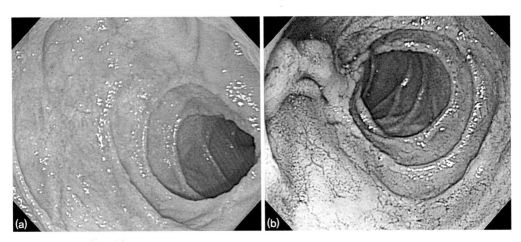

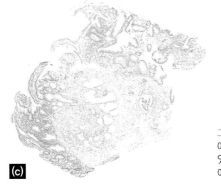

그림 1 · **AA 유전분증 (십이지장)** (a, b) 68세 여성. 류마티스 관절염에 속발한 AA 유전분증(아밀로이드증). 다발성으로 미세과립상 융기가 있는 거친 점막을 보여준다. (c) 병리소견. 점막하층의 간질 및 점막근판에 congo-red 양성 아밀로이드가 침착해 있다.

질|환|개|념

- 유전분증은 베타시트구조를 가진 섬유단백이 아밀로이드 단백으로 세포외에 침착하여, 신체 여러 장기의 기능장애를 일으키는 난치성 질환이다.

- 침착하는 기관에 따라서 전신성과 국한성으로 나뉘며, 또 침착하는 섬유단백의 종류에 따라 임상형으로 세분화된다.

- 아밀로이드 단백은 현재까지 26종류가 보고되어 있지만[1], 내시경검사에서 접할 기회가 많은 것은 AA 아밀로이드와 AL 아밀로이드이다.

- 소화관에 대한 친화성이 높으며 십이지장, 소장에 호발한다[2].

- 아밀로이드 단백의 종류에 따라서 침착부위가 다르므로 단백의 종류에 따라 내시경소견이 다르다.

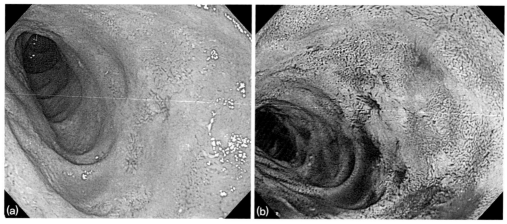

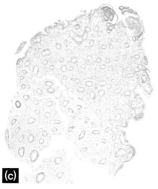

그림 2 • **AL 유전분증(십이지장)** (a, b) 70세 남성. 섬모구조는 남아 있지만, 다발성의 높이가 낮은 점막하융기가 관찰된다. (c) 병리소견. 점막고유층 내에 congo-red 양성 아밀로이드가 미만성으로 침착해 있다.

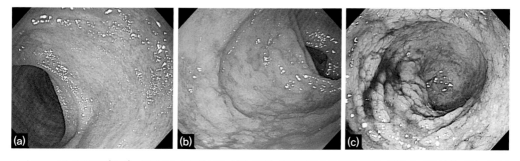

그림 3 • **AA 유전분증(대장)** 그림 1의 대장내시경 소견. 직장~상행결장에 부정형 미란·궤양과 다발성의 거친 과립상 융기가 관찰된다.

A | AA 유전분증

- ✓ AA 유전분증은 장기간 만성 염증성 질환에 이차적으로 발생한 전신성 속발성 유전분증이다. AA 아밀로이드는 염증시에 매우 예민하게 반응하는 급성기 단백인 혈청 아밀로이드 A(serum amyloid (a) SAA)를 전구단백으로 한다.

- ✓ 류마티스 관절염에 이어 이차성으로 발병하는 경우가 제일 흔하며, 결핵 등의 만성감염증, 크론병 등의 염증성 장질환에 이차성으로 발병하는 증례도 있다.

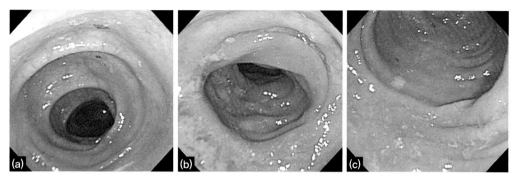

그림 4 · **AA 유전분증(대장)**　68세 남성. 주름의 비후와 주름간의 폭이 좁아져 있다.

> ### 감별진단의 포인트

> ▶ 내시경에서는 다발성의 황백색의 미세과립상 융기와 거친 점막을 나타내는 것이 가장 특징적인 소견이다(그림 1a, b, 그림 3).
> ▶ 미세과립상 융기는 소장융모의 종대나 위축을 반영하고 있으며[3], AA 아밀로이드의 침착 친화성이 점막고유층과 점막하층의 혈관벽이므로, 기존의 융모구조와 다른 결과를 일으키게 된다(그림 1c).

B | AL 유전분증

　✓ AL 유전분증은 확실한 다른 기저 질환이 없는 원발성 유전분증과 다발성 골수종이나 마크로글로불린혈증에 합병되는 것으로 나눌 수 있다.

　✓ AL 유전분증은 이상형질세포에서 생산되는 단클론면역글로불린(M단백) light chain 의 가변영역에서 유래한다.

> ### 감별진단의 포인트

> ▶ 내시경에서 경도인 다발성의 황백색의 점막하 종괴성 융기와 Kerckring 주름의 비후가 특징적이다. 다발성의 결절상 융기를 나타내기도 한다(그림 2a, b, 그림 4).
> ▶ AL 유전분증에서는 점막근판과 점막하층, 고유근층에 덩어리로 침착경향이 강하게 나타나기 때문이다(그림 2c).

문헌

1) 樋口京一ほか：アミロイドーシスのモデル動物. 医のあゆみ **229**：423-428，2009
2) 岩下明徳ほか：消化管アミロイドーシスの生検診断. 胃と腸 **22**：1287-1299，1987
3) 松本主之ほか：小腸の非腫瘍性疾患におけるX線検査の有用性. 胃と腸 **38**：1005-1016，2003

13 교원질성 대장염

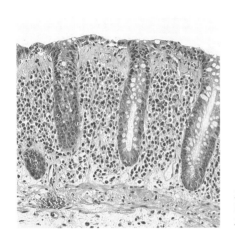

그림 1 · **교원질성 대장염의 생검 소견**　대장 상피하 점막고유층에 비후한 호산성 교원섬유대가 관찰되며 만성 염증세포 침윤을 동반하고 있다(HE염색).

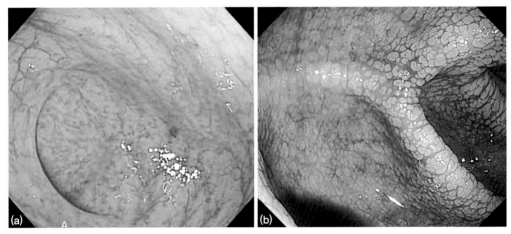

그림 2 · **경미한 내시경소견**　(a) 충수개구부와 맹장에 모세혈관이 증식되어 보인다. (b) 간만곡부의 색소도포로 명료해지는 과립상변화

질|환|개|념

- 교원질성 대장염은 불응성 설사와 대장 상피하에 교원섬유대의 비후(그림 1)를 특징으로 하는 질환이다.

- 구미에서는 중년 이후의 여성에게 호발하지만, 일본에서는 드문 질환이다.

- 약제(aspirin, 비스테로이드 소염제, 프로톤 펌프억제제, ticlopidine 등), 자가면역 질환, 감염 대장염, 성호르몬, 유전 요인 등과 관련이 있다.

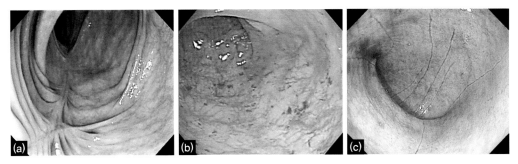

그림 3 · **비교적 드문 내시경소견**　(a) 하행결장에 가늘고 긴 세로궤양 반흔이 있음. (b) 하행결장에 취약성을 보이는 점막. (c) 구불결장에 여러 개의 선상의 점막 열상이 관찰된다(이른바 "cat scratches").

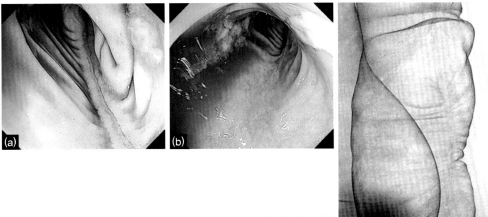

그림 4 · **좌측결장에 세로궤양이 보이고, lansoprazole의 연관성이 의심스러운 증례**　(a, b) 하행결장(a)과 구불결장(b)에 여러 개의 세로궤양이 관찰되며 궤양과의 경계가 명확하며 주변 점막은 부종이 거의 없는 정상이다. (c) 이중조영바륨관장술 소견. 하행결장에 점막 주름의 집중을 동반하는 가늘고 긴 바륨 충만 소견이 관찰된다.

✓　통상, 정상 또는 발적, 부종, 혈관상의 소실, 모세혈관의 증식 및 생성 (그림 2a)이나 과립상 점막(그림 2b) 등의 경미한 내시경소견을 보인다[1, 2].

✓　일부 증례에서는 가늘고 긴 세로궤양(그림 3a), 취약성 점막(그림 3b), 또는 "cat scratches"로 표현되는 다발성 선상 점막열상(그림 3c)을 보이기도 한다[3].

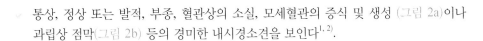

🔍 **감별진단의 포인트**

▶　내시경소견은 정상 또는 비특이적 소견에 머무는 경우가 많아서, 진단에는 생검소견이 필수이다.

▶　때로 좌측결장을 중심으로 세로궤양이 보이기도 한다(그림 4)[4]. 본증의 세로궤양은 가늘고 길며, 개방성인 것에서도 경계가 명료하고 궤양의 가장자리점막의 부종이나 발적이 관찰되지 않는다는 점에서 허혈 대장염이나 크론병의 세로궤양과는 다르다[2].

One point advice

- 근년 일본에서도 교원질성 대장염의 보고가 증가하고 있으며, 만성 설사를 주소로 하는 환자에서는 염증성 장질환이나 과민성 장증후군에 추가하여 교원질성 대장염도 염두에 두고 대장내시경검사를 시행해야 한다.
- 거의 정상 또는 경미한 내시경소견이라도 본증을 의심하여 생검을 시행하는 것이 중요하다.
- 직장의 생검에서는 교원섬유대의 비후가 보이지 않는 수가 있으므로[3], 심부 대장의 여러 구역에서 생검을 하는 것이 바람직하다.

문헌

1) Sato S et al : Chromoendoscopic appearance of collagenous colitis ; a case report using indigo-carmine. Endoscopy **30** : S80-S81, 1998
2) Umeno J et al : Linear mucosal defect may be characteristic of lansoprazole-associated collagenous colitis. Gastrointest Endosc **67** : 1185-1191, 2008
3) 梅野淳嗣ほか：薬剤起因性 collagenous colitis—Lansoprazole に関連した内視鏡的特徴を中心に. 胃と腸 （in press）
4) 古賀秀樹ほか：特徴的な縦走潰瘍を伴った collagenous colitis. レジデント **1** : 36-45, 2008

아프타 대장염 14

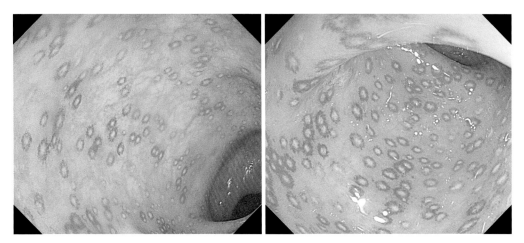

그림 1 · **아프타 대장염의 전형적인 내시경소견** 옅은 백태 주변에 심한 발적을 동반하는 다수의 「아프타 병변」이 산재성으로 확인된다. 한편, 궤양 사이의 점막은 거의 정상으로 유지되고 있다.

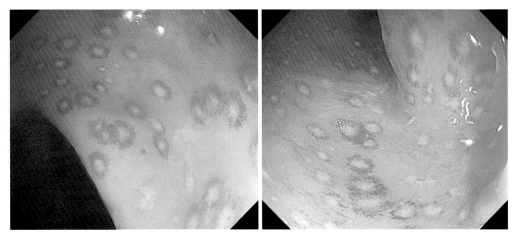

그림 2 · **그림 1의 근접상** 백태 주위 점막에 링모양의 발적이 둘러싸고 있다. 발적이 있는 점막 표면에 선구(pit)가 관찰된다.

질 | 환 | 개 | 념

✓ 아프타 대장염은 혈변과 설사를 주소로 하며, 유년이나 청년에게서 흔히 볼 수 있는 염증 질환이다. 원인은 항균제나 병원미생물 등에 의한 알레르기 반응이다.

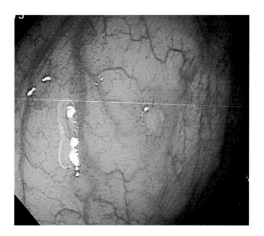
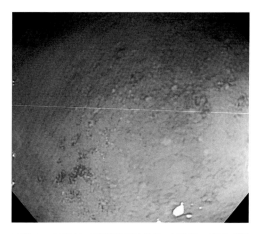

그림 3 · **크론병환자의「아프타 병변」** 백태 주변은 다소 융기되고, 발적은 확인되지 않는다. 병변사이의 점막은 정상이며, 모세혈관이 관찰된다.

그림 4 · **궤양성 대장염환자의「아프타 병변」** 작은 흰색 반점과 발적이 혼재하여 관찰된다. 병변사이의 점막은 다소 부종상으로, 모세혈관이 소실되어 있다.

✓ 내시경소견은 직장부터 구불결장에 걸쳐서, 주위에 심한 발적을 동반하는 작은 미란이 다발성으로 관찰된다(그림 1, 2).

✓ 조직학적으로는 림프여포의 과형성과 주위 점막의 염증 변화를 확인할 수 있다. 경과가 양호하고 통상 1개월 이내에 자연 치유되지만, 궤양성 대장염으로 진전되었다는 보고도 있다.

감별진단의 포인트

▶ 특징적인 내시경소견은 작은 미란 주변에서 보이는 링모양의 심한 발적소견으로, 직장부터 구불결장에 걸쳐서 다발성 또는 산재성으로 확인된다.
▶ 병변사이의 점막은 거의 정상이다.

One point advice
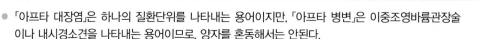

● 「아프타 대장염」은 하나의 질환단위를 나타내는 용어이지만, 「아프타 병변」은 이중조영바륨관장술이나 내시경소견을 나타내는 용어이므로, 양자를 혼동해서는 안된다.
● 「아프타 병변」은 여러 가지 염증성 질환에서 관찰되는 소견이지만, 질환에 따라서 형태나 주위 점막이 다르다(그림 3~6).
● 병변범위는 직장부터 구불결장에 걸쳐서 확인되는 경우가 많지만, 직장에 국한되는 경우도 있다.
● 아프타 대장염에 대한 특정한 치료법은 없으며, 약제 등에 의한 원인으로 판명된 경우에는 약제를 중지한다.
● 통상 1개월 이내에 자연 치유되고 재발이 반복되지 않는다는 점을 환자에게 잘 설명한다. 그러나 전대장을 침범하는 궤양성 대장염으로 진전되었다는 보고도 있어서, 증상이 지속되는 경우에는 내원하도록 교육한다.

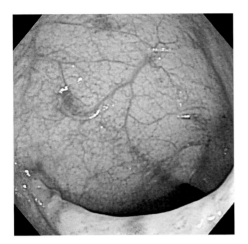

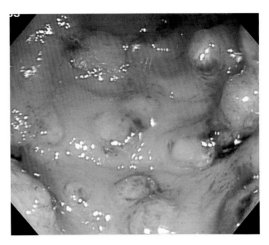

그림 5 · **약제유발 대장염(NSAIDs) 환자의 「아프타 병변」** 작은 발적이 산재성으로 확인되지만, 중심에 백태는 보이지 않는다. 주 병변은 다른 부위에 존재하고, 주 병변에서 다소 떨어진 가벼운 염증소견이 있는 부위에서 아프타 병변을 확인하였다.

그림 6 · **위막성 대장염환자의 「아프타 병변」과 유사한 내시경소견** 표면에 백태가 있고, 전체적으로 다소 융기된 병변이 다발성으로 확인된다. 융기의 표면에는 출혈이 보이며, 병변 사이의 점막은 부종이 관찰된다.

문헌

1) 川合耕治ほか：アフタ様大腸炎の臨床的，内視鏡的検討．ENDOSC FORUM digest dis **4**：266-271, 1988

2) 大矢秀明ほか：アフタ様大腸炎 12 例の臨床的検討．腸疾患の臨 **5**：61-66, 1993

3) 武田昌治ほか：アフタ様大腸炎から典型像への進展を観察しえた全大腸炎型潰瘍性大腸炎の 1 例．胃と腸 **33**：1279-1285, 1998

4) 佐藤和典ほか：リンパ球刺激試験陽性を示したアフタ性大腸炎の 1 例．日消誌 **85**：2279, 1988

15 림프소포직장염

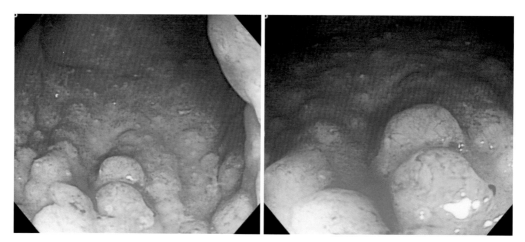

그림 1 • **직장 림프소포직장염** 항문관과의 경계에 반구상 융기가 다수 보이며, 융기 표면의 혈관상이 관찰된다.

질 | 환 | 개 | 념

- 일반적으로 사용되는 림프소포증식증은 단일개념이 아니라 ① 회장 말단의 림프여포 증식(lymphoid nodular hyperplasi(a) LNH)과 ② 직장의 림프소포증식증으로 크게 이분된다.

- 현재 궤양성 대장염 진단기준의 제외진단인 림프소포직장염은 후자를 가리키는 것이 일반적이다.

A | 말단회장의 림프여포증식증

- 유아나 소아기에 주로 말단회장에 림프여포가 증식되어, 복통이나 설사, 혈변을 나타 내는 병태를 LNH라고 하며, 초기 크론병과 감별진단이 필요하다.

- 드물게 성인에서의 보고도 있다.

- 림프여포증식증은 통상 양호한 경과를 밟으며, 나이가 들어감에 따라 대부분 자연 완 화된다.

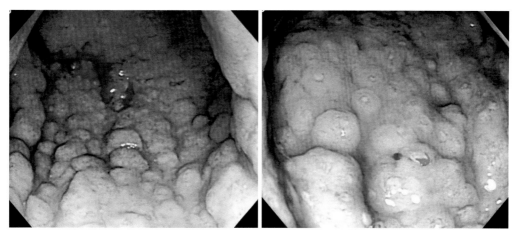

그림 2 • **그림 1의 indigocarmine 도포상** 색소도포로 융기가 더욱 명확해진다. 많은 융기 정점에 작은미란이 확인된다.

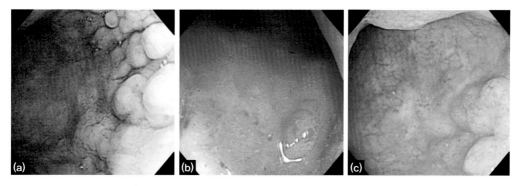

그림 3 • **그림 1 증례의 치료(betamethasone 좌약 사용)와 경과** (a) 2개월 후. 융기가 다소 평탄화되고, 미란은 확인되지 않는다. (b) 9개월 후. 항문관에 가까운 융기만 남고, 치료가 종료되었다. (c) 2년 5개월 후. 대부분의 융기가 소실되고, 일부가 백색 반흔화되어 있지만 항문관 근처의 융기는 남아 있다.

B | 직장 림프소포직장염

- 직장에 국한된 림프여포의 과형성에 의한 반구상의 소융기가 특징적이다(그림 1, 2).

- 직장과립상 점막이라고도 하는데, 아프타 분류에서 융기의 정점에 흰색반점을 동반하는 대형 융기성 병변과는 구별이 명확하지 않다.

- 감별진단으로는 클라미디아 직장염, 크론병, 궤양성 대장염의 초기병변, 직장 MALT 림프종 등을 들 수 있다. 육안적인 감별이 어려운 경우도 많다.

- 궤양성 대장염의 직장초기 병변이 모두 림프소포직장염을 나타낸다고는 생각하기 어려우며, 향후 더 많은 연구가 필요하다.

One point advice

- 1988년, Fléjou 등은 만성 지속성으로 직장에 림프여포 과형성을 특징으로 하는 원인불명의 병태를 림프소포직장염(Lymphoid follicular proctitis, LFP)이라고 제창하였다[1].

〈림프소포직장염의 정의〉
- 혈변이나 점액변을 주증상으로 한다.
- 내시경검사 소견은 충혈된 궤양을 동반하지 않는 과립상 점막을 나타낸다.
- 융기성 병변은 급성염증이 없는 림프여포의 과형성이 합쳐진 것으로 생각된다.
- 국소 스테로이드 치료에 반응이 양호하지 않다.
- 약 반수의 증례가 궤양성 대장염으로 이행된다.
- 좁은 의미의 림프소포직장염은 LFP가 적용되지만 궤양성 대장염의 초기병변과 감별이 어려운 점, 또 궤양성 대장염의 직장초기병변 전부가 림프여포증식을 동반한다고는 생각하기 어려우므로, 앞으로 더 많은 연구가 필요하다.
- 제시 증례는 스테로이드 좌약의 불규칙적인 투여만으로도 전형적인 궤양성 대장염으로 진전되지 않고 서서히 호전되었다(그림 3). 치료 종료 후에도 재발이 확인되지 않아 LFP라고 진단했지만 장기적인 경과 관찰이 필요하다[2].

문헌

1) Fléjou JF et al : Lymphoid follicular proctitis-a condition different from ulcerative colitis ? Dig Dis Sci **33** : 314-320, 1988
2) 村野実之ほか：潰瘍性大腸炎の初期病変. 胃と腸 **44** : 1492-1504, 2009

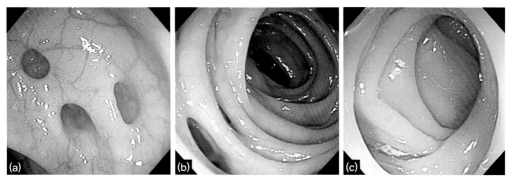

그림 1 · **대장게실** 대장게실은 시야 정면에서 보는 경우에는 관찰이 용이하지만(a), 측면으로 접근하면 일부의 게실밖에 관찰할 수 없으며(b), 또 여러 개의 게실을 동반하여 단축되고 주름이 깊어지면, 관찰이 어려워진다.

질 | 환 | 개 | 념

- 대장게실은 대장벽의 점막과 점막하층이 대장벽의 바깥으로 이탈되어 낭상으로 돌출된 상태를 가리키며, 대부분이 근층이 결여된 가성게실이다.
- 장관내압의 상승으로, 혈관이 근층을 관통하는 부위로 점막이 함입된다.
- 빈도는 연령의 증가와 더불어 증가하고, 60대에서 20% 이상 볼 수 있다.
- 개수에 따라서 단발형, 산발형, 군발형으로 분류된다.
- 발생부위별로 우측형, 좌측형, 양측형으로 크게 나뉜다. 직장에는 매우 드물다.
- 구미에서는 80~90%가 구불결장에 나타나지만, 동양에서는 70%가 우측결장이다. 최근 한국에서도 좌측형이 증가하고 있으며, 식물섬유의 섭취량 감소와의 관련성이 있음을 시사한다.
- 대부분은 무증상으로 대장 검사시에 우연히 발견된다.
- 게실은 대장조영술에서는 통상 원형 내지 누적상의 음영으로, 내시경에서는 유원형의 함요로 관찰된다(그림 1a, b).
- 게실은 내시경검사보다 이중조영바륨관장술검사가 훨씬 발견이 우수하며, 특히 장관이 장축방향으로 단축된 여러 개의 게실이 있는 경우 내시경으로 인식이 어렵다(그림 1c).
- 게실이 항상 존재한다고는 할 수 없고, 내압이 상승하면 점막이 함입되고 저하되면 편평화되는 가역적인 시기의 병변이 있으며, 혈관확장 부위와 일치하는 경우가 많다(그림 2).

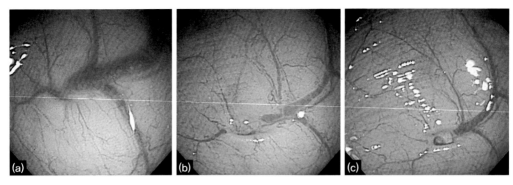

그림 2 • **가역적 시기의 대장게실** 초기 게실은 내압에 의해서 나타나거나 사라진다. 굵은 정맥이 단절되는 부위를 주목하면, 장관의 팽창이 충분하지 않다면 평탄하지만(a), 송기로 장관을 충분히 팽창시키면 점차 함요가 확실해진다(b, c).

> ✓ 대장게실증의 대표적인 합병증은 출혈, 게실염, 천공, 누공이지만, 그 밖에도 뒤집힌 게실, 점막탈출 증후군 모양의 병변은 폴립 같은 융기성 병변으로 오인되기도 한다. 이 중에서 때로 염증성 장질환과 감별해야 하는 것은 대장게실염과 게실성 대장염이다.

A │ 대장게실염

> ✓ 게실염의 합병빈도는 구미에서 약 15%로 보고되어 있지만, 동양에서는 이보다 현저히 낮은 비율로 추정된다.
> ✓ 미세천공이 생기면, 장관주위 지방층의 염증을 일으킨다.
> ✓ 단독 게실에 나타나는 경우도 있지만, 벽내에 염증이 파급되어 주변의 게실을 둘러싸기 때문에 복수 게실에 염증이 보이는 경우도 많다.
> ✓ 복통을 동반하며 국한된 압통이 나타나는 경우가 많지만, 무증상인 경우도 있다.

💿 감별진단의 포인트

▶ 내시경소견으로 전형적인 병변에서는 게실에 일치하는 부위에 농의 부착, 주변 점막의 발적, 부종, 벽의 신전불량이 나타난다(그림 3).
▶ 장관의 신전불량, 부종(그림 4a), 농의 배출(그림 4b) 밖에 관찰할 수 없는 경우도 있으며, 특히 여러 개의 게실이 모여있는 경우 발생한 게실염은 관찰이 어렵다.
▶ 염증이 장벽의 표재층에 국한된 경우에는 부정형 궤양을 형성한다(그림 4c).
▶ 봉와직염을 일으키면, 전층성 벽비후와 함께 궤양성 대장염과 유사한 점막의 미만성 염증소견을 나타내기도 한다.
▶ 감별질환으로는 염증성 장질환 이외에 좌측게실염에는 허혈 대장염, 우측게실염에는 충수염, 장출혈 대장균 O157 기인성 대장염 등이 있다.
▶ 게실염이 반복되어 협착이나 누공이 형성되면, 크론병과 감별해야 한다(그림 5, 6).
▶ 게실염 치료 후의 협착부에는 점막면의 요철을 동반하여 조약돌 점막상과 유사한 소견이 보이기도 한다(그림 7).

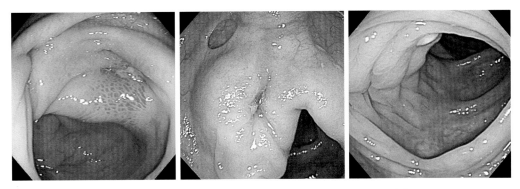

그림 3 · **전형적인 대장게실염** 게실 개구부에 농이 부착되고, 주위 점막의 발적, 부종이 보인다.

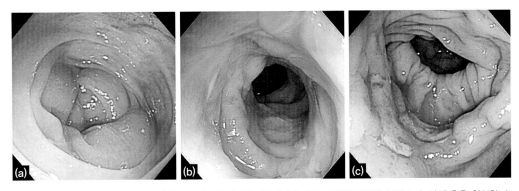

그림 4 · **비전형적인 대장게실염** (a) 고도의 부종만 있는 증례. (b) 게실 자체의 관찰이 어렵고, 농의 유출을 확인할 수 있는 증례. (c) 부정형 궤양을 형성한 증례

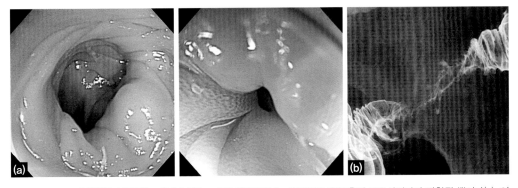

그림 5 · **고도의 협착을 동반하는 대장게실염** 대장내시경에서는 협착부의 항문측의 부종상점막이 관찰될 뿐이다(a). 이중조영바륨관장술에서 다발성 게실이 관찰되고 있다(b).

B | 게실성 대장염(diverticular colitis)

게실을 동반한 대장에 나타나는 다양한 점막의 만성염증을 가리킨다. 게실염 자체에 동반하는 변화도 포함되지만, 게실염을 동반하지 않는 경우나 게실이 없는 영역에 발생하기도 한다.

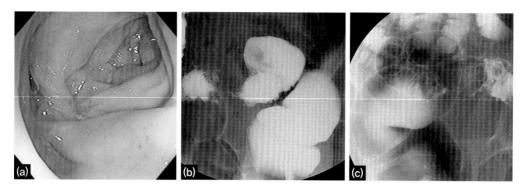

그림 6 · **방광과 누공을 형성한 대장게실염** 대장내시경에서는 협착부 항문측의 부종상 점막이 관찰될 뿐이다(a). 가스트로그라핀®을 이용한 대장조영술검사에서 구불결장에 심한 협착과 다발성 게실이 관찰된다(b, c).

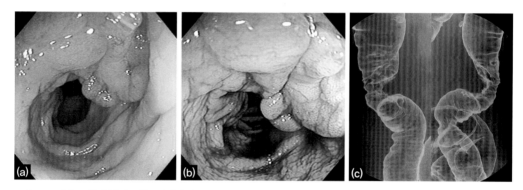

그림 7 · **매우 드물게 볼 수 있는 대장게실염** 하행결장에 비대칭적으로 관강이 좁아져 있고, 결절상으로 인해 점막면이 불균일하다.

- 빈도는 절제 게실장관의 1.3%라고 보고되지만, 게실증 자체의 빈도를 고려하면 무시할 수 없다.
- 증상은 출혈, 잠혈, 배변통과장애, 점액의 배출 등이다.

🖉 ⊙ 감별진단의 포인트

▶ 내시경소견에서 부종, 충혈, 미세과립상, 발적, 출혈, 취약성, 점상미란, 아프타 궤양 등이 게실 개구부에서 떨어진 부위에 나타난다(그림 8).

▶ 경증 궤양성 대장염이나 크론병과 감별해야 한다.

▶ 생검에서는 경도의 비특이적 만성 염증세포 침윤이나 충혈이 나타나는 경우가 많지만, 때로 궤양성 대장염과 같은 조직소견이나 육아종이 나타나기도 한다.

▶ 궤양성 대장염과의 혼동을 피하기 위해서 직장점막이 내시경검사, 조직검사에서 정상인 점을 확인하는 것이 중요하다.

▶ 소수이지만 전형적인 궤양성 대장염으로 이행되는 증례가 보여서, 두 질병간 병인의 관련성이 제시되기도 한다.

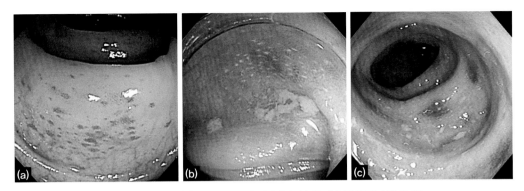

그림 8 · **게실성 대장염**   (a) 발적반점. (b) 게실염 주위의 점상미란. (c) 발적(출혈) 반점과 점상미란

One point advice

- 게실염에서는 염증을 일으키는 게실을 직접적으로 관찰할 수 있는 경우와 발적, 부종, 대장 신전불량, 농의 부착 · 농의 배출 등의 간접적 소견 밖에 보이지 않는 경우가 있다.
- 대부분의 경우 게실은 다발성으로 존재하므로, 병변 근처에서 게실이 보이는 것이 진단을 추정하는 데에 중요한 단서가 된다.
- 게실을 진단하기 위해서는 내시경검사보다 이중 대장 바륨조영술검사가 더 우월하므로 내시경검사가 아니라 대장조영술을 적당히 추가하는 것이 중요하다.
- 복통이나 복막자극증상이 있는 경우에는 복부 초음파, CT 등의 보다 비침습적인 검사를 우선 시행한다. 인접 장기와의 누공을 찾기 위해서는 MRI가 더 유용하다.
- 게실성 대장염는 단일 병태가 아니라, 염증성 장질환을 제외하기 위한 질환 개념이라고 생각해야 한다.
- 내시경검사는 절대 금기는 아니지만 가능한 급성기에는 피하며, 천공이 의심스러운 경우에는 원칙적으로 금기이다. 부득이 시행해야 하는 경우에는 송기를 최소한으로 하고 신중하게 삽입 · 관찰해야 한다.

17 장벽낭상기증
(pneumatosis cystoides intestinalis)

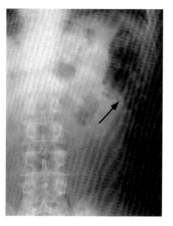

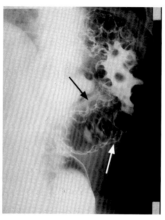

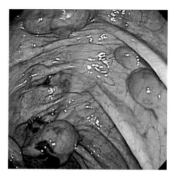

그림 1 · **복부 단순촬영** 화살표 부위에「포도송이모양」또는「벌집모양」의 음영을 확인할 수 있다.

그림 2 · **이중조영바륨관장술** 하행결장부터 비만곡부에 걸쳐서 서로 크기가 다른 다발성 융기성 병변을 관찰할 수 있고, 융기성 병변의 표면은 모두 매끈하다. 측면상에서 낭포내의 가스가 관찰되고 있다(화살표).

그림 3 · **대장내시경 소견** 표면이 정상점막으로 덮힌 반구모양의 융기성 병변, 즉 다발성 상피하종양이 있는 것처럼 보인다. 병변의 일부는 합쳐지는 경향이 있다.

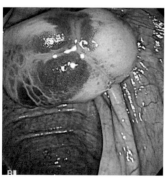

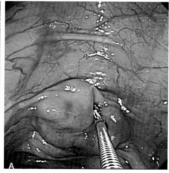

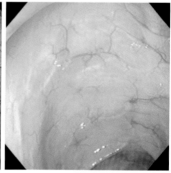

그림 4 · **대장내시경 소견** 일부 융기성 병변의 표면에는 미란이나 발적을 관찰할 수 있다.

그림 5 · **융기성 병변을 생검 겸자로 압박하고 있는 대장내시경 소견** 이른바 "cushion sign"이 양성이며, 생검 겸자로 압박시 병변이 쉽게 변형된다는 점에서, 부드러운 병변이라는 것을 알 수 있다.

그림 6 · **같은 증례의 치유 후의 대장내시경 소견** 점막에 반흔이 산재성으로 관찰된다.

표 1 **장벽낭상기증의 분류**

A. 원인에 따른 분류
  1. 특발성 장벽낭상기증
  2. 이차성 장벽낭상기증
    1) 소화관협착에 동반하는 것
    2) 교원병에 동반하는 것
    3) 만성 폐색성 폐질환에 동반하는 것
    4) 화학요법에 동반하는 것 : 면역억제제, 스테로이드 등
  3. 트리클로로에틸렌 관련성 장벽낭상기증
B. 발생부위에 따른 분류
  1. 소장형 장벽낭상기증
  2. 대장형 장벽낭상기증

(문헌4에서 개편)

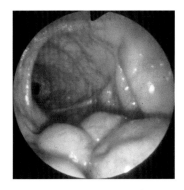

그림 7 · **다발성 림프종폴립증(multiple lymphomatous polyposis)의 소견을 나타내는 소화관 원발 악성림프종의 대장 내시경상** 내시경소견은 장벽낭상기증과 유사하지만, 병변의 표면을 겸자로 눌러도 변형되지 않는다.

질 | 환 | 개 | 념

√ 장벽낭상기증(pueumatosis cystoides intestinalis : PCI)은 장관벽내에 가스가 저류되는 비교적 드문 질환이다. 원인에 관해서는 기계설[1], 세균설[2], 화학설[3] 등이 있으며 표 1과 같이 분류된다[4].

√ 일반적으로 자각증상이 경미하여 우연히 발견되는 경우도 드물지 않지만 증상은 혈변, 복부팽만감, 복통, 배변통과장애 등이 동반되는 경우도 있다.

√ 단순 복부촬영사진에서는 장관의 주행과 일치하여 그림 1과 같은 「포도송이모양」 또는 「벌집모양의 음영(장관벽 내의 가스를 담고있는 낭포를 나타낸다)」이 확인된다. 이중대장바륨조영술검사(그림 2)나 내시경검사(그림 3)에서는 다발성 상피하종양 같은 병변이 보이며, 증례에 따라서는 융기된 병변에 발적이나 출혈이 관찰되는 경우도 있다(그림 4).

√ 겸자로 누르면 쉽게 눌러지는 부드러운 병변(그림 5)으로, 바늘로 천자시 공기가 빠지면서 납작해진다.

√ 호발부위는 구불결장, 비만곡부, 간만곡부에서 상행결장이며, 소장에서 확인되기도 한다.

√ 장벽낭상기증은 치유된 후 원형 내지 난원형 반흔을 형성하고, 반흔부에서는 혈관상이 저하된다(그림 6). 일부 내시경의사들은 이 소견을 「전선(錢癬)양 소견」이라고 부른다.

One point advice

- 감별해야 할 질환에는 다발성 림프종폴립증(multiple lymphomatous polyposis)의 형태를 나타내는 소화관악성림프종(그림 7)이 있다. 다발성 점막하종양 병변이라는 점에서는 유사하지만, 겸자로 눌러서 병변의 경도를 보면 감별이 용이하다.
- 장벽낭상기증으로 진단하면, 원인에 관해서 검토해야한다. 유기용제인 트리클로로에틸렌(trichloroethylene : TCE, 정밀기계공장 등에서 먼지나 오염을 제거하기 위해서 사용한다. 이전에는 세탁소나 인쇄공장에서도 사용하였다) 노출이 원인인 경우가 있으므로 직업력에 관한 문진을 반드시 한다[5, 6].
- 산소흡입요법 등의 보존적 치료의 유용성이 확인되고 있다. 산소흡입요법은 발병요인에 상관없이 모든 PCI에 유효하지만, 원인을 제거하지 않으면 재발하는 수가 있다. 이차성인 경우에는 기저질환에 대한 치료가 필요하고, TCE 관련성 PCI에서는 TCE의 노출을 삼가도록 지도한다[6].
- 흉복부 단순X선검사(입위)에서 우횡격막하에 가스(Free gas)를 확인하기도 하며, 소화관천공으로 오인하여 긴급수술이 행해지는 수가 있다. 가스를 확인해도 복막자극소견이 확실하지 않다면 본 질환을 염두에 두어야 한다.
- 유사질환으로 장관벽에 미만성으로 가스가 저류하는 「장관기종증」이 있지만, 장벽낭상기증과 같은 「낭종」을 형성하지는 않는다.

문헌

1) Keying W et al : Pneumatosis cystoides intestinalis ; a new concept. Radilogy 76 : 733-741, 1961
2) Yale CE et al : Pneumatosis cystoides intestinalis. Dis Colon Resctum 19 : 107-111, 1976
3) Yamaguchi K et al : Pneumatosis cystoides intestinalis and trichloroethylene exposure. Am J Gastroenterol 80 : 753-757, 1985
4) 赤松泰次ほか : 腸管気腫性嚢胞症. 臨消内科 9 : 1863-1870, 1994
5) 中島民江ほか : 腸管嚢腫様気腫発生職場の労働衛生学的考察—とくにトリクロロエチレン曝露との関連. 産業医 32 : 454-460, 1990
6) Owa O et al : A case of pneumatosis cystoides intestinalis associated with trichloroethylene developing typical features during the follow-up of undermined sigmoid lesions. Dig Endosc 3 : 560-564, 1991

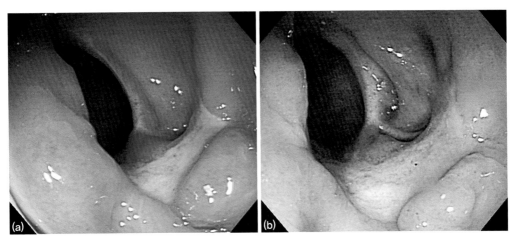

그림 1 · **궤양형 점막탈출 증후군** 직장 하부 전벽에서 변연이 명확한 얕은 부정형 궤양이 관찰된다. 궤양의 바닥은 평탄하며, 주변 점막은 부풀어 올라 있다. 구측에는 선상의 궤양반흔이 관찰된다((a) 통상. (b) 색소).

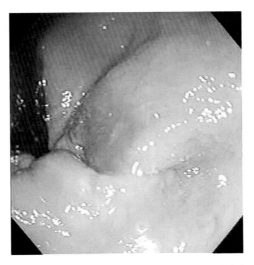

그림 2 · **평탄형(반점상) 점막탈출 증후군** 직장내 반전 관찰에서 치상선 직상방 직장 전벽에 평탄한 발적이 관찰된다.

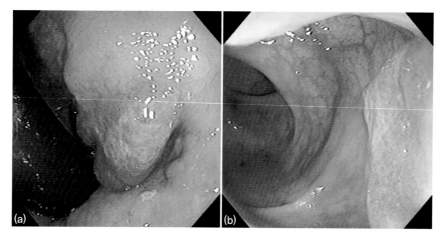

그림 3 · **융기형 점막탈출 증후군**　직장내 반전관찰에서 치상선 직상방에 전벽에 붉은 융기성 병변을 관찰할 수 있다(a). 정방향의 관찰에서는 융기밖에 관찰할 수 없어서, 정확한 진단이 어렵다(b).

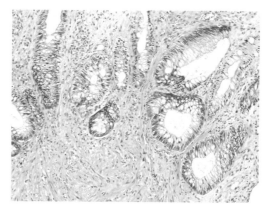

그림 4 · **전형적인 병리조직상**　점막고유층에 섬유근층의 증식이 보인다.

질 | 환 | 개 | 념

- 장시간에 걸쳐 배변시 힘을 줌으로써 직장점막이나 직장벽의 탈출에 의해, 만성적인 허혈성 변화, 기계적 외상을 일으켜서 병변이 발생한다.

- 증상은 혈변, 점액 배출, 항문통, 잔변감 등이다.

- 내시경적 분류는 융기형(그림 3, 7), 궤양형(그림 1), 평탄형(그림 2, 6)으로 나누어진다. 또 혼합형도 보인다(그림 5).

- 호발부위는 직장 전벽이며 융기형과 평탄형은 치상선 직상방의 직장 하부에 많고, 궤양형은 더 근위측에 많다.

- 점막고유층의 섬유근증(fibromuscular obliteration)이 병리조직의 특징이다(그림 4).

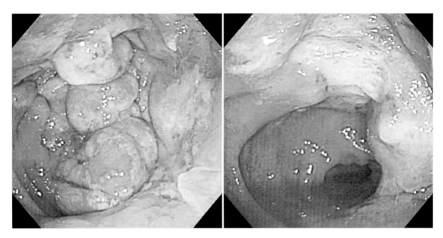

그림 5 · **혼합형 점막탈출 증후군**　직장하부에 전주성으로 백태를 동반하는 다발성 융기성 병변과 궤양도 보여서 혼합형이다.

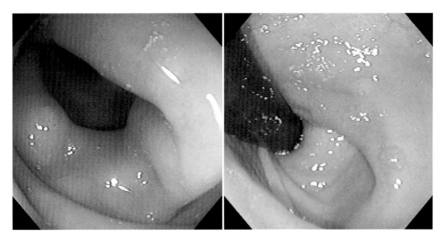

그림 6 · **평탄형(윤상) 점막탈출 증후군**　휴스턴판과 일치하여 윤상의 가로형 병변이 관찰된다.

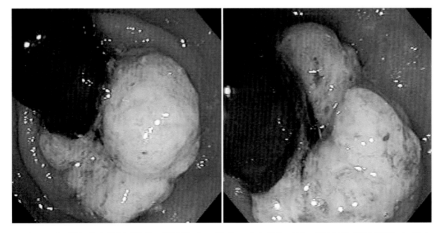

그림 7 · **융기형 점막탈출 증후군**　치상선 바로 위에 크기가 서로 다른 다발성 융기를 관찰할 수 있다. 표면은 불규칙하고 백태의 부착을 확인한다. 암으로 착각하기 쉬운 병변이므로 주의해야 한다.

감별진단의 포인트

▶ 궤양형 병변은 궤양의 가장자리점막이 확실하고 얕으며, 궤양의 바닥은 평탄하지 않다. 궤양 주위 점막이 융기되어 있는 경우가 많다. 대부분은 한 개이지만 여러 개의 궤양도 1/4에서 볼 수 있다. 거 대세포바이러스 대장염, 급성 출혈성 직장궤양 등과 감별해야 한다.

▶ 융기형 병변은 치상선 바로 위 전벽에서 볼 수 있는 경우가 많지만, 전주성 병변도 보인다. 융기는 다발성인 경우가 많으며, 무경성부터 아유경성으로 크기가 서로 다르다. 표면은 거칠고, 발적을 동 반하는 경우가 많지만, 백태의 부착 정도에 따라서 색조에 차이가 있다. 암이나 선종과 감별해야 한다.

▶ 평탄형 병변은 치상선 바로 위의 반점상 발적과 하부 휴스턴판 위의 가로발적의 두 가지로 분류할 수 있다. 반점상 발적은 치핵에 동반되며, 무증상이다.

▶ 특수형으로 심재성 낭포성 대장염(colitis cystica profunda)이 있으며, 한 개인 경우 진행암과 감별 진단이 중요하다.

 One point advice

● 비전형적 증례에서도 직장 하부 전벽에 많고 휴스턴판 위에 주로 발생한다는 소견 등에 주목하면 진단이 가능하다.

● 치료는 배변시 배에 힘을 주는 습관을 개선하고 식물섬유의 섭취나 완하제의 투여가 효과적이기도 하다.

● 궤양과 융기가 혼재하는 혼합형도 보인다.

모자폴립증 19
(cap polyposis)

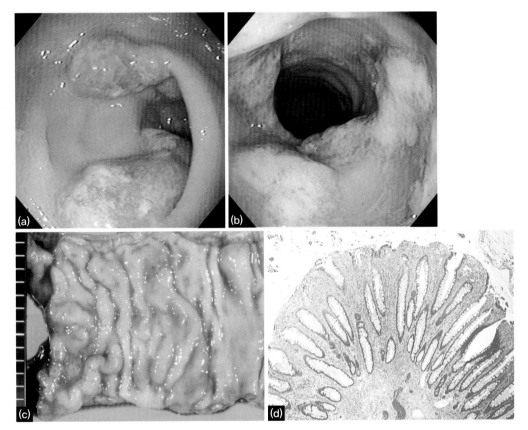

그림 1 · **모자폴립증의 전형적인 내시경소견 및 절제생검 소견** (그림 1d는 中村 直 외 : Cap polyposis, 각론Ⅲ non–IBD 의 내시경진단. 소화관내시경 20 : 1345–1346, 2008에서 발췌)

질 | 환 | 개 | 념

- 모자폴립증이란 대장의 폴립상 융기에 백태가 있는, 내시경적 특징에서 명명된 질환 이다.

- Williams 등이 1985년에 inflammatory 'cap polyp' of the large intestine로 보고[1]한 것이 발단이 되었으며, 1993년에 Campbell팀이 'cap polyposis'로 보고한 질환이다.

- 원인은 기계자극설, 감염설, 면역설 등 여러 설이 있지만 아직까지 불분명하다.

- 여성에게 흔히 발병하며, 발병연령은 다양하다.

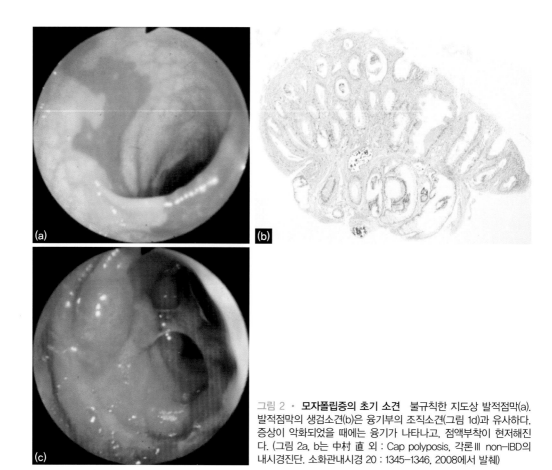

그림 2 · **모자폴립증의 초기 소견** 불규칙한 지도상 발적점막(a). 발적점막의 생검소견(b)은 융기부의 조직소견(그림 1d)과 유사하다. 증상이 악화되었을 때에는 융기가 나타나고, 점액부착이 현저해진다. (그림 2a, b는 中村 直 외 : Cap polyposis, 각론Ⅲ non−IBD의 내시경진단. 소화관내시경 20 : 1345−1346, 2008에서 발췌)

✓ 증상은 설사든 혈변이든 어느 한쪽이 많다.

✓ 이환부위는 직장을 포함한 좌측결장에 많다.

✓ 병변범위가 넓어지면 단백 누출로 인한 저단백혈증을 일으키고 부종, 복수가 나타나기도 한다.

A │ 내시경소견 및 병리소견

✓ 전형적인 증례는 폴립의 정상에 미란이 나타나고 점액이나 괴사물질이 부착되어 있는 모양(그림 1a, b)이다.

✓ 융기성 병변의 주변에는 흰색 반점이 있고(그림 1a) 융기부가 장의 연동 등의 기계적 자극을 받아서 과형성을 일으킨다.

✓ 병변사이의 점막은 거의 정상이다.

✓ 조직학적으로는 선관의 신전, 과형성, 사행이 보이며, 표면에는 삼출물과 염증성 육아조직이 보인다(그림 1d). 섬유근증은 경도로 보이지만 융기형 점막탈출 증후군일수록 현저하지 않다.

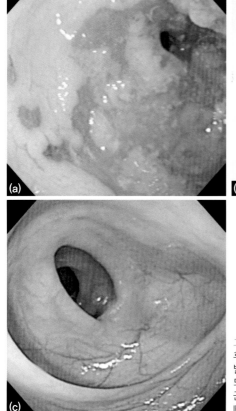

그림 3 · **모자폴립증 수술 후의 재발증례**　그림 1의 증례의 수술 후 재발 시 내시경소견(a). 문합부 항문측 점막에 부정형의 지도상 발적과 주변은 경한 부종이 있다. 발적부의 생검조직은 선관이 신전 되고 점막표층이 염증성 육아조직으로 덮혀 있다(b). H. pylori의 제 균요법후 치유되었다(c). (中村 直 外 : Cap polyposis, 각론Ⅲ non- IBD의 내시경진단. 소화관내시경 20 : 1345-1346, 2008에서 발췌)

B│모자폴립증의 초기소견 (그림 2, 3)

　✓ 부정형 지도상 발적점막(그림 2a)이 시간이 경과하면서 융기되어 폴립상으로 되고, 점액부착이 현저해져서 전형적인 모자폴립증(그림 2c)을 나타낸 증례를 경험하였다. 발적부의 생검(그림 2b)도 모자폴립의 융기부의 생검조직과 거의 같다는 점에서, 부 정형 지도상 발적이 모자폴립증의 초기소견임을 알 수 있다.

　✓ 수술 후에 재발한 증례에서도 재발부위가 부정형 발적점막(그림 3a)을 나타내고 있어 서, 융기가 없어도 모자폴립증이라고 진단해야 한다.

🔍 감별진단의 포인트

▶ 점막탈출 증후군(mucosal prolapse syndrome : MPS)의 융기형과의 감별이 문제가 되지만, 융기형 점막탈출 증후군인 경우는 발생 부위가 항문치상선에서 2 cm 이내에 발생하는데 반해서 모자폴립증 에서는 직장에서 구불결장을 중심으로 발생하고, 또 구측까지 확대되기도 한다. 대장점막의 점액조직 의 화학분석 시 모자폴립증에서는 술훔틴에 비해서, 시아롬틴이 우위라는 점에서 감별이 가능하다[3].

▶ 감염 대장염을 배제하기 위해서 통상의 변배양 이외에 아메바 대장염을 염두에 둔 조직생검도 필요 하다.

One point advice

- 모자폴립증에 대해서 *H. pylori* 제균요법을 하면 증상, 내시경소견 모두 현저하게 개선되는 것이 Oiya 등에 의해서 2002년에 보고[4]된 이래, 그 후 비슷한 보고가 이어지고 있다.
- *H. pylori* 제균요법이 왜 유효한가의 이유는 명확하지 않지만, 제균요법 자체가 환자에 부담이 적어서 환자의 서면 동의를 얻을 수 있으면 제균요법을 시도해 볼 수 있다. 그러나 이는 일부 의사의 개인적인 소견에 불과하므로 신중히 결정해야 한다.
- infliximab이 효과적이었던 보고[5]도 있다.

문헌

1) Williams GT et al : Inflammatory 'cap' polyps of the large intestine. Br J Surg **72** (suppl) : S133, 1985
2) Campbell AP et al : Cap polyposis--an unusual cause of diarrhoea. Gut **34** : 562-564, 1993
3) 橋立英樹ほか : cap polyposis と粘膜脱症候群 cap polyposis と隆起型 MPS との病理組織学的差異. 胃と腸 **37** : 661-670, 2002
4) Oiya H et al : Cap polyposis cured by Helicobacter pylori eradication therapy. J Gastroenterol **37** : 463-466, 2002
5) Bookman ID et al : Successful treatment of cap polyposis with infliximab. Gastroenterol **126** : 1868-1871, 2004

대장벽 외부로부터 염증파급(벽외성 염증 파급)

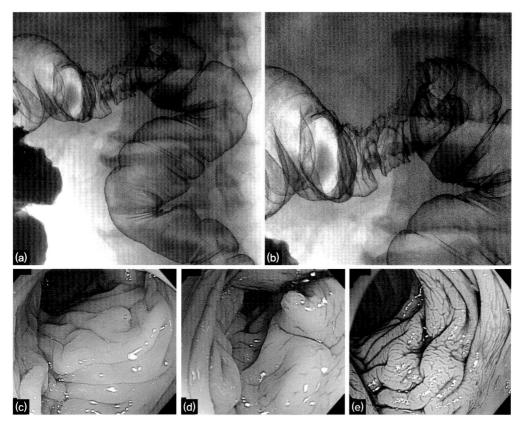

그림 1 • **급성 췌장염환자에서 확인한 「벽외성 염증 파급」** (a) 이중조영바륨관장술 사진. 비만곡부 근처의 대장에 장관의 좁아져 있고 톱니상 변화를 확인할 수 있다. 복부 전산화단층촬영에서 췌장 미부 주변에 염증 변화가 있으며, 대장의 배측과 췌장간의 경계가 불명확하여, 췌장염이 대장벽으로 파급되었다고 진단하였다. (b) 같은 부위의 확대상. 장관의 변연에는 톱니상 변화가 있으며, 점막면은 장관의 가로방향으로 주름이 부채꼴로 집중되는 소견(수속상, 收束狀)이 확인된다. 이 변화들은 췌미부에 가까운 대장의 상연에서 현저하며, 상피성 변화는 판독할 수가 없다. (c) 같은 환자의 대장내시경 소견. 이중조영바륨관장술에서 보이는 소견과 마찬가지로, 거의 같은 간격의 가로방향으로 부채꼴로 집중하는 주름을 확인한다. 점막면에는 부종성 변화 때문에 투명감이 있다. 소견은 장간막 부착 반대측에서 현저하다. (d) 공기량이 적은 색소 도포상. 장관이 좁아져 있지만 상피성 변화는 확인되지 않는다(1시 방향의 소폴립은 우연히 존재한 것으로 전체상과는 관계가 없다). (e) 송기후, 병변부를 신전시킨 내시경소견. 송기하면 어느 정도 신전이 확인되어 구측으로의 삽입이 가능했다. 6시 방향 중심의 횡주름은 점막측에서 경도(硬度)나 상피성 변화는 보이지 않지만, 대장은 송기에도 확장되지 않는다.

질 | 환 | 개 | 념

✓ 대장의 벽외로부터 염증이 파급되면 염증의 정도나 부위에 따라서 대장에 여러 가지 변화가 일어난다.

- 대장은 복강내에 널리 존재하는 관모양의 장기이며 주위장기의 질환에 의해서 영향을 받는 경우가 적지 않다.
- 증상은 기저질환에 따라서 다르다.
- 대장에 폐색을 일으킨 경우는 폐색증상이 나타한다.
- 기저질환의 장기로는 전층성 염증이나 천공성 병변이 많은 위, 십이지장~소장, 주위에 심한 췌장염등이 많다.
- 위에서는 궤양천공, 전층성 봉와직염, 크론병, 십이지장~소장에서는 궤양천공, 크론병, 췌장에서는 급성 췌장염 등의 염증성 질환이 원인이 된다.
- 크론병에서는 대장과 타소화관 사이에 내부 누공 형성이 확인되기도 한다.
- 내시경검사가 진단에 유용하지만, 주위의 상태나 타 장기와의 위치관계를 확인하는 데는 전산화단층촬영이나 이중조영바륨관장술검사가 유리하다(그림 1).
- 장관 외의 상태, 즉 복수, 농양, 염증성 종괴 등의 확인에는 복부 초음파, 전산화단층촬영, 자기공명영상 촬영이 효과적이다.
- 감별진환에는 Borrmann type IV대장암(scirrhous type), 타장기 종양의 직접 침윤 또는 압박 등과 감별진단이 중요하다.

 감별진단의 포인트

▶ 원발성 대장암과 감별하기 위해서 이중조영바륨관장술, 내시경검사에서 상피의 변화 유무를 체크한다.
▶ 협착을 일으키면, 대장암이라도 상세한 관찰이 어려운 경우나 정확한 생검을 할 수 없는 경우가 있으므로 주의해야 한다.
▶ 암의 복막 파종인 경우는 광범위한 대장에 변화가 나타난다(그림 2).
▶ 벽외로부터 염증 파급일 때에는 주위 장기와 대장의 해부학적 위치를 아는 것이 진단의 열쇠가 된다.
▶ 기저질환의 염증 정도나 범위에 따라서 대장에 대한 영향이 달라진다. 국한성인 경우에는 대장에 국소적인 병변과, 광범위한 병변에서는 대장의 미만성 염증성 질환과 감별해야 한다.

One point advice

- 이중조영바륨관장술검사에서는 장관 변연의 변형, 압박상, 톱니상 변화 및 장관의 협소화, 부종성 변화, 수속상 등을 주의 깊게 관찰한다.
- 이 소견들이 장관막측인지, 장관막의 반대측의 어느 한 쪽에 있는가, 비교적 균일한 변화인가를 확인한다.
- 장관이 좁아지면 내시경으로 관찰할 수 없는 경우가 있으므로 이중조영바륨관장술검사로 협착부의 구측을 충분히 평가해야 한다.
- 장관외 병변이 의심스러운 경우, 기저질환의 장기와 해부학적 위치관계가 중요하다. 예를 들어 위와 대장의 경우 위결장간막이 존재하므로 염증이나 종양의 파급도 이 간막을 따라서 일어나기 쉽다(그림 2a, b).

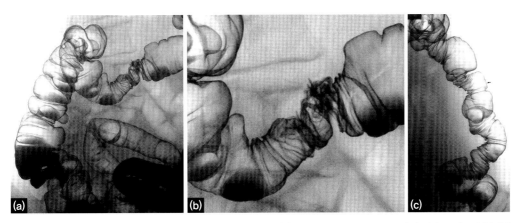

그림 2 • Borrmann type Ⅳ 위암환자에서 확인된 「직접침윤」 (a) 이중조영바륨관장술. 횡행결장 거의 중심부에 현저한 신전불량, 톱니상 변화를 관찰할 수 있다. 본 환자는 위대만측에서 벽외로 암의 침윤, 복막파종이 있었다. (b) 횡행결장의 병변부의 확대상. 위결장간막을 통해서 직접 침윤되어 횡행결장 상연에서 소견이 심하다. 염증의 파급상인 그림 1b와 비교하면, 수속상이 불규칙하고 조이는 것도 여러 부위이지만, 국소적인 이중조영바륨관장술 사진만으로는 감별이 어렵다. (c) 하행결장의 다발성 압박, 신전 불량 사진. 본 증례에서는 복막 파종도 있어서, 다발성의 압박소견이나 신전불량을 동반하는 수속상이 확인되었다.

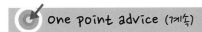 One point advice (계속)

- 내시경검사에서는 점막면의 정보가 감별진단에 중요하다. 대장에 원발한 상피성 종양과의 감별에 유의한다.
- 장외에서 염증이 파급된 경우, 점막의 부종과 신전불량 등이 내시경소견으로 확인된다(그림 1c~e).
- 점막 표면의 불규칙한 요철이나 취약성은 통상, 상피성 변화를 의심하게 하는 소견이다.
- 벽외에서 염증이 파급되어도 점막면을 뚫고 나온 경우는 점막에 염증성 변화나 취약성이 생긴다.
- 생검에서 확정 진단에 이르는 경우는 드물며 염증이 진정된 후에도 경과를 관찰해야 한다(경과진단).
- 특히 종양성 질환과 감별이 어려운 경우는 신중히 추적 관찰해야 한다.

| 문헌 |

1) 松井敏幸 （編）：わかりやすい大腸 X 線診断，中外医学社，東京，2006
2) 清水誠治ほか：非上皮性腫瘍と鑑別の必要な疾患，転移性大腸癌．早期大腸癌 **12**：66-70，2008
3) 小林広幸ほか：転移性大腸癌の形態学的特徴 X 線像を中心として．胃と腸 **38**：1815-1830，2003
4) Negro P et al：Colonic involvement in pancreatitis. Int Surg **76**：122-126, 1991

COLUMN

염증성 장질환의 감별진단에서의 돌파구

혼동스러우면 상부 소화관검사

- 소장 또는, 대장을 검사해서 크론병을 의심해도 확정 진단을 내리지 못하는 경우, 또 궤양성 대장염이나 불확정 대장염과의 감별진단이 필요한 경우, 식도·위·십이지장에 병변 유무을 검사하는 것이 유용하다.

- 크론병 위·십이지장에 약 81%의 높은 빈도로 병변이 확인된다[1, 2].

- 크론병의 특징적인 위병변으로, 위체부에서 분문부 소만에서 확인되는 대나무의 마디상 외관(bamboo-joint like appearance)이 확인되며, 비건락성 유상피세포육아종의 검출률은 9%이다[1].

- 분문부의 조약돌 점막상 외관이 사라지지 않고, 크론병의 활동성과는 관련되지 않는 소견이다.

- 대나무의 마디상 외관은 궤양성 대장염환자나 정상례에서도 드물게 출현하지만, 크론병에서 유의하게 높은 빈도로 출현한다[1]. 그림 1은 대나무 마디상 외관인 상부 소화관 조

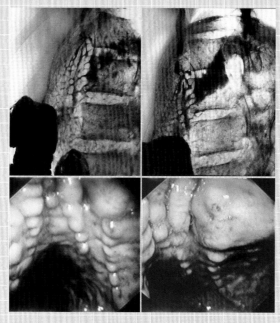

그림 1 · 크론병의 위분문부에서 보이는 대나무의 마디상 외관

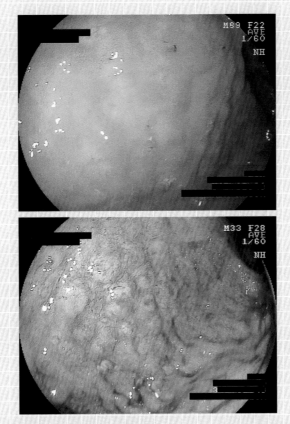

그림 2 · 크론병의 위병변(전정부)

영술소견, 내시경소견이다. 생검에서는 육아종이 검출된다.

- 전정부에 나타나는 위 병변으로, 미란이 36%에서 확인되며, 통상의 미란성 위염과 감별하기 어렵지만, 육아종도 13%에서 검출된다[2]. 그림 2는 전정부에서 확인한 세로로 배열하는 미란이다.

- 전정부의 미란은 크론병의 치료 경과와 더불어 사라진다.

- 십이지장구부에 나타나는 소견으로, 미란이나 궤양, 염주상 융기(nodular folds)가 23%에서 확인된다[2]. 그림 3은 십이지장구부의 염주상·결절상 융기의 내시경소견(그림 3a)과 염주상이 종대된 융기 및 미란·궤양성 병변(그림 3b)이다.

- 십이지장 구부의 아프타 궤양이나 미란은 사라지지 않았지만, 경과 중에 새로 나타나거나 악화되는 예가 약 50%에서 확인된다[2].

- 십이지장 하행부에 출현하는 소견으로는 Kerckring 주름에서 구상의 함요가 세로로 배열하는 절흔상 외관(notched appearance)이나 염주상 융기, 드물게 조약돌 점막상 외관이 23%에서 확인되며, 육아종의 검출률은 7%이다[2]. 그림 3c는 십이지장 하행부의 세로배열 미란을 나타낸 것이다.

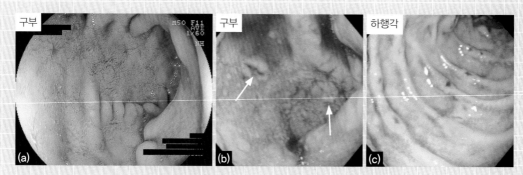

그림 3 · 크론병의 십이지장병변

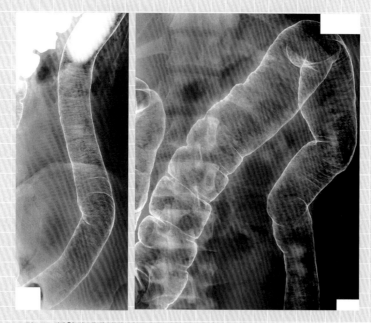

그림 4 · 불확정 대장염의 이중조영바륨관장술 (32세 남성)

- 십이지장 하행부의 세로로 배열된 미란이나 조약돌 점막상 외관은 치료경과와 더불어 개선된다.

<감별의 포인트 : 불확정 대장염 예>

- 이중조영바륨관장술검사에서는 미만성의 미란성 변화를 연속해서 확인한다(그림 4).

- 대장내시경검사에서도 다발성 미란이 미만성으로 확인되고, 궤양성 대장염 같은 병변이다(그림 5).

- 상부 소화관검사에서 위분문부에 대나무의 마디상 외관을 확인하고(그림 6a, c) 십이지장 구부에서 낙지빨판 미란을, 하행부에서 Kerckring 주름의 종대와 세로로 배열하는 미란을 확인한다(그림 6b, d). 생검에서도 육아종이 검출되어 크론병으로 확정 진단하였다.

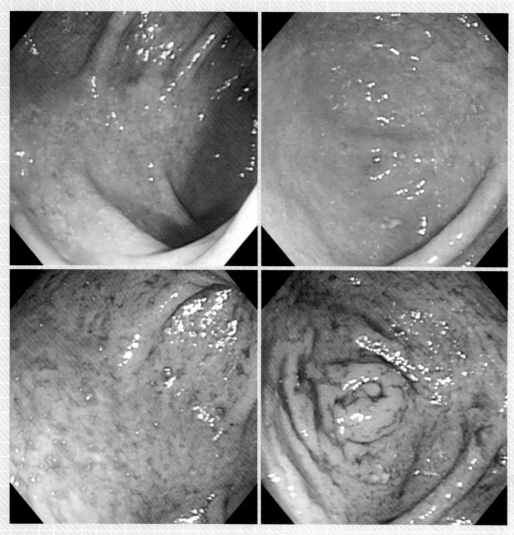

그림 5 · **불확정 대장염 (32세 남성)**

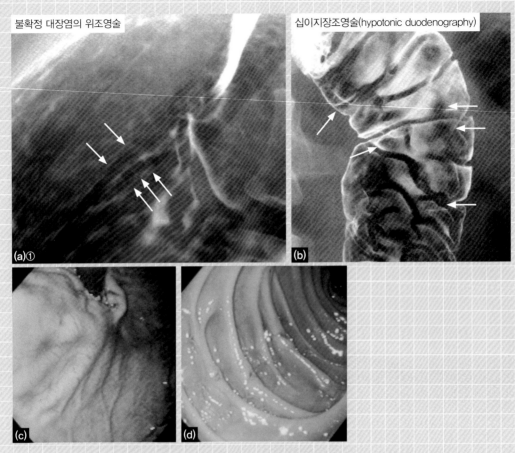

그림 6 • 불확정 대장염의 위 · 십이지장 조영 및 내시경소견 (32세 남성)

| 문헌 |

1) Yokota K et al : A bamboo joint-like appearance of the gastric body and cardia ; posssible association with Crohn's disease. Gastrointest Endosc **46** : 268-272, 1997

2) 渡 二郎ほか：Crohn 病の上部消化管病変の臨床と経過一胃・十二指腸病変を中心に. 胃と腸 **42** : 417-428, 2007

PART IV

종양성 질환

01 미만침윤형 대장암

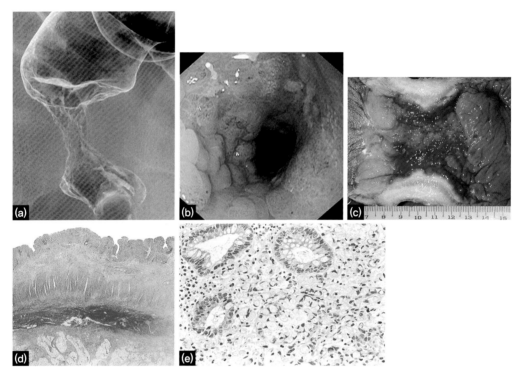

그림 1 · **증례① (경화형)** (a) 이중조영바륨관장술에서 하부직장에서 완만한 전주성 협착을 확인한다. (b) 내시경에서는 치상선 3 cm 상방에 4 cm 길이의 전주성 협착이 보이며, 내시경이 겨우 통과한다. 협착부 및 항문측 점막이 과립상이며 정상부와의 경계가 불명확하다. (c) 절제표본 육안소견. 직장 Rb부터 Ra에 걸쳐서 약 5 cm의 범위에서 발적을 동반한 과립상 점막과 심한 장벽의 비후가 관찰된다. (d) 확대상. (e) 조직상. 장벽의 층 구조를 유지한 채 전층성으로 인환세포암이 간질반응을 수반하며 침윤되어 있다.

질 | 환 | 개 | 념

✔ 명확한 기준은 없지만 현저한 융기나 궤양은 없고, 길이가 몇 cm 이상인 장벽의 관상 비후·협착이 있으면서, 표면이 거친 과립상으로 정상 점막과의 경계가 불명확한 특징을 가진 대장암을 Borrmann type IV으로 분류한다.

✔ 위(stomach)에 비해 미만침윤형 대장암은 드물어서 대장암 전체의 1% 이하를 차지한다.

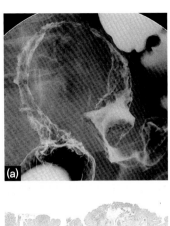
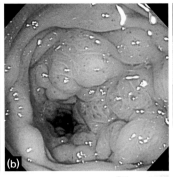
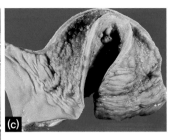
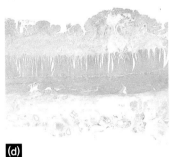
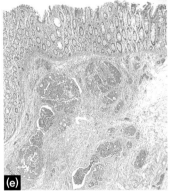

그림 2 · **증례② (혼합형)** (a) 이중조영바륨관장술. 직장 상부에서 구불결장에 길이 약 20 cm의 협착이 보인다. 협착부의 윤곽이 불규칙하고, 압박상에서 움직임이 불량하다. (b) 내시경소견. 협착이 서서히 심해지고, 병변의 항문측 일부만 관찰되며 협착의 근위부는 내시경의 통과장애로 관찰할 수 없다. (c) 절제표본 육안소견. 병변 중앙부 이행함에 따라서 협착의 정도가 심해지고, 점막면에는 광택이 있는 다발성 융기성 병변이 관찰된다. (d) 확대상. (e) 조직 소견. 저분화선암의 간질반응을 수반한 전층성 침윤과 함께 고도의 림프관 침습 소견이 관찰된다.

- 호발부위는 직장에서 구불결장이다.

- 조직학적으로는 인환세포암 또는 저분화선암이 심한 간질반응을 수반하여 침윤된 경화형(그림 1), 광범위하고 심한 림프관 침윤으로 형성되는 암성 림프관증형, 점액결절형과 이 형들의 혼합형으로 크게 나뉜다[1](그림 2). 이 병형의 암은 암성 복막염이나 후복막 침윤을 일으키는 경우가 많아서 대체로 예후가 불량하다.

- 한편, 드물게 고분화선암에 농양형성이 합병되어 미만침윤형을 나타내기도 하여[2] 염증형으로 분류되어 있다[3]. 이 염증형은 직장에 호발하고 암 주위에는 전층성 염증, 육아종, 열구, 누공 등의 소견을 동반한다. 심달도는 고유근층까지 머물러 있는 경우가 많으며 예후가 양호하다.

- 증상은 혈변이 드물고 심한 협착으로 인해 변비·복통 등의 증상을 일으킨다.

감별진단의 포인트

▶ 이중조영바륨관장술 소견으로는 몇 cm를 넘는 장관 협착, 신전 불량, 변연 경화, 비정상소견을 보인다. 협착부표면은 평탄, 거칠, 조약돌상이다. 때로 협착이 심한부위 부근에 종괴나 궤양이 보이기도 하는데, 관찰되지 않는 경우가 많다. 병변이 있는 대장 부분은 고정되어 움직임이 저하되는 것도 특징이다.

▶ 내시경소견으로는 전주성 관상협착으로, 협착부 점막이 거칠고, 불규칙한 요철, 내지 조약돌상을 나타낸다. 암이 점막면에 노출되어 있는 부위에서는 선명하지 않은 발적의 거친 점막, 융기나 궤양이 관찰되는데, 협착 때문에 병변 항문측의 일부만 관찰되는 경우가 많다.

▶ 내시경으로 관찰이 가능한 영역의 점막표면에 암세포가 노출되지 않는 경우가 많아서, 생검으로 암세포를 증명할 수 없는 경우가 적지 않다.

▶ 감별진단에는 전이성 대장암, 궤양성 대장암, 크론병, 허혈 대장염, 게실염, 방사선 대장염, 자궁내막증, 장간막 지방층염, 방선균증, 벽외로부터의 염증파급 등이 있다.

 One point advice

● 생검에서 암세포를 증명하지 못하여, 염증성 질환의 감별에 어려움을 겪는 일이 적지 않다.
● 협착이 고도인 경우에는 이중조영바륨관장술이 진단에 중요하다.
● 협착변연부의 생검에서는 암세포를 증명하기 어려우므로 협착 내부에서 여러개의 생검을 해야 한다.

문헌

1) 笹川　平ほか：びまん浸潤型大腸癌の病理学的検討．日本大腸肛門病会誌 **38**：129-135, 1985
2) 中野　学ほか：特異な組織反応を伴ったびまん浸潤型大腸癌の1例．胃と腸 **23**：645-653, 1988
3) 平川克哉ほか：4型大腸癌の臨床病理学的特徴とX線・内視鏡診断．胃と腸 **37**：152-164, 2002

T세포 림프종 02

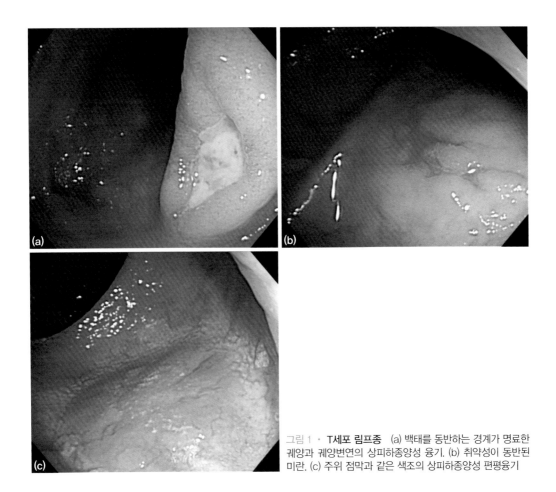

그림 1 · **T세포 림프종** (a) 백태를 동반하는 경계가 명료한 궤양과 궤양변연의 상피하종양성 융기. (b) 취약성이 동반된 미란. (c) 주위 점막과 같은 색조의 상피하종양성 편평융기

질 | 환 | 개 | 념

- 대장 악성림프종은 대장 악성종양의 0.1~0.7%로 그 빈도가 낮다. 소화관에 발생하는 주된 림프종은 표 1과 같이 분류되는데, 그 중에서도 대장의 T세포 림프종은 보고가 매우 적은 드문 질환이다[1].

- 성인 T세포 림프종(ATL/L)은 HTLV-1에 감염되어, CD4 양성의 말초 T세포가 종양화된 질환이다. 소장병증(enteropathy)형 T세포 림프종에 관해서는 구미에서는 대부분의 예가 셀리악병(celiac disease)에 이차성으로 발병하므로, 양자에는 관련성이 있다고 하지만, 다른 T세포 림프종의 원인에 관하여 상세한 내용은 불분명하다.

- 30대 후반~80대 후반의 발병이 보고되어 있으며 남성에게 많다.

표 1   소화관 악성림프종의 주요 병형(질환단위)

〈mature B-cell neoplasms〉
- extranodal marginal zone B-cell lymphoma of mucosa-associated lymphoid tissue (MALT) type/MALT lymphoma
- diffuse large B-cell lymphoma (including CD5-positive de novo diffuse large B-cell lymphoma)
   with a component of MALT lymphoma
   without a component of MALT lymphoma (de novo)
- follicular lymphoma
- mantle cell lymphoma
- burkitt lymphoma/leukaemia

〈mature T-cell neoplasm〉
- peripheral T-cell lymphoma, unspecified
- adult T-cell lymphoma/leukemia (HTLV1+)
- enteropathy-type T-cell lymphoma
- anaplastic large cell lymphoma

(Chan JK : Gastrointestinal lymphomas : an overview with emphasis on new finddings and diagnostic problems. Semin Diagn Pathol 13 : 260-296, 1996에서 인용)

    ✓ 임상증상은 복통, 설사, 혈변, 복부종괴 촉지, 체중감소 등 여러 가지이며 특징적인 증상은 없다.

    ✓ 장관 천공, 대량 출혈, 협착 · 폐색 등을 일으키는 경우는 절대적인 수술의 적응증이다. 또 병변이 국한되어 치유절제가 가능한 병변도 수술의 적응증이며 수술 후 화학요법이 추가된다. 비수술례에서는 CHOP요법에 의한 화학요법이 주류이지만, T세포 림프종은 B세포 림프종보다도 병세가 급속하여 예후가 매우 불량하다. 문헌에 의하면 그 예후는 수 개월에서 2년 정도이다.

🔎 감별진단의 포인트

▶ 내시경소견 · 이중조영바륨관장술소견은 지도상 내지 부정형 궤양(그림 1a)이나 아프타 미란(그림 1b), 과립상 점막이나 상피하종양 같은 융기(그림 1c), 상기 소견이 혼재하는 것까지 다양하다. 대장에 광범위하게 다발성 · 미만성으로 침윤되는 예가 많으며, 병변 주위에는 혈관상이 소실된 점막이상도 나타난다[2].

▶ 소장에서도 미만성 병변이 확인되고 장기간에 걸쳐서 심한 설사나 흡수불량을 나타내는 예는 소장병증형 T 세포 림프종(Enteropathy assoicated T cell lymphoma) 범주에 포함된다.

▶ 이와시타(岩下)팀은 Adult T-cell lymphoma/leukemia의 소화관 병변을 단발병변으로 이루어지는 종괴형성형, 다발융기형, 표층확대형(위염유사형, 0-Ⅱc 같은 함요, 다발궤양을 포함한다.)(그림 2), 비후형, 혼재형으로 분류하고 있다[3].

▶ 다양한 병형을 나타내므로 감별을 필요로 하는 질환도 여러 가지이다. 감별해야 하는 질환에는 암, 단순 궤양, 궤양성 대장염, 크론병, 유전분증, 감염 대장염(아메바 대장염, 예르시니아장염, 결핵성 장염, 거대세포바이러스 대장염), 기생충증(분선충, 이소스포라, 클립토스폴리디움), 점막탈출 증후군, 호산구 위장염, 림프여포증식증, 위막성 대장염, 점막하종양(근원성 종양, 신경원성 종양, 유암종, 림프관종) 등이 있다.

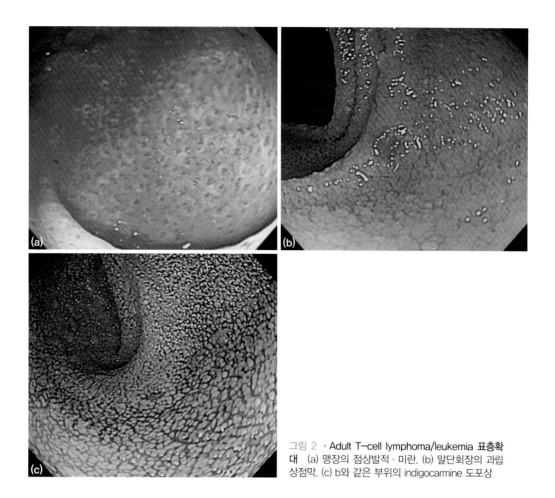

그림 2 • Adult T-cell lymphoma/leukemia 표층확대 (a) 맹장의 점상발적·미란. (b) 말단회장의 과립상점막. (c) b와 같은 부위의 indigocarmine 도포상

One Point Advice

- 생검에서 비종양성 림프여포나 염증세포가 혼재하기 때문에, HE염색 표본만으로는 T세포 림프종을 진단하기 어려워서, 확진에는 면역염색이 필수적이다. T세포 림프구의 마커는 CD3+, CD20-, CD79a-이다. 추가하여 소장병증형 T세포 림프종은 CD4-, CD7+, CD8+/-, CD56+/-, CD108+/-를, 성인 T세포 림프종의 장관병변은 CD4+, CD7-, CD8-, CD25+를 나타냄으로써 양자를 감별할 수 있다. 그러나 성인 T세포 림프종의 확정 진단에는 HTLV-1 프로바이러스 DNA를 증명해야 한다[1].
- 화학요법 후의 급격하게 종양의 크기가 감소하면서 천공이나 출혈의 가능성도 염두에 두어야 하며, 특히 궤양성 병변을 동반하는 경우에는 천공에 주의해야 한다.

문헌

1) 中村昌太郎ほか：大腸悪性リンパ腫の組織・肉眼分類と鑑別診断. 大腸癌 Frontier **2**：67-71, 2009
2) 中村昌太郎ほか：大腸悪性リンパ腫の画像診断. 早期大腸癌 **8**：391-398, 2004
3) 岩下生久子ほか：血液疾患, 白血病. 胃と腸 **38**：585-599, 2003

03 MALT 림프종

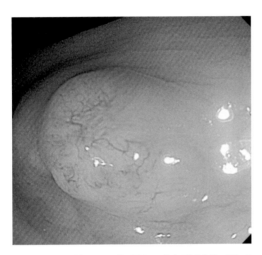

그림 1 • **융기형 MALT 림프종①** 직경 하부에서 지름 10 mm 크기의 반구상의 융기성 병변이 관찰되며, 병변의 표면은 매끈하고 확장된 사행혈관이 보인다.

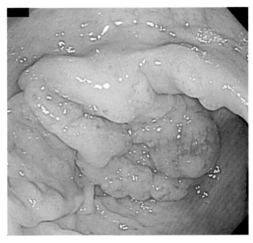

그림 2 • **융기형 MALT 림프종②** 직장 상부에서 지름 25 mm 크기의 평편 융기성 병변이 관찰되며, 표면은 결절상으로 요철이 있으며 결절의 표면에는 확장된 혈관이 보인다.

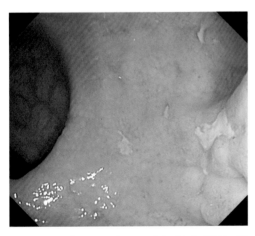

그림 3 • **장염형 MALT 림프종** 직장 하부에 다발성 미란을 확인할 수 있고, 미란 주위의 점막의 색조는 다소 위축된 모양이다.

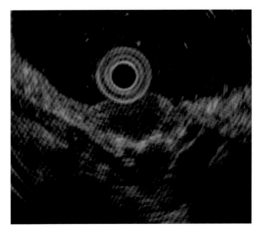

그림 4 • **그림 1과 같은 병변의 초음파내시경 소견** 두 번째 층에서 세 번째에 걸려서 저에코상을 확인할 수 있다.

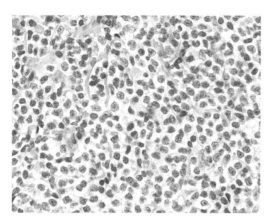

그림 5 · 대장 MALT 림프종의 생검 정상과 다르고, 크기가 작은 림프구가 균일한 침윤을 보여준다.

표 1   대장 MALT 림프종의 내시경소견

1. 융기형: 반구상, 평반상, 종괴상
2. 장염형: 점막의 색조변화(발적 내지 갈색), 미란
3. 혼합형

질 | 환 | 개 | 념

- MALT 림프종은 1983년에 Isaacson팀[1]에 의해서 제안된 점막연관 림프 조직(muco-sa-associated lymphoid tissue : MALT)의 marginal zone에서 발생하는 저등급 B세포 림프종이다.

- 위뿐 아니라, 대장, 십이지장, 갑상선, 방광, 타액선, 안와 등 여러 부위에 발생한다. 대장에서의 MALT 림프종의 호발부위는 직장이다.

- 내시경소견(표 1)은 위 MALT 림프종과는 달리 반구상(그림 1) 내지 평반상(그림 2)의 융기성 병변을 나타내는 증례가 많지만, 장염같은 소견을 보여주는 증례도 있다(그림 3).

- 융기형은 비교적 정상 점막과 사이에 예각을 이루며, 표면은 정상점막으로 덮혀 있고 점막표면에서 확장된 혈관의 사행을 보여준다. 또 병변이 다발성으로 존재하기도 한다.

- 한편, 장염형은 미란이나 색조변화(발적 또는 퇴색)를 확인하고, 병변이 존재하는 구역내에서 연속성으로 확대되는 경우가 많다.

- 초음파내시경에서는 심부 침윤례를 제외하면 제2층, 제3층을 중심으로 하는 저에코상을 나타낸다(그림 4).

- 조직학적으로는 소형 이형 림프구의 침윤을 확인하고(그림 5) 각종 면역조직을 염색하여 MALT 림프종이라는 것을 확인해야 한다.

- 통상의 겸자생검에서 반응성 림프조직과의 감별이 문제가 되는 경우에는 진단 목적으로 내시경 점막절제술[2]이나 단클론성의 확인(monoclonality) 또는 염색체 전좌 등의 분자생물학적 검사[2,3]를 한다.

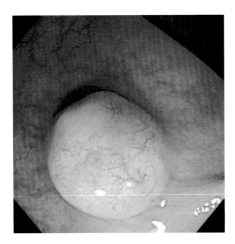

그림 6 · **직장 유암종** 직장에 정상점막으로 덮힌 매끈한 융기성 병변으로 표면에는 확장된 혈관의 사행을 확인할 수 있다. 그림 1과 매우 유사하지만, 다소 황색을 띤다.

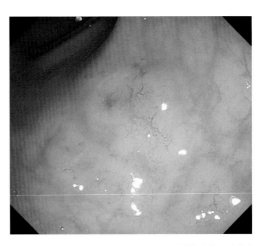

그림 7 · **위 MALT 림프종이 직장으로 침윤사진** 평반상의 융기성 병변으로 표면은 직장에 원발성 MALT림프종과와 매우 유사하지만, 정상점막과 병변의 경계가 완만하다.

One point advice

- 직장 MALT 림프종과 감별이 필요한 질환은 직장 유암종이다(그림 6). 작은 직장 유암종은 황색의 매끈한 표면으로 덮힌 융기성 병변으로 두 질병의 감별은 용이하다. 그러나 황색을 띠지 않는 약간 큰 직장 유암종은 ① 정상 점막과 경계가 명확한 상피하종양성 병변의 형태를 나타내고 ② 점막 표면에서 확장된 혈관이 있으며 ③ 초음파내시경에서 저에코상을 나타내는 점 등, 반구상의 직장 MALT 림프종과 유사점이 많아서 양자의 감별이 어려운 경우도 있다.

- 대장 MALT 림프종이라고 진단한 경우, 위 MALT 림프종과 마찬가지로 병기 진단을 위해 각종 영상진단이나 골수검사를 시행한다.

- 위와 대장에 MALT 림프종을 동시성 또는 이시성(異時性)으로 확인하는 경우가 있다. 그림 7은 위 MALT 림프종 치료 후 34개월째에 발견된 MALT 림프종의 직장침윤으로, 직장 원발 MALT 림프종의 내시경소견과 유사하다. 그러나 그림 1, 2에 비해 병변의 시작이 정상점막으로부터 완만하다.

- 대장 MALT 림프종에 대한 치료방침에 관해서는 지금까지 일정한 합의점을 얻지 못하고 있다. *Helicobacter pylori* 제균요법이 직장 MALT 림프종에 대해서 유효하다는 보고[4]가 있다. 위 이외의 MALT 림프종에 대한 제균요법은 직장뿐 아니라 갑상선[5]이나 방광[6]에서도 효과가 있었다는 증례보고가 있다. 또 *H. pylori* 음성 직장 MALT 림프종도 *H. pylori* 제균요법과 같은 투약으로 개선되었다는 보고[7]가 있어서, *H. pylori*와는 다른 장내세균의 관여가 추측되고 있다. 한편, 항균제의 투여에 효과가 없었으나, 30Gy 방사선요법으로 완전 관해에 도달하였다는 보고[2]도 있다.

문헌

1) Isaacson PG et al : Malignant lymphoma of mucosa-associated lymphoid tissue. Cancer **52** : 1410-1416, 1983

2) 白川晴章ほか：放射線単独療法にて完全寛解した直腸 MALT リンパ腫の1例．胃と腸 **41**：372-377，2006

3) Hosaka S et al : Mucosa-associated lymphoid-tissue (MALT) lymphoma of the rectum with chromosomal translocation of the t (11 ; 18) (q21 ; q21) and an additional aberration of trisomy 3. Am J Gastroenterol **94** : 1951-1954, 1999

4) Matsumoto et al : Regression of mucosa-associated lymphoid-tissue lymphoma of rectum after eradication of *Helicobacter pylori*. Lancet **350** : 115-116, 1997

5) Arima N et al : Extragastric mucosa-associated lymphoid-tissue lymphoma showing the regression by *Helicobacter pylori* eradication therapy. Br J Haematol **120** : 790-792, 2003

6) van den Bosch J et al : Disappearance of a mucosa-associated lymphoid-tissue (MALT) lymphoma of the urinary bladder after treatment for *Helicobacter pylori*. Eur J Haematol **68** : 187-188, 2002

7) Nakase H et al : The possible involvement of micro-organisms other than *Helicobacter pylori* in the development of rectal MALT lymphoma in *H. pylori*-negative patients. Endoscopy **34** : 343-346, 2002

04 전이성 대장암

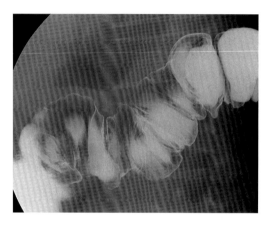

그림 1 · **위암에서의 파종성 전이 (82세 여성)** 이중조영바륨관장술에서 횡행결장에 불규칙하게 뻗어 있는 주름과 다발성 대장벽의 압박소견으로 서로 직경이 다르게 보이며, 수속형(장관의 단축방향으로 뻗어 있는 주름이 부채꼴로 집중되는 소견)과 압박형(종괴에 의한 장관의 압박 또는 점막하종양 같은 소견)의 혼합형이다.

질 | 환 | 개 | 념

✓ 전이성 대장암은 타장기의 암이 전이되어 대장벽에 침윤된 것으로, 다발성인 경우가 많다.

✓ 전이경로는 혈행성 또는 림프관성 전이와 복강내 장기의 암에서 파종성 전이가 있다.

✓ 전이성 대장암의 원발장기에는 위, 췌장, 폐, 대장, 난소, 자궁, 간장, 담낭의 순으로 빈도가 높으며, 원발 장기별 대장전이는 자궁, 난소가 가장 높다[1].

✓ 혈행성 또는 림프관성 벽내전이 및 혈행성 원격전이의 병변은 점막하종양 같은 표면

🔍 감별진단의 포인트

▶ 이중조영바륨관장술 소견은 수속형(장관의 단축방향으로 뻗어 있는 주름이 부채꼴로 집중되는 소견), 압박형(종괴에 의한 장관의 압박 또는 점막하종양 같은 소견), 미만형(미만침윤형 대장암과 유사한 전주성 협착과 점막이상)으로 분류된다. 이 중 수속형이 압도적으로 많고 압박형, 미만형의 순이지만 혼합형도 드물지 않다[2, 3](그림 1). 또 장관이 고도협착이나 폐색을 일으키면 분류할 수 없다(그림 2).

▶ 경도의 수속상은 내시경에서는 인식이 어렵고 이중조영바륨관장술에서 파악하기 쉽다[3](그림 3).

▶ 파종성 전이에 의한 병변이 흔히 보이는 곳은 장간막이 있는 구불결장, 횡행결장과 직장의 복막반전부 부근이다.

▶ 미만형은 Schnitzler전이를 대표하는 파종성 전이에서 흔히 보이지만(그림 4, 5), 드물게 유방암의 혈행성 전이에서도 볼 수 있다.

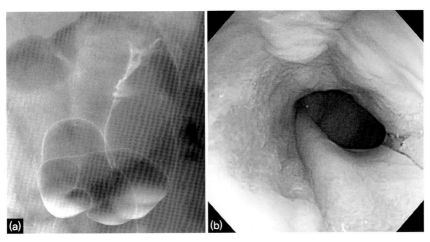

그림 2 · **위암수술 후 복막전이에 의한 대장폐색 (73세 여성)**　(a) 이중조영바륨관장술에서 하행결장에서 급하게 대장이 막혀있다. (b) 대장내시경에서 협착부의 항문측 변연에 거친 점막이 보인다.

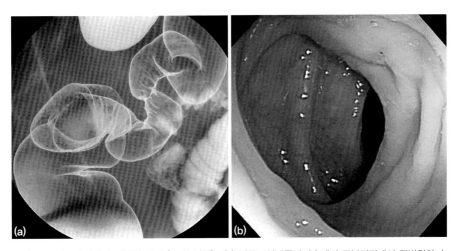

그림 3 · **난소암에서의 파종성 전이 (54세 여성)**　(a) 이중조영바륨관장술에서 구불결장에서 광범위한 수속상(장관의 단축방향으로 뻗어 있는 주름이 부채꼴로 집중되는 소견)을 확인한다. (b) 대장내시경에서는 경도의 신전불량이 보이는 정도이다.

감별진단의 포인트 (계속)

▶ 혈행성, 림프관성으로 전이된 암이 고유근층이나 점막하층에서 커지게 되면 점막하종양 같은 형태를 취한다. 또 융기 내부에 경계가 명료한 원형 궤양을 동반하면 이중조영바륨관장술에서는 「Bull's eye」라고 표현한다. 상피하종양 같은 전이성 대장암은 병변의 윤곽이 비상피성 종양에서 볼 수 있는 깨끗한 반구상이 아니라, 찌그러진 윤곽을 취하는 경향이 있다.

▶ 아프타성 내지 표면형과 유사한 다발성 전이 병변의 경우, 원발장기로는 위암(인환세포암, 저분화선암)이 가장 많지만[4, 5](그림 6, 7), 폐암, 유방암이 원발 장기인 경우도 있다.

▶ 감별을 요하는 질환에는 미만침윤형 대장암, 크론병, 자궁내막증, 게실염, 장관외의 염증(췌장염, 담낭염, 복강내 농양 등)의 파급 등이 있다.

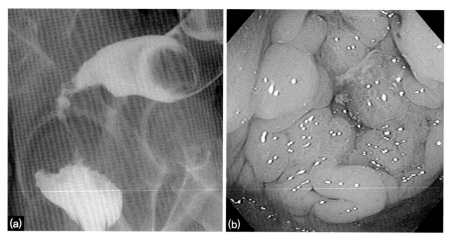

그림 4 · **위암에서의 파종성 전이 (65세 남성)**   (a) 이중조영바륨관장술에서 하부직장에 약 7 cm에 이르는 전주성 협착이 있으며, 항문측 변연은 다발성 결절이 관찰된다. (b) 협착항문측에는 광택이 있는 다발성 반구상 소융기가 있지만 궤양은 보이지 않는다.

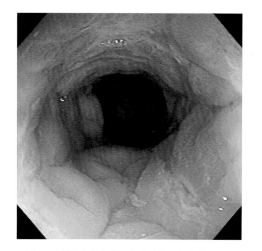

그림 5 · **위암에서의 파종성 전이 (67세 여성)**   하부직장에서 협착이 관찰되지만 내시경의 통과는 가능하다. 협착부에는 부종상의 다발융기와 함께 거친 점막이 관강의 1/3 정도에서 보인다.

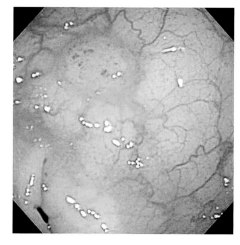

그림 6 · **위암(저분화선암)의 다발성 대장 전이 (83세 남성)**   결장에 다발성 표면형(IIa+IIc형) 병변이 보이고, 생검에서 원발 부위와 동일한 저분화 선암이 증명되었다.

형, 궤양한국형, 종괴형을 나타낸다. 대장에 혈행성 전이를 일으키는 빈도가 가장 높은 것은 폐암이다. 파종성 전이의 대부분은 장막결절형, 장관외종괴형, 미만침윤형을 나타낸다.

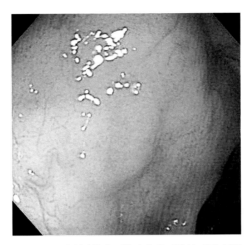

그림 7 · **위암(인환세포암) 술후의 다발성 대장 전이
(68세 여성)** 대장에 다발성 매끈한 표면형 병변이 있
고, 조직학적으로 원발부위와 동일한 인환세포암이 점막
고유층에 침윤된 소견이 관찰되었다.

 One Point Advice

- 전이성 대장암에서 조약돌 점막상이 보이는 경우는 크론병과 감별해야 하지만, 전이성 대장암에서
  는 점막면에 궤양이 보이지 않는다.
- 이중조영바륨관장술에서의 수속상(장관의 단축방향으로 뻗어 있는 주름이 부채꼴로 집중되는 소
  견)을 세로궤양(또는 반흔)이라고 오인하지 않도록 주의해야 한다.
- 전이성 대장암은 생검에서 암세포를 증명할 수 없는 경우가 많으므로, 영상소견에 근거한 진단이
  중요하다.

문헌

1) 原岡誠司ほか：病理から見た消化管転移性腫瘍. 胃と腸 **38**：1755-1771, 2003
2) 石川　勉ほか：転移性大腸癌の形態診断—X 線像の解析を中心に. 胃と腸 **23**：617-630, 1988
3) 小林広幸ほか：転移性大腸癌の形態学的特徴. 胃と腸 **38**：1815-1830, 2003
4) 松永心祐ほか：多発する表面型病変を形成した胃癌原発転移性大腸癌の 1 例. 胃と腸 **38**：1862-1868, 2003
5) 清水誠治ほか：非上皮性腫瘍と鑑別の必要な疾患, 転移性大腸癌. 早期大腸癌 **12**：66-70, 2008

C O L U M N

염증성 장질환의 감별진단에서의 돌파구

허혈 대장염과 감염 대장염

- 허혈 대장염은 갑작스런 하복부 통증과 혈변으로 증상이 발생하며 이중조영바륨관장술·내시경검사에서는 좌측결장을 중심으로 구역성 부종, 발적, 세로궤양을 나타내는 질환이다.

- 본증의 진단에는 병력의 청취 및 대장내시경검사에 세균학적 검사를 추가하여 감염 대장염을 배제하는 것이 중요하다[1].

- 이이다(飯田)팀[1]이 제창한 허혈 대장염의 진단기준에서는 항균제의 사용력이 없어야 하며 분변 또는 생검 조직의 세균배양 검사가 음성이라는 점이 필수적이다. 그렇지만 임상증상, 대장내시경 소견 및 생검병리조직 소견에서 허혈 대장염과 일치하는 소견을 얻었음에도 불구하고, 세균배양 검사에서 병원균이 양성으로 판정되는 증례도 있다[2].

- 임상상이 허혈 대장염과 매우 유사한 병원성 대장균 감염증의 존재도 있어, 허혈 대장염의 질환개념에 관하여 의논하게 되었다.

- 임상증상, 대장내시경 소견 및 생검병리조직 소견에서 일과성 허혈 대장염이라고 진단한 325례 중 56례(17.2%)에서 세균배양이 양성판정 되었으며, 동정된 세균 중에서는 장병원성 대장균(enteropathogenic *Escherichia coli* : EPEC)이 가장 많아서 87.4%를 차지하고 있었다. 그 밖에도 methicillin-resistant Staphylococcus aureus (MRSA)가 3례(5.4%), Klebsiella oxytoca가 3례(5.4%), Staphylococcus aureus가 1례(1.8%)에서 검출되었다. EPEC는 모두 Vero 독소 음성으로, *Escherichia coli* O157에 대표되는 장출혈성 대장균(enterohemorrhagic *Escherichia coli* : EHEC)이 검출된 증례는 없었다.

- 일본에서는 허혈 대장염에 합치하는 임상상을 나타내는 급성 감염 대장염의 일부에 병원성 대장균 감염증이 포함된다는 보고가 드물게 있다. 게다가 이 보고례에서 임상상이 종래의 일과성 허혈 대장염과 유사하며, 항균제 사용의 유무에 상관없이 2주 이내 거의 완전히 치유되고 있다.

- 자험례를 세균배양 양성군과 음성군으로 크게 나누어 임상상과 대장내시경 소견을 비교했더니, 임상증상, 이환부위 및 임상경과에서 확실한 차이가 없고 내시경소견도 동일하였다(그림 1, 2). 즉, 일과성 허혈 대장염을 세균배양의 결과로 비교 검토해도 그 차이를 찾을 수가 없었다.

- 일과성 허혈 대장염과 감별질환의 하나로 EHEC장염을 들 수 있다. 두 질병은 임상증상 및 생검병리조직 소견이 유사하지만 내시경소견상, EHEC장염에서는 염증이 우측결장에서 더

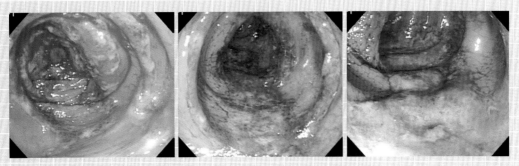

그림 1 · **세균배양 음성례** 하행결장에서 발적 · 부종 · 대상의 세로궤양을 확인한다.   (문헌2에서 인용)

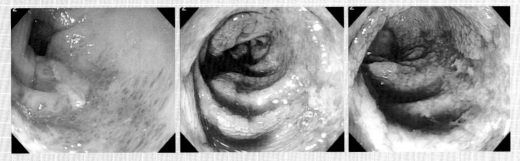

그림 2 · **장병원성 대장균 O1 양성례** 하행결장에서 발적 · 얕은 세로궤양을 확인한다.   (문헌2에서 인용)

잘 나타난다는 점에서 감별할 수 있다. 그러나 EHEC장염에서도 일과성 허혈 대장염과 마찬가지로 좌측결장에 더 잘 나타나는 경우가 있는데 이와 같은 증례에는 세균배양 검사가 반드시 감별진단을 위해 필수적이다.

- 이상의 사실에서 성인의 병원성 대장균 감염증의 병태에 관해서는 불분명한 점이 많지만, 같은 균의 감염이 일과성 허혈 대장염의 발병에도 관여할 가능성을 부정할 수 없다.

- 일시적인 허혈 대장염이 간단한 혈류장애뿐 아니라 복수의 요인에 의해서 발병할 가능성이 시사되었는데[1], 적어도 병원성 대장균을 그 요인의 하나로 고려되어야 한다.

- 본 질환개념이 확립된 지 반세기가 지났다고 해도, 허혈 대장염과 감염 대장염의 관계에 관해서 좀 더 검토해야 할 것이다.

┃문헌┃

1) 飯田三雄ほか：虚血性腸病変の臨床像―虚血性大腸炎の再評価と問題点を中心に．胃と腸 **28**：899-912，1993
2) 吉野修郎ほか：細菌培養検査が陽性を示す虚血性腸炎様病変．胃と腸 **43**：1606-1612，2008

PART V

소견별로 본 감별의 요점

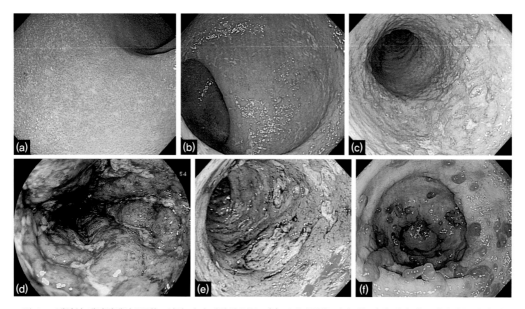

그림 1 · **궤양성 대장염에서 보이는 여러 가지 미만성 염증** (a) 미세과립상 점막. 한 면에 다발하는 점상의 농성의 점액 분비가 항진되어 까칠까칠해 보인다. (b) 점막의 부종과 발적, 미란과 농성분비물의 부착. (c) 점막부종과 발적, 다발 작은궤 양. (d) 점막부종에 의해 관강이 좁아져 보임. (e) 거대세포바이러스 감염에 합병된 궤양성 대장염. 다발성 깊은 궤양이 관찰 된다. (f) 붉은 콩모양의 염증폴립을 동반하는 광범위한 점막탈락소견

질 | 환 | 개 | 념

- 미만성 염증은 궤양성 대장염의 질환개념 중에 취급되고 있으며, 궤양성 대장염의 진 단에 가장 중요한 소견이다.

- 일반적으로 점막의 염증소견을 가리키는 경우가 많아서, 점막내의 염증 세포침윤을 반영한다. 병변분포에 관한 용어로 파악하는 법도 있어서, 연속성 병변과 같은 의미 로 사용되기도 한다. 여기에 대한 용어로서 비연속성, 구역성, 편측성, 비대칭성이 있 으며, 궤양성 대장염으로는 비전형적인 소견이다.

- 감별질환에는 감염 대장염이 있으며, 궤양성 대장염이라고 진단한 후 스테로이드를 투여하여 원질환이 악화되었다는 보고도 있다.

A | 궤양성 대장염의 여러 가지 미만성 병변 (그림 1)

- 중증도에 따라서 다양한 내시경소견을 보이며, 각각 감별해야 할 질환이 다르므로 주

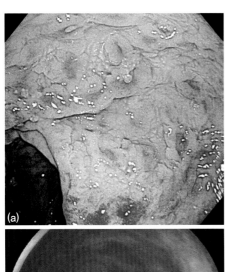

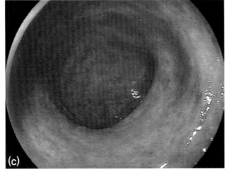

그림 2 · **궤양성 대장염 이외에서 보이는 미만성 염증**　(a) 아메바 대장염. 특징적인 지저분한 점액, 궤양 주변의 발적, 부종을 보인다. 병변사이의 점막의 금이 간 상태의 흰색반점을 동반하는 점막도 특징적이다. (b) 조직 중에 영양형이 보인다. (c) 소화관 유전분증 류마티스관절염 환자의 직장에서 확인되는 취약성의 거친 점막. 생검에서 점막하층에 미만성 아밀로이드의 침착이 확인되었다.

의해야 한다.

❶ 미세과립상 점막

- 한 면에 다발하는 점상의 농성 점액분비가 증가되어 까칠까칠해 보인다.
- 세균성 장염에서 보이는 경우가 있는데, 점상의 작은 황색반점이 불균일해진다.

❷ 아프타 병변 및 미란

- 아메바 대장염과의 감별에서 가장 중요시되는 소견이다.
- 궤양성 대장염의 아프타 병변은 비교적 소형이고 균일하지만, 아메바 대장염은 주변 융기가 눈에 띄는 낙지빨판 같은 미란이 특징적이다. 이 낙지빨판 같은 미란은 백태가 두껍고, 궤양 주변의 점막은 부종상으로 발적되고, 취약성이 있다. 또 점액이나 혈액이 궤양·미란 밖으로 스며 나오는 소견이 특징적이다.
- 아메바 대장염에서는 병변 사이의 점막에 혈관상이 양호하지만, 그림 2와 같이 흰색 반점이 확인되기도 하며, 중증례가 되면 전 대장에서 심한 발적이나 미란, 궤양이 미만성으로 확인되어, 궤양성 대장염과의 감별이 어려워진다[1].
- 또 살모넬라 장염에서도 나타나는데, 살모넬라 장염에서는 직장은 정상으로 유지되는 경우가 많다.

❸ 점막부종

- 병변이 전층성으로 침범하는 경우에 관찰된다(그림 1d). 약제유발 대장염이나 허혈

대장염에서도 나타난다.

❹ 깊은 궤양

✓ 불응성 궤양성 대장염에서 관찰되는 경우가 많다(그림 1e).

✓ 거대세포바이러스 대장염에서도 확인되는데, 주위 점막의 염증 유무로 감별이 가능하다. 궤양성 대장염에서 확인된 경우에는 반드시 그렇지는 않지만, 거대세포바이러스 대장염이 합병되는 경우도 있다.

❺ 점막 탈락

✓ 불응성 궤양성 대장염에서 관찰된다.

✓ 붉은 콩 모양의 염증폴립을 동반하기도 한다(그림 1f).

B | 크론병과의 감별포인트

❶ 세로궤양

✓ 크론병과의 감별이 중요하지만 감별의 포인트는 궤양 주위 점막의 염증 유무이다. 궤양성 대장염인 경우, 그림 3a와 같이 통상 궤양 주위 점막의 염증을 동반한다.

✓ 허혈 대장염의 세로궤양은 편측성이며 염증이 비대칭이다(그림 3b). 그러나 중증이 되면 대칭성 염증이 확인되는 수가 있다. 크론병에서는 궤양 주위 점막의 염증이 확인되지 않는 경우가 많다(그림 3c).

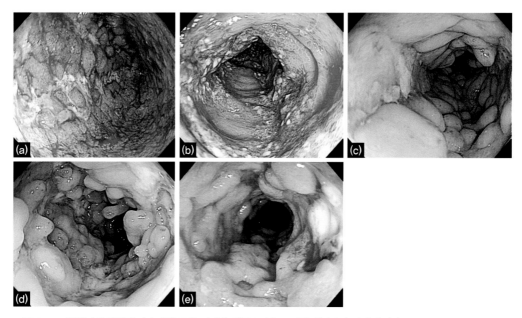

그림 3 · **크론병과의 감별점**   (a) 궤양 주위 점막에 염증소견을 동반한다(궤양성 대장염). (b) 궤양사이에서 정상 점막이 있다(허혈 대장염). (c) 궤양 주위 점막은 염증소견이 없다(크론병). (d) 크론병에서 볼 수 있는 조약돌 점막상, 염증폴립 모양이지만, 각각의 융기가 뚜렷하다.

❷ 염증폴립

✓ 크론병의 조약돌 점막상과 감별해야 한다. 폴립 표면에 염증을 동반하는 것이 감별점
이다(그림 3d, e).

🔍 감별진단의 포인트

▶ 미만성 병변이 보이면 항상 궤양성 대장염일 가능성을 생각하면서, 비전형적인 소견을 찾도록 유의
한다. 감별점을 표 1에 나타냈다[2].

▶ 궤양, 미란에서는 그 형태(세로, 가로, 지도상), 주위 점막의 상태(주위의 발적, 부종 등의 염증소견,
염증폴립의 유무)를 관찰하고, 또 병변의 배열 방향, 규칙성의 유무, 연속성인지 비연속성인지, 대칭
적인지 편측성인지 등을 점검한다.

▶ 전체적 병변의 확대와 분포(이환범위와 부위)도 매우 중요하다.

▶ 비전형적인 소견을 보는 포인트는 비대칭성 요소의 유무, 궤양의 가장자리 점막의 상태, 치료력, 약
제복용력도 참고가 된다. 치료에 관해서는 감염증이 배제할 때까지는 5-aminosalicylate제제나 스
테로이드의 사용은 피해야 한다.

▶ 감별진단에는 국소병변뿐 아니라, 병변의 확대나 연속성의 유무에 관한 정보도 중요하다. 궤양성
대장염에서는 일반적으로 직장병변을 시작으로 하며, 근위부결장에 걸쳐서 연속성으로 병변이 있
는 것이 특징적이다.

▶ 드물게 궤양성 대장염에서도 중증례인 경우나, 스테로이드의 관장요법 중인 경우는 직장병변이 경
미한 경우도 있다. 또 세균성 장염에서 병변이 미만성으로 분포하는 것 같아도 일부에 정상 점막이
있는 경우가 있으므로, 상세한 관찰이 중요하다. 또 병리진단만으로 궤양성 대장염이라고 진단해서
는 안된다. 음와농양이나 배세포의 소실은 감염 대장염에서도 볼 수 있어 특이적 소견이 아니다.

표 1　궤양성 대장염과 감별을 요하는 감염 대장염

	호발부위	내시경적 특징	진단
아메바 대장염	직장 · 맹장	낙지빨판 같은 융기 지저분한 백태 융기 주위의 흰색반점	대변검사
캄필로박터 대장염	직장~맹장 회맹판	미란, 발적반 회맹판에의 얕은 궤양	대변배양 닭고기 섭취
병원성 대장균 대장염	직장~맹장	심한 부종, 허혈성 변화	대변배양 대변중 균항원검출 키트
MRSA대장염	대장 전역 (우반결장 주체)	미란, 발적, 부종, 궤양	대변배양
세균이질	직장~S상결장	미란, 발적, 부종, 궤양	대변배양
살모넬라 장염	직장에는 병변이 없는 경우가 많다.	미란~깊은 궤양	대변배양 계란 섭취

(문헌1에서 개편)

표 2　소장에서 미만성 염증을 일으키는 질환

1. 염증성 질환 :
   크론병, 장결핵, 비스테로이드 소염제 기인성 소장염, 허혈 소장염, 방사선 소장염, 호산구 소장염, 세균 소장염
   (살모넬라, 캄필로박터, 예르시니아), Whipple병
2. 종양성 질환 :
   소장병증형 T세포 림프종
3. 전신 질환의 소장침범 :
   Cronkhite–Canana증후군, 유전분증, 교원병(SLE, PSS), 혈관염 증후군(헤노흐 쉔라인 자색반, Churg–Strauss
   증후군), 이식편대숙주병, 문맥압항진증성 소장증

(飯田三雄 : 소장질환진료의 진행법. 일임 66 : 1246–1252, 2008에서 개편)

C | 소장의 미만성 염증

- 이중풍선 소장내시경검사(double-balloon enteroscopy : DBE)의 보급으로, 소장에도 미만성 염증을 일으키는 질환이 존재한다는 것이 밝혀졌다.
- 표 2에 대표적인 질환을 열거하였다. 본원에서 경험한 두 증례를 제시하였다.

❶ 증례① : 방사선 소장염 (그림 4)

- 방사선 소장염 중에서 방사선조사에 의한 장관장애가 몇 년 후에 발병하는 만성장애는 동맥내막염에 의해 혈전이 형성되어 장관벽의 미세순환장애에 동반하는 비가역적인 미만성 염증을 일으키는 수가 있다.
- 그림 4는 혈변을 주증상으로 내원하였고 15년 전에 자궁경부암으로 방사선치료를 받은 과거력이 있는 78세 여성의 이중풍선 소장내시경 소견이다.
- 이중풍선 소장내시경에서는 회장에 가로경향이 있는 궤양을 확인하고, 같은 부위는 협착을 동반하고 있다. 또 구측 점막은 미만성으로 섬모의 종대를 확인할 수 있다.
- 본 증례는 내과적 치료에 효과가 없었던 혈변을 치료하기 위해 소장절제술이 시행되었다. 병리조직에서 동맥벽내막 비후와 특징적인 이상핵이 있는 기괴한 섬유아세포가 보여서, 방사선 소장염에 합당한 소견이었다.

❷ 증례② : 소장병증형 T세포 림프종 (그림 5, 6)

- 전신의 부종을 주소로 입원, 저단백혈증이 있었다. 단백누출 신티그라피에 의해 소화관에서 단백누출을 확인하고, 단백누출성 소장병증의 진단하에 이중풍선 소장내시경 검사를 시행, 상부공장에서 Kerkring주름의 종대와 미세과립상 점막을 확인하였다. 또 얕은 궤양이 산재되어 있음을 확인하였다.
- 병리조직학적 검사에서 점막내에서 대형 이형림프구의 미만성 증식을 확인하고, 면역조직학적 검사에서 CD3양성세포의 미만성 침윤을 확인하여 소장 T세포 림프종으로 진단하였다.
- 소장 T세포 림프종 중 본 증례처럼 장기간 설사나 흡수불량을 나타내는 형태는 소장병증 T세포 림프종이라고 하며, 종종 천공을 일으켜 예후가 불량하다.
- 확립된 치료법은 없지만 조혈모세포이식을 이용하는 고용량항암요법이 고려된다[3].

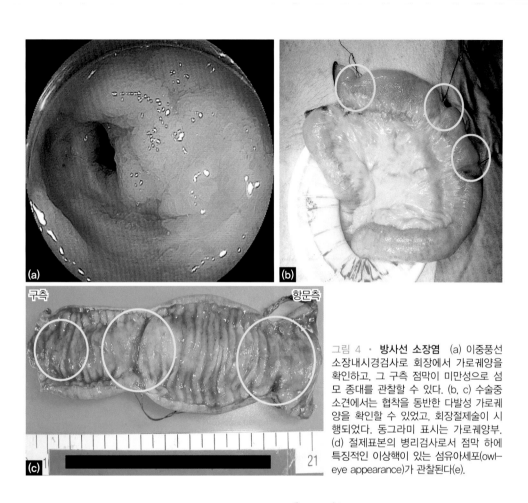

그림 4 · **방사선 소장염** (a) 이중풍선 소장내시경검사로 회장에서 가로궤양을 확인하고, 그 구측 점막이 미만성으로 섬모 종대를 관찰할 수 있다. (b, c) 수술중 소견에서는 협착을 동반한 다발성 가로궤양을 확인할 수 있었고, 회장절제술이 시행되었다. 동그라미 표시는 가로궤양부. (d) 절제표본의 병리검사로서 점막 하에 특징적인 이상핵이 있는 섬유아세포(owl-eye appearance)가 관찰된다(e).

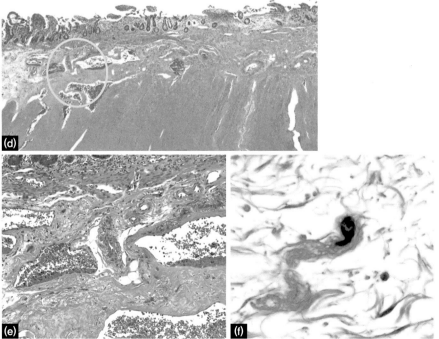

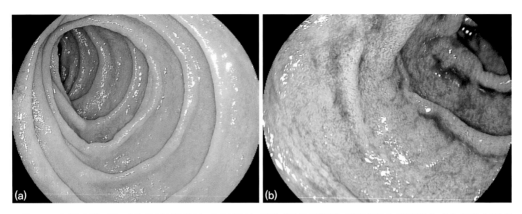

그림 5 · **T세포 림프종** (a) 상부공장에서 미만성으로 미세과립상 점막과 주름종대가 관찰된다. (b) 같은 부위의 indigocarmine 도포상

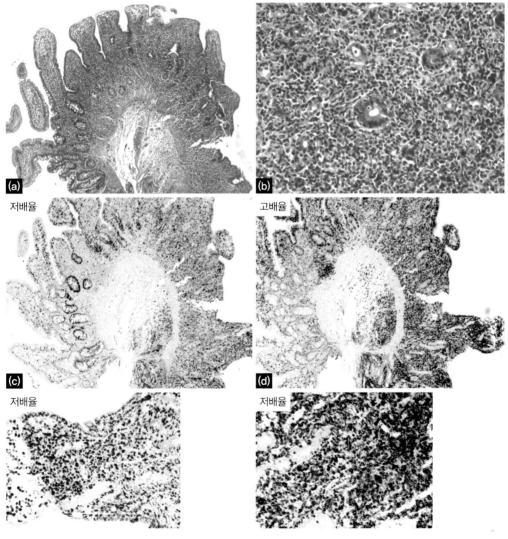

그림 6 · **T세포 림프종의 병리소견** (a) 생검병리소견에서 점막 내에 작은 크기 내지 중간 크기의 이형림프구의 미만성 증식을 확인한다. (b) a의 고배율소견. 병리면역조직학적 검사에서 Ki–67 양성(c), CD3양성세포(d)의 미만성 점막침윤을 확인할 수 있다.

문헌

1) 国崎玲子ほか：UC と感染性腸炎の鑑別診断. 消内視鏡 **20**：1213-1220, 2008
2) 大川清孝：赤痢アメーバ感染症. 感染性腸炎 A to Z, 大川清孝ほか（編）, pp128-139, 医学書院, 東京, 2008
3) 中村昌太郎ほか：悪性リンパ腫. 小腸疾患の臨床, 八尾恒良ほか（編）, pp340-351, 医学書院, 東京, 2004

02 세로궤양

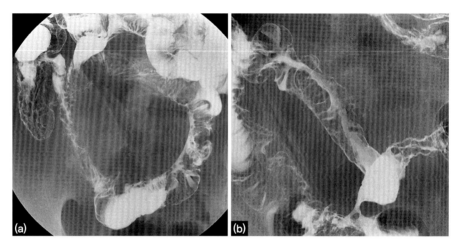

그림 1 · **크론병①**　(a) 회장에 세로궤양(측면상). 원위부에 협착을 동반하고 있다. (b) 회장에 세로궤양(정면상). 주변에 조약돌 점막상, 누공이 보인다.

질 | 환 | 개 | 념

- 세로궤양은 장관의 장축방향으로 뻗어 있는 4~5 cm를 넘는 궤양이라고 정의하지만, 일반적으로 더 짧은 병변에도 사용한다.

- 크론병의 진단기준(안)[1]에서, 세로궤양과 조약돌 점막상이 주요소견으로 되어 있으며, 타 질환을 제외하면, 단독으로 확진이 가능한 매우 중요한 소견이다.

- 또 세로로 배열하는 미란이나 작은 궤양도 크론병에 특징적이며, 크론병의 진단기준(안)에는 부소견에 해당된다.

A | 소장의 세로궤양

- 소장에 병변이 보이는 크론병 증례의 90% 이상에서 세로궤양이 보이며, 소장에 세로궤양이 보이는 질환의 95% 이상은 크론병이다[2].

- 허혈 소장염의 전형상은 전주성 궤양에 의한 장관 협착이지만, 1.5~6%에서 세로궤양이 보인다[2, 3].

- 베체트 장염, 단순 궤양에서도 드물게 세로궤양을 동반하기도 한다.

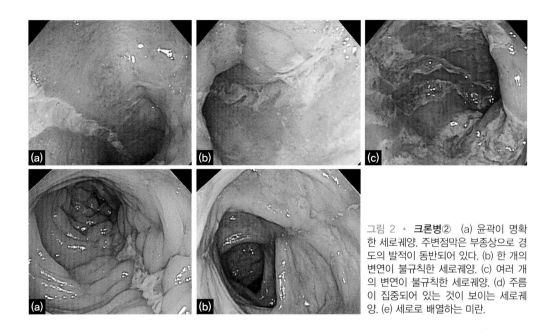

그림 2 · **크론병②**   (a) 윤곽이 명확한 세로궤양. 주변점막은 부종상으로 경도의 발적이 동반되어 있다. (b) 한 개의 변연이 불규칙한 세로궤양. (c) 여러 개의 변연이 불규칙한 세로궤양. (d) 주름이 집중되어 있는 것이 보이는 세로궤양. (e) 세로로 배열하는 미란.

🔍 감별진단의 포인트

▶ 세로궤양이 발생하는 부위는 크론병(그림 1, 2)은 장간막 부착측인데 반해서, 허혈 소장염, 베체트 장염, 단순 궤양에서는 장간막 부착 반대측이다[2].

B | 대장의 세로궤양

- 대장에서 세로궤양이 보이는 질환에는 크론병(그림 2), 허혈 대장염(그림 3), 폐색 대장염, 교원질성 대장염(그림 4)이 대표적이다.

- 세로궤양은 종종 결장뉴(Taenia coli)를 따라 분포하지만[2], 그렇지 않은 경우도 적지 않다.

- 세로궤양이 보이는 빈도는 크론에서 50~60%, 허혈 대장염에서 50% 정도, 폐색 대장염에서 60% 정도, 궤양성 대장염(그림 5)에서 10% 정도, 교원질성 대장염에서 15% 정도[4]이다.

- 장간막 지방층염에서도 경과 중에 허혈성 변화를 보이며 세로궤양이 보인다.

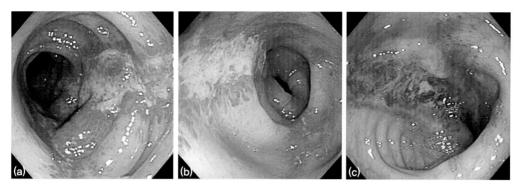

그림 3 • **허혈 대장염**　(a) 세로미란과 부종에 의한 팽륭(일과성형 증례). (b) 세로미란(일과성형 증례). (c) 깊은 세로궤양 (협착형).

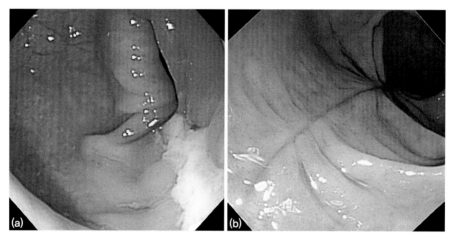

그림 4 • **교원질성 대장염**　(a) 세로궤양. 경계가 선명하고 예리하며 발적은 보이지 않는다. (b) 세로궤양 반흔

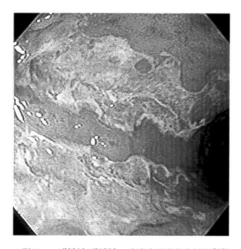

그림 5 • **궤양성 대장염**　가장자리점막이 불규칙한 세로궤양. 궤양사이의 점막에는 발적, 미란이 보인다.

감별진단의 포인트

▶ 세로궤양이 관찰될 경우 궤양의 위치, 궤양의 윤곽이 주변과 뚜렷이 구분되는지 여부, 궤양의 깊이, 궤양의 가장자리점막에 발적 유무, 주변점막에 염증소견이나 염증폴립의 유무에 주목하는 것이 중요하다.

▶ 궤양의 발생부위는 허혈 대장염에서는 대부분이 구불결장과 하행결장의 좌측결장이며, 크론병에서는 결장의 어느 부위에서나 볼 수 있다. 궤양성 대장염에서는 하행결장, 횡행결장에서 빈도가 높다. 교원질성 대장염에서는 구불결장~횡행결장에 호발하지만, 이미 치유되어 반흔만 관찰되는 경우가 많다.

▶ 궤양의 윤곽이 가장 명료하고 직선적인 것은 교원질성 대장염에서 보이는 세로궤양이며, 발생기전은 점막열상이다. 크론병에서는 비교적 윤곽이 명료하지만 교원질성 대장염과 같이 직선적이 아니라, 가는 부정이나 튀어나온 백태가 보인다. 궤양성 대장염에서 보이는 세로궤양도 비교적 윤곽이 명료하다. 허혈 대장염에서는 깊은 세로궤양 이외는 윤곽이 명료하지 않으며, 특히 발병 초기에는 이 경향이 현저하다.

▶ 궤양이 깊은 것은 크론병, 교원질성 대장염이다. 허혈 대장염에서는, 혈관인자 우위의 협착형으로 이행되는 병변에서는 비교적 깊은 궤양을 형성하지만 빈도가 높은 일과성형에서는 통상 미란정도이며, 급성기에는 부종이 심하여 백태부분이 부풀어 올라 보인다. 궤양성 대장염에서도 세로궤양이 비교적 얕은 것이 많다.

▶ 주변점막의 소견으로, 크론병에서는 부종이 보이지만 발적이나 미란은 그다지 보이지 않는다. 교원질성 대장염에서도 경도의 부종을 동반하는 정도로 염증소견의 동반이 현저하지 않다. 허혈 대장염, 폐색 대장염, 궤양성 대장염에서는 주변점막에 발적, 미란을 수반하는데, 허혈 대장염에서는 궤양 주위의 발적이 현저하다.

▶ 치유 과정에서 염증폴립의 유무도 감별하는 데에 중요하다. 크론병에서는 궤양의 가장자리점막에 표면이 매끈하고 둥근 염증폴립(조약돌 모양의 소견)을 동반하는 경우가 많으며, 궤양성 대장염에서도 염증폴립이 보인다. 허혈 대장염, 폐색 대장염, 항생제에 의한 급성 출혈 대장염에서는 치유과정에서 염증폴립이 보이지 않는다.

▶ 살모넬라 장염, 병원성 대장염, O157 대장염, 항생제에 의한 급성 출혈 대장염에서도 때로 세로궤양이 합병되지만, 주된 병변의 형태나 부위에 의해서 타질환과의 감별이 문제가 되는 경우는 적다. 그밖에 드물게 세로궤양을 형성하는 질환에는 캄필로박터 대장염, 예르시니아 장염, 아메바 대장염, 장결핵 등이 있는데 이 질환들에 관해서도 마찬가지이다.

문헌

1) 八尾恒良：Crohn 病診斷基準（案）. 厚生省特定疾患難治性炎症性腸管障害調査研究班（班長：武藤徹一郎）, 平成 6 年度業績集, pp63-66, 1995
2) 渡辺英伸ほか：炎症性腸疾患の病理学的鑑別診断. 胃と腸 **25**：659-682, 1990
3) 小林正明ほか：虚血性腸病変の病理形態分類. 胃と腸 **28**：913-925, 1993
4) 松原亜季子ほか：Collagenous colitis—日本症例の特徴. 病理と臨 **26**：823-832, 2008

03 조약돌 점막상
(敷石像 : cobblestone appearance)

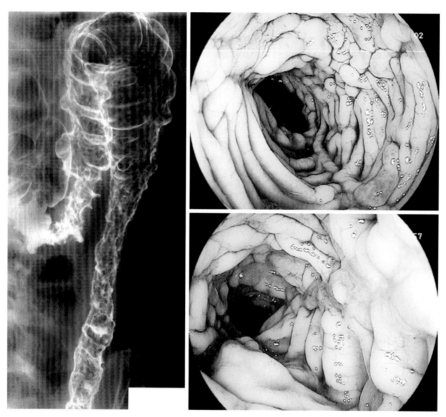

그림 1 · **세로궤양이 반흔화된 크론병의 조약돌 점막상** 세로궤양의 대부분이 반흔화된 넓은 의미의 조약돌 점막상이다.

질 | 환 | 개 | 념

- 크론병의 진단기준으로서 주요 소견 세 항목 중의 하나이다.

- 어원은 육안적으로 큰 돌 주위에 작은 돌을 깔아 놓은 보도(cobblestone road)에서 유래하며, 5~10 mm 크기의 반구상 융기가 집합된 상태가 이 모양과 유사하다는 점에서 조약돌 점막상(cobblestone appearance)이라고 호칭한다[1](그림 2).

- 서로 크기가 다른 난원형이 밀집된 점막융기로 표면은 비교적 매끈하며, 주위 점막도 가지런하다. 급성악화기를 제외하면 발적 등 점막면의 염증소견이 경도이며, 내시경에서 창백한 색조를 나타낸다.

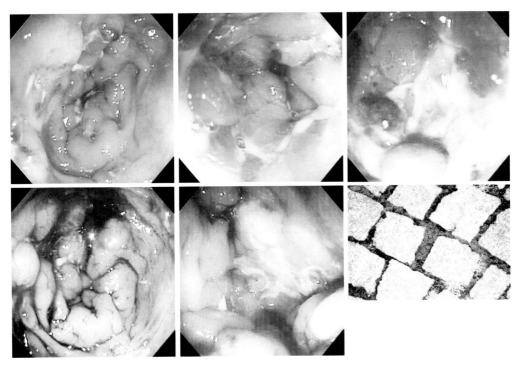

그림 2 • **조약돌 점막상의 내시경사진과 유럽에서 볼 수 있는 조약돌 길**   진짜 조약돌 길은 돌 모양이 조금 더 둥글다.

- 높이가 낮은 조약돌 모양의 점막융기는 다발성의 세로궤양과 열구로 구분되어 남은 부종의 점막이나 또는 점막 아래의 부종, 세포침윤, 점막근판의 섬유화 등의 염증성 변화에 의한다. 종대된 점막벽의 분단에 의해서 형성된 것이다.

- 좁은 의미로는 병변의 활동기에만 나타나고, 매끈한 반구상 또는 둥근 조약돌 모양의 융기가 구역성으로 점막을 덮듯이 모여있는 속에 이중조영바륨관장술, 내시경검사에서 활동성 궤양을 확인하는 것을 조약돌 점막상이라고 하며, 염증폴립과는 다른 것이다[2].

- 세로궤양을 지적할 수 없을 정도의 조약돌 점막상은 크론병에서 특이적이며, 치유, 또는 자연 쇠퇴로 조약돌 점막상이 소실되면 세로궤양이나 세로궤양 반흔이 관찰된다 (그림 1).

- 조약돌 점막상은 협착 등의 합병증의 발생을 예측하는 중요한 소견이다[3](그림 3).

- 절제표본상에서는 조약돌 점막상보다도 염증폴립증의 형태가 많은 점, 그 원인도 조약돌 점막상과 같다는 점에서, 염증폴립이 구역성으로 밀집해 있으면 유경성이라도 넓은 의미에서는 "조약돌 점막상"에 포함된다는 설도 있다[4].

- 넓은 의미의 조약돌 점막상(조약돌 점막상 · 염증폴립증 병변)은 ① 조약돌 점막상 ② 조약돌 점막상과 염증폴립증 ③ 염증폴립증의 세 군으로 나누어진다[3].

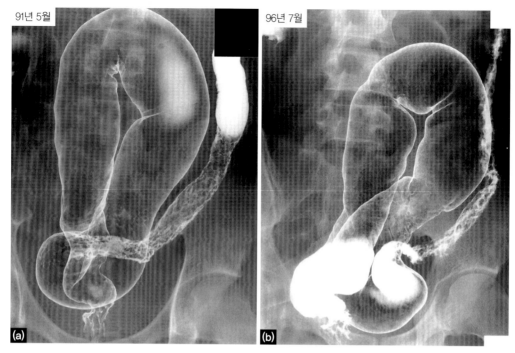

그림 3 · **조약돌 점막상의 경과**   (a) 첫 회 이중조영바륨관장술 구불결장부터 하행결장에서 조약돌 점막상이 관찰된다. (b) 첫 회 검사에서 5년 후의 이중조영바륨관장술. 조약돌 점막상이 보이는 부분의 현저한 협착을 확인할 수 있다.

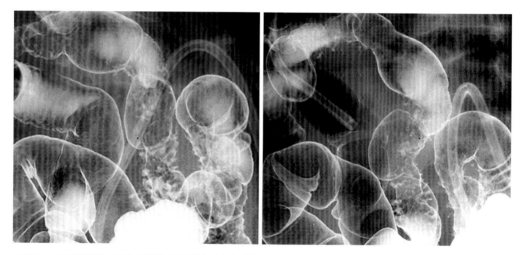

그림 4 · **크론병에서 소장의 조약돌 점막상(내시경적 역행성 이중회장조영술)**   빈도는 높지 않지만, 활동기에 회장에서 조약돌 점막상을 확인한다.

A | 소장의 조약돌 점막상

- 크론병에서 소장에 전형적인 조약돌 점막상이 나타나는 빈도가 매우 적지만, 다른 소장질환에서 조약돌 점막상의 병변을 나타내는 질환이 적어서, 소장의 조약돌 점막상은 본증 특유의 소견이다(그림 4).

- 심한 궤양이나 편측성 변형을 동반하므로 다른 질환과의 감별이 비교적 용이하다.

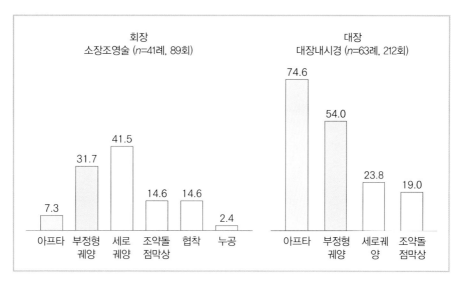

그림 5 · **크론병에서 각 소견의 출현빈도(%)**　소장 조영술검사에서 조약돌 점막상이 보이는 빈도는 14.6%이며, 대장에서는 19.0%이다.

B │ 대장의 조약돌 점막상

- 염증폴립증이라도 구역성으로 정상 점막이 보이지 않을 정도로 밀집된 조약돌 점막상은 다른 질환에서 확인되는 경우가 적어서, 크론병의 특징적인 병변이다.
- "조약돌 점막상"은 infliximab 등, 각종 치료로 치유되고 여러 가지 크기의 염증폴립증으로 변한다. 그리고 그 양상도 다양하다.
- 그림 5는 소장, 대장에서 볼 수 있는 조약돌 점막상의 빈도이다.

감별진단의 포인트

- ▶ 조약돌 점막상은 소장·대장의 활동기 크론병의 특징이지만, 염증폴립증을 나타내는 질환과의 감별이 중요하다.
- ▶ "조약돌 점막상"은 infliximab 등, 각종 치료로 치유된 후, 여러 가지 밀도의 염증폴립증으로 변한다 (그림 6).
- ▶ 크론병에서 볼 수 있는 조약돌 점막상에서는 세로궤양을 동반하거나, 융기의 배열이 "종(縱 : 세로)의 요소"를 나타내는 경우가 많다. 영상소견에서 세로의 요소에 주목한다.
- ▶ 궤양성 대장염이나 장결핵의 염증폴립증에서는 통상 키가 크고, 병변의 시작이 명확하고, 형태도 기생충(worm like) 또는 실모양(filiform)을 나타내며 불규칙한 배열인 경우가 많다(그림 7).
- ▶ 그 밖에 폴립증에 경화상을 동반하는 병변에서는 조약돌 점막상과의 감별이 필요하다(그림 8).
- ▶ 소장병변에서는 예르시니아 장염이나 장결핵에서 조약돌 점막상 같은 병변이 보이기도 하지만, 모두 Peyer판과 일치하여 소견이 확인되어, 세로궤양을 동반하는 크론병의 조약돌 점막상과는 다르다.

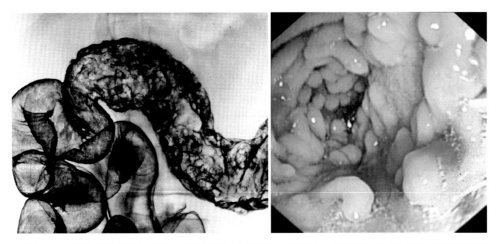

그림 6 · **크론병의 염증폴립증** 넓은 의미의 조약돌 점막상으로 분류된다고 생각할 수 있지만, 활동성이 전혀 없어 염증폴립증이라고 하는 것이 타당하다.

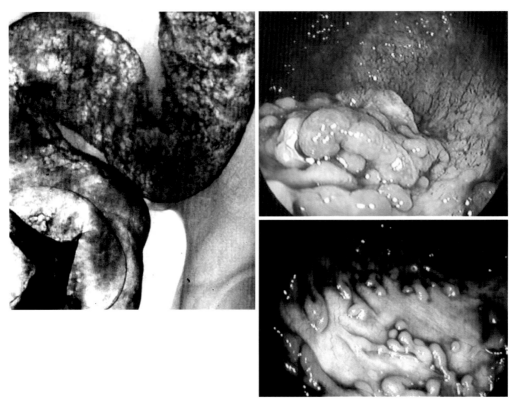

그림 7 · **궤양성 대장염의 염증폴립증** 형태는 기생충모양으로 높이가 높고, 세로의 요소가 없으며, 폴립증의 주위 점막이 반흔에 의한 위축성이어서 감별이 가능하다.

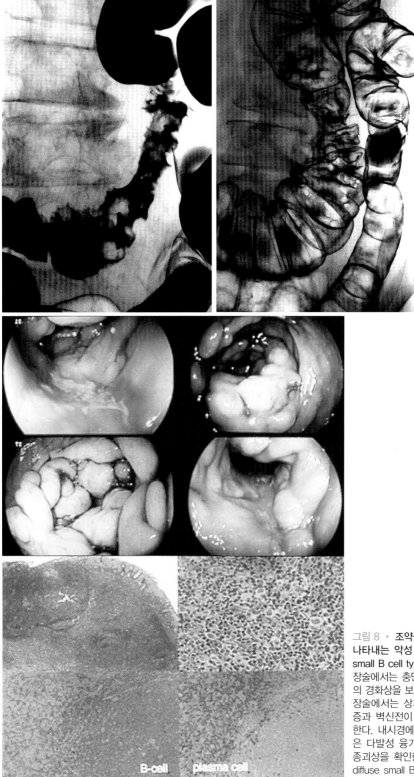

그림 8 · **조약돌 점막상같은 소견을 나타내는 악성 림프종 증례(diffuse small B cell type)** 이중조영바륨관장술에서는 충만상으로 폴립증과 벽의 경화상을 보인다. 이중조영바륨관장술에서는 상피하 종양 같은 폴립증과 벽신전이 양호한 종괴를 확인한다. 내시경에서는 상피하 종양 같은 다발성 융기와 궤양을 동반하는 종괴상을 확인한다. 조직학적으로는 diffuse small B cell type의 악성 림프종이었다.

One Point advice

- 이중조영바륨관장술에서 나타나는 병변은 심한 관강 협착으로, 내시경으로 관강 내면을 충분히 관찰할 수 없는 경우가 종종 있다. 또 관찰할 수 있어도 부종에 의한 융기 때문에 궤양이 덮혀서, 선상 궤양이 잘 보이지 않으므로, 조약돌 점막상의 내시경 진단에는 주의를 요한다.
- 조약돌 점막상과 함께 크론병의 특징의 하나인 누공은 세로궤양이나 작은 궤양과는 달리, 내시경으로는 인식하기 힘든 소견이므로 주의해야 한다.
- 내시경검사만으로는 극히 작은 범위의 염증폴립증을 조약돌 점막상이라고 오진하는 경우가 있는데, 이 경우 「세로궤양의 요소의 유무」에 주의하는 것이 중요하다.
- 조약돌 점막상이 의심스러운 경우에는 적극적으로 이중조영바륨관장술을 병용하면, 타 질환과의 감별이 용이하다.

문헌

1) 牛尾恭輔 : Cobblestone appearance. 胃と腸用語辞典, 胃と腸編集委員会 (編), 医学書院, 東京, p123, 2002
2) 青柳邦彦ほか : 大腸敷石像─他疾患の炎症性ポリポーシスとの鑑別を含めて. 胃と腸 **31** : 479-491, 1996
3) 飯田三雄ほか : Crohn 病の長期経過─初診時 X 線所見からみた合併症出現の予測. 胃と腸 **26** : 613-626, 1991
4) 渡辺英伸ほか : クローン病の病理. 胃と腸 **13** : 351-373, 1978

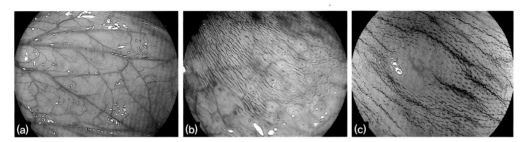

그림 1 · **크론병에서 볼 수 있는 대장아프타①**   (a) 발적을 동반하지 않는 아프타. 경도로 발적된 2 mm 정도의 다발성 작은 미란을 확인한다. (b) 같은 부위의 indigocarmine 도포상. 작게 부풀어 오르고, 중심에서 미세한 점막결손을 확인할 수 있다. (c) b의 확대상

질 | 환 | 개 | 념

- 원형 내지 난원형의 백태가 있는 궤양으로 그 주위를 발적이 둘러싸는 병변을 말하며, 구강점막에 호발한다.

- 병리학적으로 장점막의 림프여포의 과형성에 생기는 궤양 · 미란이며, 병변의 크기는 몇 mm인 경우가 많다.

- 여러 질환에서 다양한 형태를 취하는 아프타가 상하부 소화관에 보이기도 한다(그림 2).

- 일본의 후생노동성 회의에서 결정된 크론병의 진단기준(안)(표 1) 중에서 부소견에 포함되어 있다.

- 크론병의 아프타는 크기가 커지고 합쳐지면서 세로궤양이나 조약돌 점막상 등의 전형적인 병변으로 진전되기도 하는데, 모양이 변하지 않고 남아있는 경우도 있고 치료로 소실되기도 하여 경과가 다양하다.

- 아프타만으로 이루어지는 대장병변에서 진단상 특기할 만한 것은, 높은 빈도로 상부 소화관에서도 유사한 병변이 관찰되므로 상부위내시경은 크론병의 감별에 유용한 검사가 된다.

- 크론병에도 여러 형태의 아프타가 존재한다(그림 1, 3). 크론병의 아프타 중에는 전형적 아프타 병변으로 이행되는 진짜 초기 병변과 크론병이라는 병태에 부수적으로 발생하여 전형적 병변으로는 이행되지 않는 병변이 포함되어 있을 수도 있다.

- 크론병의 수술 후에는 문합부의 소장측에 아프타가 출현하기도 하여 수술 후 재발의 초기병변이라고 생각된다. infliximab 등을 수술 후에 사용함으로써 이러한 아프타의 출현을 예방할 수 있다. 대장의 아프타 병변이라는 용어의 정의는 그다지 명확하지

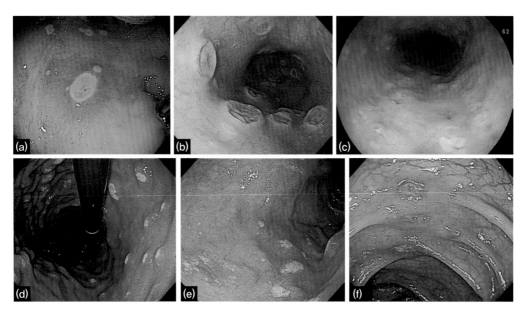

그림 2 · **여러 질환에서 볼 수 있는 소화관 아프타** (a) 구강내에서 볼 수 있는 아프타(베체트병). (b) 식도에서 볼 수 있는 불규칙한 배열의 아프타(Wegener 육아종증). (c) 식도에 세로로 배열하는 아프타(크론병). (d) 위에 세로로 배열경향이 있는 아프타(크론병). (e) 십이지장에서 볼 수 있는 세로로 배열 경향이 있는 아프타(크론병). (f) 대장에 세로로 배열경향이 있는 아프타(크론병)

표 1 **일본의 크론병 진단기준**

1. 주요소견
    a. 세로궤양
    b. 조약돌 점막상
    c. 비건락성 유상피세포육아종
2. 부소견
    a. 세로로 배열하는 부정형 궤양 또는 아프타
    b. 상부 소화관과 하부 소화관의 양자에서 확인하는 부정형 궤양 또는 아프타

확진례 : ① 주요소견 a 또는 b가 있는 것.
        ② 주요소견 c와 부소견 중의 하나가 있는 것.
의증례 : ① 부소견 중의 하나가 있는 것.
        ② 주요소견 c만 있는 것.
        ③ 주요소견 a 또는 b가 있지만, 허혈 대장염, 궤양성 대장염과 감별할 수 없는 것.
[크론병 진단기준 (안). 후생노동성 특정질환 난치성 염증성 장관장애에 관한 조사연구반(반장 : 武藤徹一郎). 1996년도 연구업적집. p.63~p.66. 1995에서 인용]

않지만, 아프타와 유사한 병변을 다소 폭넓게 취하는 병변으로 대부분은 5 mm 이하로 미란에서 소궤양까지 포함되며, 대부분의 장염에서 출현한다.

- 아프타 대장염은 하나의 질환단위를 나타내는 용어이며, 아프타 병변은 내시경소견을 나타내는 용어이다. 양자를 혼동해서는 안된다.
- 아프타 병변은 궤양성 대장염이나 크론병의 초기병변일 가능성이 시사되며, 전형적인 병변으로 이행례가 있다. 마쓰모토(松本)팀은 형태에 따라서 표 2, 그림 4와 같이 분류하고, 크론병에서는 III형 내지 IV형 아프타가, 궤양성 대장염에서는 II형 아프타가 확인되는 경우가 많다고 보고하였다[1].

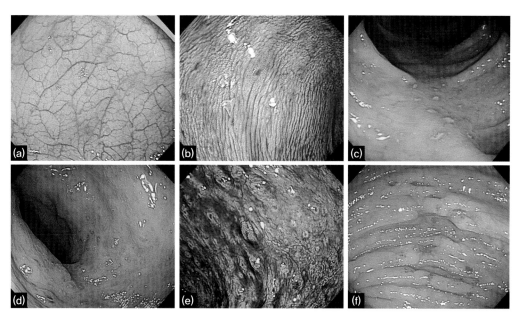

그림 3 · **크론병에서 볼 수 있는 대장 아프타②** (a) 발적을 동반하는 아프타. (b) 같은 부위의 indigocarmine도포상. (c) 세로로 배열한 밀집된 아프타. (d) 경도의 융기를 동반하는 아프타. (e) 같은 부위의 indigocarmine 도포상. (f) 백태를 수반하지 않는 작은궤양

표 2 **대장에서 보이는 아프타 병변의 형태분류**

Ⅰ형 : 중심에 작은 함몰이 있는 작은융기(림프여포성 작은융기)
Ⅱ형 : 대형 림프여포성 융기
Ⅲ형 : 발적을 동반하는 작은 흰점
Ⅳ형 : 백태를 동반하는 작은 궤양

(문헌1에서 인용)

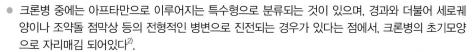

One point advice

- 크론병 중에는 아프타만으로 이루어지는 특수형으로 분류되는 것이 있으며, 경과와 더불어 세로궤양이나 조약돌 점막상 등의 전형적인 병변으로 진전되는 경우가 있다는 점에서, 크론병의 초기모양으로 자리매김 되어있다[2].
- 마쓰모토(松本)팀이 보고하였듯이 림프여포성 Ⅱ형 아프타는 궤양성 대장염의 초기병변일 가능성이 있어서, 이 점을 염두에 두고 경과를 관찰해야 한다.
- 어쨌든 아프타는 형태가 변화하는 병변이므로, 아프타를 보면서 경과를 관찰하는 것이 중요하다.
- 아프타만으로 이루어지는 크론병의 치료에 관해서는 총정맥영양(TPN, Total parenteral nutrition)으로 첫 치료를 함으로써 전형적인 병변으로 진전을 예방할 수 있다는 보고도 있지만, 아직 일정한 견해는 없다. infliximab 투여의 보고도 보이지만 재발례의 보고도 있다.
- 크론병 이외의 질환에서 보이는 아프타의 대부분은 비교적 크기가 작고 평탄하며, 주위에 발적을 동반하지만, 크론병에서는 크기가 비교적 크고 주위에 발적을 동반하지 않는 백색의 아프타가 나타나는 경우가 많다.

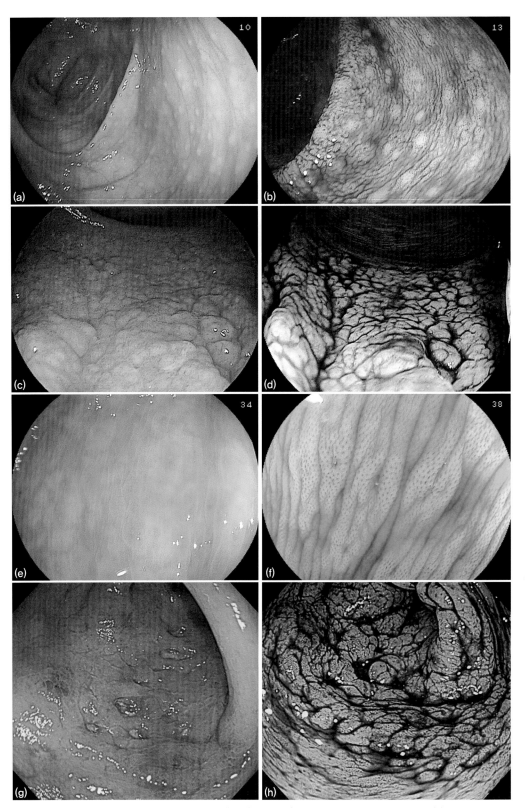

그림 4 · **대장에서 볼 수 있는 아프타 병변(마쓰모토(松本)팀의 분류)**   (a) Ⅰ형. 림프여포성 작은융기. (b) Ⅱ형. 대형 림프
여포성 융기. (c) Ⅲ형. 발적을 동반하는 작은 흰점. (d) Ⅳ형. 백태를 동반하는 작은 궤양

표 3	아프타 감별의 포인트(전형적인 소견)

1. 발적 : 발적을 동반하는 대부분의 경우는 아프타 대장염이나 궤양성 대장염
2. 미란 : 농 같은 지저분한 인상을 수반하는 경우는 아메바 대장염
3. 배열 : 가로배열은 장결핵, 세로배열은 크론병
4. 형태 : 대형 림프여포성 융기는 궤양성 대장염의 초기소견

(문헌3에서 인용)

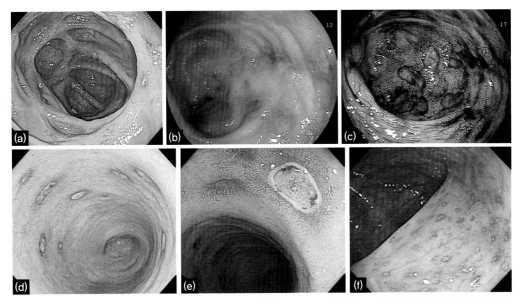

그림 5 · **크론병 이외의 질환에서 볼 수 있는 대장 아프타**   (a) 장결핵. 아프타가 가로로 배열되어 있다. 주위에 반흔과 작은 염증폴립을 동반한다. (b) 아메바 대장염. 삼출액은 농으로 지저분하다. (c) 같은 부위의 indigocarmine 도포상. (d) 베체트 장염에서 보이는 결장 아프타. (e) 같은 증례의 아프타 근접상. 경계가 명확하고, 주위의 발적도 심하다. (f) 궤양성 대장염. 발적을 동반하는 작은 아프타가 다발성으로 산재해 있다.

감별진단의 포인트

▶ 다른 대장병변에서도 여러 가지 아프타 병변이 존재하여 질환의 감별에 중요한 의의를 가진다. 감별점은 아프타 형태나 배열, 경과 관찰이며, 요점을 표 3에 정리하였다[3].

▶ 약제유발 대장염에서는 원형 내지 타원형, 세균성 대장염에서는 부정형인 경우가 많다. 위막성 대장염에서는 위막의 형성 전, 또는 치유과정에서 나타나기도 한다. 장결핵에서 보이는 아프타는 장관의 가로방향으로 윤상으로 배열되는 경우가 많다(그림 5).

▶ 아메바 대장염에서는 배열이 불규칙하고, 지저분한 농성 점액의 부착이나 주변보다 융기된 백태를 확인하는 경우가 많다(그림 5).

▶ 예르시니아 대장염에서도 아프타 배열이 불규칙하고, 회맹부에 국한되어 크론병과의 감별점이 된다.

질환에|관한|데이터

✓ 위에서 기술하였듯이 직장의 II형 아프타는 궤양성 대장염의 초기병변으로 인식해야 한다.

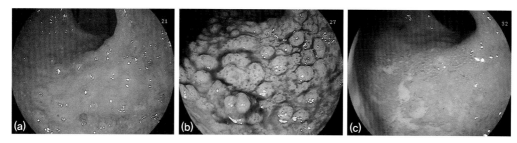

그림 6 · Ⅱ형 아프타에서 전형적인 궤양성 대장염으로 진행된 증례   (a) 직장에 다발성 융기된 림프여포가 관찰된다. (b) indigocarmine 도포로 소융기의 정상에 함몰을 확인할 수 있다. (c) 3년 후. 혈관상의 소실. 미만성으로 작은미란으로 변화하여, 궤양성 대장염에 합당한 내시경소견으로 변화하였다.

    ✓ 구미에서는 LFP(lymphoid follicular proctitis)라 불리는 만성 지속성 직장림프여포과형성이 보고되어 있다. 이것은 1988년에 Flejou팀에 의해 처음으로 보고된 것으로, 이 중 약 반수의 증례는 조직소견이나 치료경과에서 궤양성 대장염에 합당한 증례였다.

    ✓ 본 연구팀도 직장에서 소름돋는 듯한 모양의 비교적 균일한 림프여포성 융기를 보이는 증례를 여러 번 경험하였지만, 대부분의 증례에서 미세과립상 점막으로 변화하여 궤양성 대장염 전형적인 소견으로 이행되었다(그림 6).

문헌

1) 松本主之ほか : Crohn 病と潰瘍性大腸炎における大腸初期病変の比較. 胃と腸 **40** : 885-894, 2005
2) 平井郁仁ほか : アフタ様病変のみから成る Crohn 病の長期経過. 胃と腸 **40** : 895-910, 2005
3) 五十嵐正広 : アフタ・びらん. 内視鏡診断のプロセスと疾患別内視鏡像, 田中信治ほか (編), pp132-138, 日本メディカルセンター, 東京, 2005

다발성 원형·부정형 05 궤양

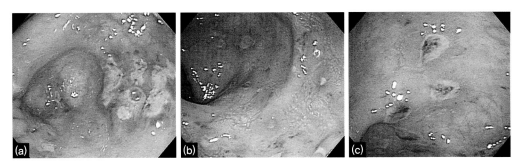

그림 1 · **아메바 대장염** 맹장에 다발성 발적을 동반한 부정형 궤양이 보인다(a). 직장에도 다발성 발적을 동반한 부정형 궤양이 보인다(b, c). 주변점막에는 염증이 없이 흰색반점이 보인다.

다발성 | 원형·부정형 궤양의 | 감별

- 다발성 원형·부정형 궤양을 나타내는 질환에는 궤양성 대장염, 크론병, 베체트 장염, 장결핵, 거대세포바이러스 대장염, 아메바 대장염, 비스테로이드 소염제 궤양, 이식편 대숙주병 등이 있다.

- 병변부위, 궤양 모양, 주위 점막의 성상 등으로 질환을 감별하는데 내시경소견만으로 는 감별이 어렵다. 최종적으로 임상소견을 추가하여 진단하는 것이 올바른 진단에 유 리하다.

- 아메바 대장염(그림 1)은 직장, 맹장(~상행결장)이 호발부위이다. 약 60%가 양 부위 에 병변이 있어서 본증을 의심할 수 있다. 전형적 궤양은 주위에 융기를 동반하는 경 우가 많지만 전부는 아니다. 궤양 주위에 발적과 자연 출혈을 동반하는 경우가 많다.

- 궤양성 대장염(그림 2)에서 원형이나 부정형 궤양을 일으키는 경우는 비교적 중증이 다. 병변은 직장에서 연속성으로 전 대장에 미치는 것이 특징이지만, 중증인 경우는 직장병변이 없거나 경한 경우도 많으므로 주의해야 한다. 주변 점막에서 염증을 확인 하는 것이 감별점이다. 깊은 궤양을 보이는 경우에는 거대세포바이러스 대장염의 합 병도 고려한다.

- 크론병(그림 3)에서 다발성의 부정형 궤양이 대장에 보인다. 궤양이 세로로 배열하는 경우는 진단기준의 부소견이 되지만, 반드시 세로로 배열하는 것은 아니다. 그 밖에 세로궤양이나 조약돌 점막상을 확인하는 경우는 진단이 가능하다. 소장병변, 위십이 지장병변, 특징적인 항문병변 등의 유무를 관찰함으로써 진단할 수 있다.

- 베체트 장염(그림 4)은 전형적으로 회맹부 근방에 큰 깊은 궤양을 나타낸다. 이와 같

그림 2 · **궤양성 대장염** 구불결장~하행결장에 다발성 부정형의 깊은 궤양이 보인다. 주위 점막에는 부종과 발적이 보인다.

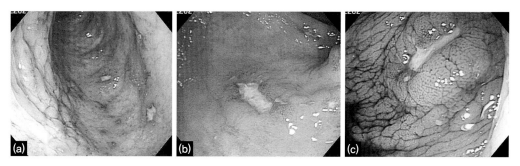

그림 3 · **크론병** 전 대장에 다발성 부정형 궤양과 아프타 궤양이 보인다(a). 궤양 주위의 점막은 정상이다(b, c).

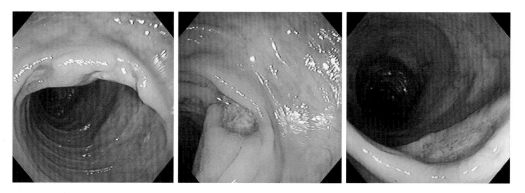

그림 4 · **베체트 장염** 전 대장에 다발성 원형궤양이 보인다. 궤양은 깊고 주위에서 발적이 관찰된다.

은 궤양이 보이지 않고, 전 대장에서 다발성 깊은 궤양이 보인다. 이 경우, 크론병과 감별해야 하지만, 궤양 형태에서 감별이 불가능한 경우가 많아서 베체트병의 징후의 유무가 감별에 유용하다.

▸ 장결핵(그림 5)에서는 우측결장부터 회맹부에 걸쳐서 병변이 존재한다. 전형적 궤양은 부정형으로 얕고 주위에 발적을 수반한다. 가로로 배열하는 경우가 많으며 주위에 염증폴립을 동반한다. 전형적인 점막위축에 의한 반흔과 특이한 회맹부 변형이 보이는 경우에는 쉽게 진단할 수 있다.

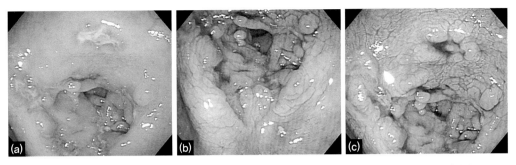

그림 5 · **장결핵**　상행결장 하부에 다발성 나뭇가지 모양의 부정형 궤양이 보인다. 궤양 주위의 발적이 현저하다.

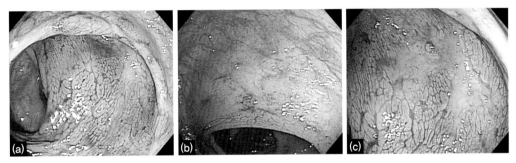

그림 6 · **거대세포바이러스 대장염**　이식 후의 환자에서 전 대장에 다발성 얕은 부정형 궤양이 보인다. 가로경향의 궤양도 보인다.

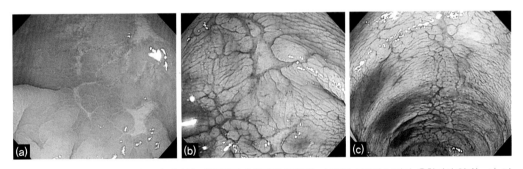

그림 7 · **비스테로이드 소염제 유발 대장염**　횡행결장에 발적을 동반하는 부정형 궤양이 보이며, 융합되어 있다(a, b). 나뭇가지 모양의 선상궤양도 보인다(c).

　거대세포바이러스 대장염(그림 6)에서는 원형 궤양이나 부정형 궤양이 보이지만 부위의 특징은 보이지 않는다. 깊은 원형 궤양은 본증의 특징이다. 그러나 부정형의 얕은 궤양도 비교적 흔히 볼 수 있다. 궤양 주위 점막은 정상인 경우가 많지만 부종이나 염증이 보이기도 한다. 이 경우, 궤양성 대장염과 감별해야 한다.

　비스테로이드 소염제 유발 대장염(그림 7)은 우측결장이 호발부위이며, 회맹판에 궤양도 비교적 흔히 볼 수 있다. 다발성 증례가 많지만 단발성 궤양도 보인다. 전형적인 증례는 부정형으로 얕고 주위에 발적이나 과립상을 동반한다. 융합 경향이나 반흔을

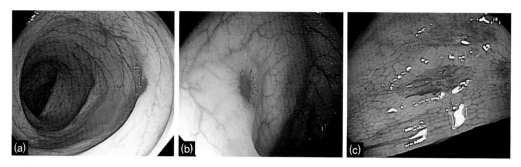

그림 8 · **이식편대숙주병**   전 대장에서 다발하는 얕은 부정형 궤양이 보인다. 궤양의 바닥이 붉으며, 근접하면 혈관의 확장이 보인다.

동반하며 본증을 의심하게 하는 소견이다.

✓ 이식편대숙주병(그림 8)의 호발부위는 회장~우측결장이지만, 다른 대장에도 병변이 보인다. 대부분이 이식 후에 나타나므로, 내시경검사시에 본증을 의심하는 경우가 많다. 부종을 나타내는 거북등 모양이 가장 높은 빈도로 나타나는데, 얕은 원형 궤양이 다발성으로 관찰되기도 한다. 생검에서 세포소멸(apoptosis)이 보인다.

다발성 융기 병변 06

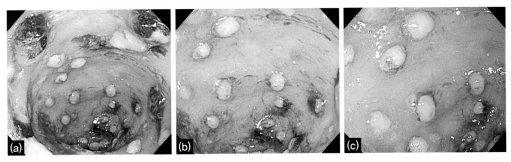

그림 1 • **위막성 대장염**　직장~구불결장에 다발성 황백색 융기가 보인다. 위막아래로 출혈이 보인다.

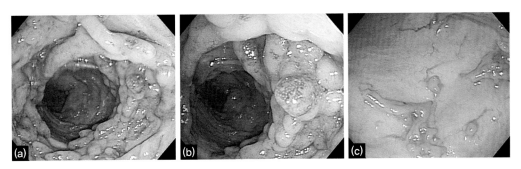

그림 2 • **궤양성 대장염**　다발성 염증폴립이 보이며, 형태, 색조, 크기가 다양하다. 주위에는 백색의 재생점막이 보인다.

다발성|융기 병변의|감별

- 다발성 융기 병변에는 궤양성 대장염, 크론병, 장결핵, 위막성 대장염, 장벽낭상기증, 모자폴립증, 점막탈출 증후군, 장간막 지방층염 등이 있다.
- 병변의 부위, 융기형태, 주위 점막의 모양으로 질환을 감별한다. 내시경소견만으로 대부분 감별할 수 있지만, 어려운 경우에는 임상정보를 추가해야 한다.
- 위막성 대장염(그림 1)은 직장~구불결장에 많지만 보다 근위부에 있는 경우도 있다. 황백색의 반구상 융기가 다발성으로 존재하며, 주위 점막에는 부종이 보인다. 심해지면 융기가 융합되어 막모양의 융기가 된다.
- 궤양성 대장염(그림 2)에서는 다발성 염증폴립이 보인다. 광범위하게 보이는 것이 크론병이나 장결핵과 다른 점이다. 활동기에는 주위에서 궤양이 보이며, 점막이 섬모양으로 남겨져서 폴립으로 보인다. 관해기에는 염증의 재생에 동반하여 폴립이 된다.

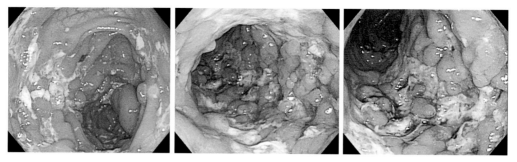

그림 3 · **크론병** 다발성 염증폴립 사이에 세로궤양이 보인다. 폴립은 크기나 형태가 모두 고르며 붉은색이다.

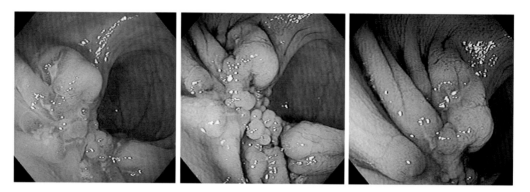

그림 4 · **장결핵** 국한성으로 작은 폴립이 밀집되어 있으며, 그 주위에 발적이 심한 작은 미란이 산재성으로 보인다.

이 경우, 주위에는 재생점막이 보인다. 재생점막은 백색으로 혈관의 이상이나 궤양반흔이 보인다.

  ✓ 크론병(그림 3)은 회맹부~우측결장에 호발하며, 이 부위에 조약돌 점막상이나 다발성 염증폴립이 있다. 병변은 구역성이며, 조약돌 점막상에서는 융기 사이에 세로궤양이 있다. 융기의 표면은 매끈하고 크기가 비교적 일정하다. 부종에 의한 융기이다. 장결핵에 비해서 폴립이 크고, 밀도가 높다.

  ✓ 장결핵(그림 4)의 호발부위는 회맹부~우측결장이다. 활동기, 관해기 모두 다발성 염증폴립이 보인다. 주위에 위축반흔이나 특이한 회맹부 변형이 존재하면 진단이 용이하다. 활동기에 국소적인 조약돌 점막상을 나타내기도 한다. 이 경우, 발적을 수반하는 작은 부정형 궤양이 폴립 사이에서 보인다.

  ✓ 장벽낭상기종(그림 5)에서는 다발성의 크고 작은 다양한 상피하종양들이 보인다. 가스의 저류로 매우 부드럽고, cushion sign 양성이다. 융기가 커짐에 따라서 표면에 발적이나 미란이 관찰되며, 혈변의 원인이 된다.

  ✓ 모자폴립증(그림 6)은 직장~구불결장의 병변이 대부분이지만, 직장에서 연속하여 상행결장까지 병변이 미치기도 한다. 내시경소견은 부정형 발적을 나타내는 평탄형과 융기형으로 크게 나뉜다. 융기형은 유충상, 낙지빨판상 융기, 평판상 융기 등을 나타내고 융기의 꼭대기에 미란을 동반한다(그림 6a, b). 백태가 모자모양으로 보이기도

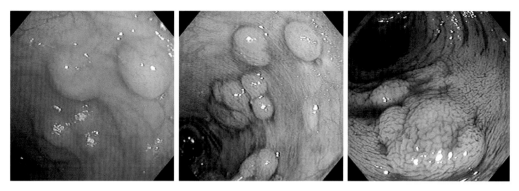

그림 5 · **장벽낭상기증** 다발성의 부드러운 상피하종양 모양의 융기가 보인다. 색소도표로 정상점막으로 덮혀 있는 것을 알 수 있다.

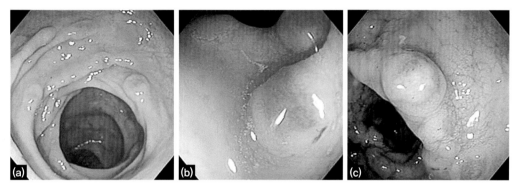

그림 6 · **모자폴립증** 직장~구불결장에 다발성 낙지빨판 같은 융기를 관찰할 수 있다(a, b). 모자 모양의 백태를 동반하는 폴립도 보인다(c).

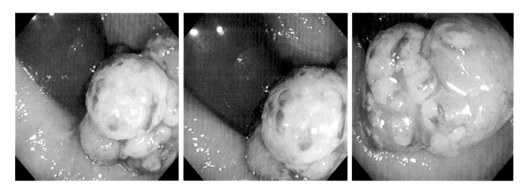

그림 7 · **점막탈출 증후군** 치상선 바로 위의 전벽에 폴립의 밀집이 보인다. 폴립 표면은 서로 크기가 다르며, 막상의 백태나 쌀알 모양의 백태로 덮혀 있는 부분이 보인다. (多田正大 외 : 내시경소견의 독해와 감별진단−하부 소화관, 제2판, 의학서원, 동경, p.272, 2009에서 인용)

하며(그림 6c) 이것이 명칭의 유래이다. 병변사이의 점막은 정상이며 융기 주위에 흰색반점이 보이기도 한다.

✓ 점막탈출 증후군(그림 7)은 융기형, 궤양형, 평탄형으로 크게 나뉘며 혼합형도 보인다.

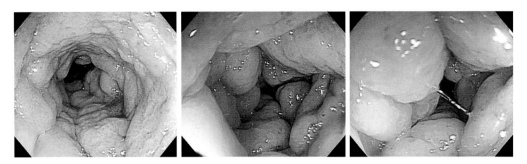

그림 8 · **장간막지방층염**   구불결장에 다발성의 부종을 동반한 부드러운 융기성 병변이 관찰되며, 융기 사이에 궤양은 보이지 않는다.

- 융기형은 치상선 직상방 전벽에 나타나는 경우가 많지만, 전주성 병변도 보인다. 융기는 다발성이 많고 무경성~아유경성으로 크기가 서로 다르다. 표면은 거칠고 발적을 동반하며, 백태의 부착정도에 따라서 색조에 차이가 있다. 암이나 선종과 감별해야 한다.

- 장간막 지방층염(그림 8)은 구역성 병변으로 구불결장에 가장 많다. 내시경소견은 장관의 신전불량이 보이지만, 송기에 의해 어느 정도 팽창하여 반월주름의 종대와 간격의 단축이 보인다. 점막면은 부종으로 혈관상이 소실되었고, 궤양은 보이지 않는다. 종양성 변화에도 불구하고 부드러운 것이 감별점이다.

염증성 장질환의 감별진단에서의 돌파구

과민성 장증후군과 감별해야 하는 질환

- 과민성 장증후군(irritable bowel syndrome : IBS)은 Rome Ⅲ에서는 기능성 대장장애의 1번 항목이며, 「복통이나 복부불쾌감이 최근 3개월, 한 달에 3일 이상 발생하고 이 증상들이 ① 배변으로 완화된다. ② 배변빈도의 변화로 시작된다. ③ 변의 형태의 변화로 시작된다. 위 세 항목 중 두 가지 이상이 확인되는 것」이라고 정의되어 있다. 또 「6개월 이전부터 증상이 있었고, 최근 3개월간은 상기의 기준을 충족시키는 것」이라는 주역이 추가되어 있다. 실제로 한 번 읽는 것만으로는 구체적인 이미지가 잘 떠오르지 않는다.

- 기능성 대장장애에는 그 밖에 기능성 변비, 기능성 설사, 기능성 복부팽만, 비특이 기능성 대장장애가 있으며, 그 중에 복통이 없는 만성설사나 복통이 우세하지 않은 만성변비 등이 포함되어 있다.

- 일상진료에서는 만성 설사(표 1)에서 기질적 질환이 나타나지 않는 경우, 과민성 대장증후군이라는 진단을 내리는 경향이 있다.

- 후생노동성 연구반의 과민성 대장 증후군 진단 가이드라인에 의하면, 경고징후가 있는 것을 중심으로 영상진단(이중조영바륨관장술이나 대장내시경)을 시행하여 기질성 질환을 배제한다.

- 경고징후란, ① 50세 미만으로 대장암의 가족력이 있다. ② 50세 이상에서 발병 ③ 병의 이완기간이 짧고 증상이 진행성 ④ 신체검사에서 이상소견 ⑤ 6개월 이내의 예기치 못한 체중감소(3 kg 이상) ⑥ 야간의 복통·설사나 지속성 복통 ⑦ 발열, 구토, 점혈변, 변잠혈검사 양성 ⑧ 소변, 말초혈액, 혈액생화학검사의 이상 등 7항목이다. 기재되어 있는 각 항목을 충분히 인지하고 진단하면, 큰 오진은 일어나지 않을 것이다.

- 영상진단에서 이상이라고 인식할 수 없는 질환에 관해서는 충분한 지식과 주의가 필요하다. 구체적으로는 람블편모충증이나 이소스포라, 사이크로스포라 등의 원충감염증이나 교원질성 대장염 등이 있다. 이것은 신선대변의 도말검사나 생검을 하지 않으면 진단을 내리지 못하므로 과민성 장증후군 진단의 함정이라고 할 수 있다.

- 상세한 병력청취가 필요한 것은 말할 것도 없지만, 본래 배변 통과에 이상이 없었던 환자에게 어느 시기를 경계로 증상이 나타난 경우에는 이와 같은 질환을 염두에 두고 진단을 진행하는 것이 중요하다.

표 1 만성 설사를 일으키는 질환

감염성	
세균 · 진균	살모넬라 장염, 예르시니아 장염, 장결핵, 진균, 방선균, 장관 스피로헤타 등
원충 · 기생충	아메바 대장염, 회충, 일본주혈흡충, 람블편모충, 이소스포라, 사이크로스포라, 크립토스폴리듐 등

비감염성	
위질환	무산증, 위절제 후, 과산증
소장 · 대장질환	크론병, 궤양성 대장염, 비특이성 다발성 소장궤양증, 교원질성 대장염 세리악 스프루, 열대성 스프루, 유당 불내증, 림프관 확장증, 유전분증공피증, 맹관증후군, 광범위한 위장절제 후, 우회수술후, 대장게실증, 악성종양, Cronkhite–Canada증후군, 불완전 장폐색, 대장자궁내막증, 섬모선종, 모자폴립증, 정맥경화대장염
췌장질환	만성췌장염, 췌장종양(암, insulinoma, Zollinger–Elison증후군, WDHA증후군), 췌장 절제 후, kwashiorkor, 낭포성 췌섬유증
간담도질환	간염, 간경변, 폐색성 황달, 담낭염, 담즙루
복막질환 등	골반내 장기의 염증, 비뇨기계 질환, 충수질환, 후복막종양, 림프절 전이, 복막파종
기능적 질환	과민성 장증후군, 신경성 설사
중독성	수은, 비소, 알콜, 카드뮴 등
약제성	네오마이신, 키니딘, 코르히틴, 항종양제, NSAIDs, 디기탈리스, 항부정맥제, 기관지 확장제, H_2수용체 길항제, PPI, 항바이러스제, 프로스타글란딘, 담석용해제
방사선성	방사선 대장염
알레르기성	음식알레르기, 약물알레르기, 호산구 대장염
대사성 · 내분비성	당뇨병, 갑상선기능항진증, 부갑상선기능저하증, Addison병, 카르티노이드증후군, VIP생산종양 (WDHA증후군), Zollinger–Ellison증후군, 갑상선수성 암 등)
기타	요독증, 심부전, 문맥압항진증, 공피증, 전신성 홍반성 낭창 사르코이도시스, 중증감염증, 저 γ글로부린혈증, 무 IgA혈증, 무 β리포단백혈증, 유전분증, AIDS 등

PART VI

염증성 장질환의 진단법

01 이중조영바륨관장술

그림 1 · **헤노흐-쉔라인 자색반**　십이지장 하행부에는 확장이 있고, 공장부터 회장에 걸쳐서 광범위하게 엄지손가락에 눌린 자국이나 톱니상 음영이 보인다. 다양한 정도의 점막의 부종을 시사한다.

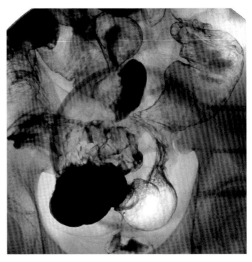

그림 2 · **회장-구불결장루를 형성한 크론병**　근위부 하행결장은 조영되지 않고, 구불결장에서 직장이 조영되어서 바륨이 회장에서 구불결장으로 유입되었다고 판단할 수 있다. 구불결장은 회장으로 가까이 당겨 있지만, 그 전후에서는 심한 염증소견이 없어서 누공의 원인이 회장이라는 것을 알 수 있다.

A | 염증성 장질환의 진단에서 X선검사의 유용성

❶ 염증성 장질환의 이중조영바륨관장술 검사 시의 주의점

- ✓ 염증성 장질환의 감별진단을 이중조영바륨관장술로 하는 데는 병변의 전체를 파악하는 것이 가장 중요하다.
- ✓ 염증성 장질환의 각 질환에는 비교적 특이한 호발부위, 병변의 확대(연속성, 구역성, 비연속성), 병변의 분포양식(미만성, 다발성, 산재성, 단발성)이 있다[1].
- ✓ 병변부위의 염증의 정도, 궤양의 형태, 궤양 주위의 점막의 양상에도 차이가 있다. 또 장애를 받는 장관벽의 깊이에도 차이가 있다.
- ✓ 종양 질환과 달리, 시간과 더불어 현저하게 변화하는 것도 염증성 장질환의 특징이다. 따라서, 동일부위의 영상소견의 경과를 보는 것도 중요하다.

❷ 염증성 장질환의 이중조영바륨관장술의 유용성(내시경검사와 비교하여)

〈장점〉

① 병변의 확대, 분포양식의 객관적인 파악이 용이하다(그림 1).

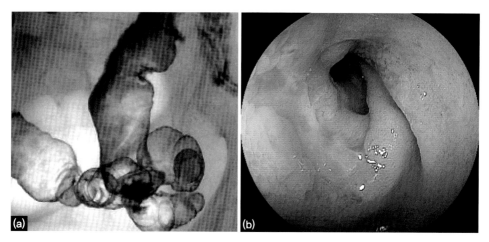

그림 3 · **비스테로이드 소염제 유발 소장궤양** (a) 소장의 주행이 코일모양이며, 그 부위에 다발성 협착과 근위부 소장의 확장 소견을 보여주어 여러 형태의 궤양으로 이루어진 병변임을 시사한다. 코일성 변형은 장간막에 비후나 단축이 있을 때에 나타나는 변형이다. (b) 관강의 1/3을 차지하는 궤양과 계속해서 세로방향의 궤양을 확인하여, 더 이상의 깊이로 내시경을 삽입하기가 어렵다.

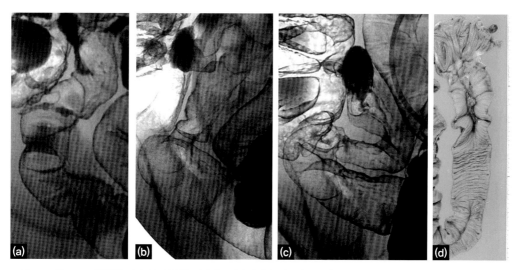

그림 4 · **항 TNF α항체를 이미 투여 중인 크론병** 말단회장의 궤양성 병변은 변화없이 활동성이다. (a)는 2003년. (b)는 2004년. (c)는 2005년. (d)는 2005년 수술표본

② 관강의 협착이나 장관 단축, 장관과 타 장기나 장관끼리의 누공 등의 장관합병증을 진단할 수 있다(그림 2).

③ 캡슐을 포함한 내시경이 통과할 수 없는 협착인 경우라도 구측이나 항문측의 정보를 얻을 수 있다(그림 3).

④ 병변부위의 위치확인이 비교적 용이하고, 병변의 경시적 관찰을 보다 정확하게 할 수 있다(그림 4, 5).

⑤ 관강 내에서 장간막 부착측인지, 반대측인지, 어느 결장띠인지 하는 병변 부위를 파악할 수 있다(그림 6).

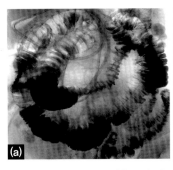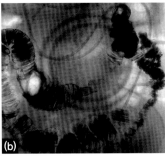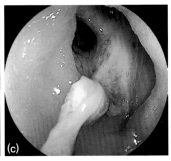

그림 5 · **허혈 소장염**　(a) 발병 제15일째 소장관(tube)을 통한 조영술. 협착 부분이 다소 단축되고 구강측 끝의 신전이 좋아졌지만, 중심부는 더욱 좁아졌다. (b) 발병 제5일째 소장관(tube)에서의 조영. 협착부분의 작은 모지상압흔(thumbprinting). 톱니 음영을 확인하고, Kerckring 주름의 비후를 시사한다. (c) 발병 제16일째의 소장내시경. 궤양이 두꺼운 백태로 덮혀 있어서, 더 이상의 깊이로 내시경을 삽입하기가 어렵다.

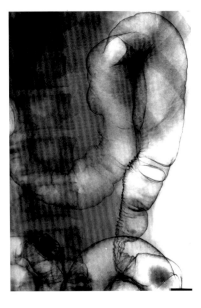

그림 6 · **급성췌장염 발병 후 제40일째의 이중조영바륨관장술**　횡행결장과 하행결장의 어느 것이나 장간막 부착측에서 톱니상의 변연상을 확인하고, 대응하는 점막면에는 확실한 이상이 없어서, 장간막을 통한 염증의 파급이 시사된다.

⑥ 염증이 있는 장관벽의 깊이를 추정할 수 있는 장관의 변형(관강의 변형, 변연의 변형)을 찾을 수 있다[2].

⑦ 특히 소장조영술 검사는 간편하여, 환자의 부담이 적어서, 쉽게 검사가 가능하다.

⑧ 마취 등의 전처치가 필요 없고, 검사의 합병증이 잘 일어나지 않는다.

〈단점〉

① 소장이(小腸索)이 겹쳐서 전 소장을 관찰할 수 없는 경우가 많다.

② 소장의 음식찌꺼기, 장관가스의 많고 적음, 조영제의 통과시간의 연장, 소장액의 과잉분비 등으로 전 소장을 균일하게 관찰할 수 없는 경우가 있다.

③ 검사 술기, 판독이 내시경검사보다도 검사자간의 숙련도에 좌우된다.

④ 아프타나 출혈을 일으키는 작은 병변은 찾기가 어렵다.

⑤ 생검이나 처치를 할 수 없다.

B | 경구 소장바륨조영술

- 소장은 가늘고, 전 길이가 약 4~6 m인 장기이다. 주행은 굴곡이 많고, 소장끼리 교차하여 연동도 심하다.
- 위나 대장처럼 바륨이나 공기가 간단히 이동하지 못하여, 소장 전체에 걸쳐서 미세병변까지 찾아내기가 어렵다.
- 바륨 충만 영상에서 주행의 이상, 협착이나 확장 등 관강의 이상, 압박 영상에서 일부 점막이상소견, 이중조영에서는 이 소견들에 추가하여, 점막면의 상세한 소견을 얻을 수 있다.
- 각종 검사법의 이점과 단점을 숙지한 후에, 목적에 따른 적절한 검사법을 선택해야 한다.

① 소장(경구법, 고위관장법)

a) 경구법

〈상부위장관조영술 후의 소장조영술〉

- 협착·확장 등의 관강 이상은 간편하게 보충할 수 있지만, 위의 촬영에 사용한 발포과립의 공기가 진행하여, 응집성 침전(flocculation)이 되어, 점막면의 촬영이 어려워진다.

〈경구 소장바륨조영술〉

- 100% 바륨 200~300 mL를 투여하고, 체위를 우측와위로 변환하여 바륨을 항문측으로 보내면서, 그 흐름을 따라서 충만 영상, 압박 영상을 촬영한다.
- 수기가 간편하며 관강의 이상, 주름 비후 등의 이상 외에 조심스럽게 압박하면, 레리프상을 얻을 수 있어서 점막면의 소견도 가능하다.

〈경항문적 공기주입 병용의 경구 소장조영술〉

- 경구 소장조영법과 마찬가지로 바륨 200~300 mL를 투여하고, 충만 영상, 압박 영상을 촬영 후, 바륨이 대장까지 도달한 후에 진경제를 주사하고 나서 경항문에서 1,000~1,200 mL의 공기를 주입한다.
- 전례에서 회장으로 공기가 들어간다고는 할 수 없지만, 구불결장이나 직장과 회장이 겹치지 않고, 또 구불결장의 공기로 골반강내의 회장을 들어올릴 수 있다. 병변이 하부소장에 있을 때에는 특히 유용하다(그림 7).

〈경구 발포제 투여 후 경구 소장조영술〉

- 경구 소장조영법과 똑같이 검사하고, 바륨이 대장이나 하부회장에 도달할 때, 경구로 발포과립을 5~7.5 g 투여한다.
- 투여 후 즉시 우측와위로 투시대를 내려서 위내의 공기를 십이지장으로 보내고, 소장의 주행을 확인하며, 수시로 체위변환을 하여 공기를 항문측으로 이동시키면서 소장의 겹침을 피하여, 이중조영 소장조영술 상을 얻을 수 있는 부위를 촬영한다.
- 통상의 촬영에서 통과장애가 없는 것을 확인하고 시행하므로 안전하게 검사할 수 있다.
- 단, 공기와 바륨량을 조정할 수 없으므로 소장 전체의 균일한 이중조영상이 어렵다.

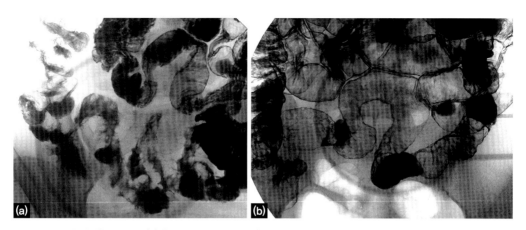

그림 7 · **소장 대장형 크론병** (a) 충만 영상에서는 아직 충만되어 있지 않지만, 굴곡이 심하여 일부에서 편측성 변형이 보이며, 점막면에는 크고 작은 투영상을 확인한다. (b) 항문에서 공기를 삽입하면 세로 방향으로 바륨반점이 나타나게 되고, 일부에는 주름도 집중되어 있어서 여러 가지 병기의 병변이 있는 것을 알 수 있다.

- 공기의 이동을 따라 촬영하면 거의 모든 소장의 이중조영상을 얻을 수 있으므로, 소장 전체의 병변의 스크리닝에 매우 유용하다.

b) 고위관장법(Enteroclysis)

〈경관법에 의한 소장조영술〉

- 경비 또는 경구로 십이지장의 Treitz인대까지 가는 관을 삽입 유치하고, 관으로 바륨과 공기를 삽입하는 방법이며 주입하는 바륨의 농도나 양, 공기의 양 및 투여하는 시기를 장관의 상태에 따라서 자유롭게 선택할 수 있다.

- 위액의 영향을 받지 않고 검사할 수 있어서 응집성 침전이 되는 경우가 적다. 또 장관을 충분히 신전시키는 것이 가능하며, 체위변환이나 호흡운동으로 바륨과 공기의 이동도 어느 정도 가능하다. 그러나 관의 삽입이나 유치에 피검자의 고통이 있고, 위 및 관의 선단까지 십이지장 · 공장의 조영을 할 수 없다.

- 관의 삽입에 경비내시경을 사용하면 환자의 고통을 줄일 수 있고, 맹점인 십이지장 하행부나 수평부의 관찰도 가능하다(그림 8).

c) 기타

〈선택적 역행성 소장조영법〉

- 조영이 필요한 부위까지 내시경(대장내시경 · 소장내시경)을 삽입하고, 거기에서 바륨이나 가스트로그라핀으로 좁은 범위를 조영하는 방법이며, 다른 부위와 소장의 뒤엉킴을 줄일 수 있다.

- 내시경의 겸자구에서 관을 사용하여 주입하므로 바륨의 농도나 양에 제한이 있으며, 검사할 수 있는 범위도 약 60 cm 정도로 좁다.

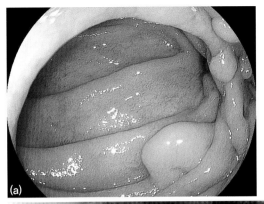

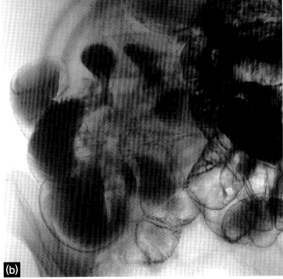
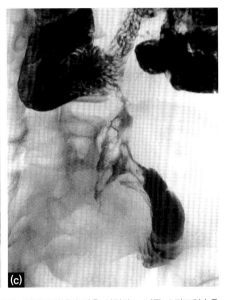

그림 8 • **회장-회장-상행결장-십이지장루를 형성한 크론병** (a) Treitz 인대부위까지 관을 삽입하고 이중 소장조영술을 했지만, 회장에서는 다발성 누공 때문에 충분히 공기를 보내지 못하여 전체적으로 균일한 이중조영이 되지 못한다. 이와 같은 병변에는 절제범위를 결정하기 위해서 병변의 근위부를 관찰하는 것과, 누공이 연결되어 있는 장관을 확실히 촬영해야 한다. (b) 관 삽입 목적으로 내시경을 하면, 십이지장 수평부에 과립상 점막과 누공을 관찰할 수 있다. 점막은 이상 없고, 누공의 원인이 십이지장 이외라고 판단할 수 있다. (c) 경구 소장바륨조영술에 의해 십이지장 수평부에서 누공을 통해서 바륨이 유출되어 회장이 조영되고 있다.

〈소장 카테터를 통한 조영〉

　✓ 소장폐색증상 때문에 소장카테터를 삽입하고, 증상이 소실되면 관을 제거하는데, 그 전에 소장카테터로 조영하므로, 새로운 수기를 추가할 필요가 없어 간편하다(그림 5).

② 대장

a) 이중조영바륨관장술

　✓ 항문으로 바륨과 공기를 주입한다.

b) 내시경검사 후의 이중조영바륨관장술

　✓ 대장내시경검사에서 병변의 국소의 소견을 관찰한 후 전체상을 확인하는 경우나, 협착, 유착 등으로 내시경의 삽입이 어려운 경우에 특별한 전처치를 하지 않고, 같은 날

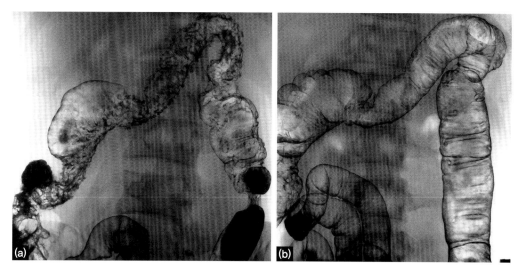

그림 9 · **대장형 크론병** (a) 상행결장부터 하행결장 비만곡부에 걸쳐서 짧은 세로나 부정형 바륨이 밀집해 있으며, 비만곡부에서는 전주성이다. 그 부위의 신전이 좋지 않아서, 관강의 협착이 있으며, 장축방향으로도 장이 단축되어 있다. 하행결장은 부정형 바륨반점이 결장뉴를 따라서 늘어서 있다. (b) 1년 5개월 후 이중조영바륨관장술에서 확실한 바륨반점은 없고, 궤양성 병변의 대부분이 주름집중을 동반하며 반흔화되어 있다. 비만곡부는 전회보다 신전이 좋아졌지만 타부위보다 약간 좁아져 보인다. 장축방향의 신전도 조금 좋아졌다.

에 시행한다.

  ✓ 내시경시에 잔존해 있던 설사제나 장액이 충분히 흡인되어 바륨의 부착도 좋아서, 양호한 이중조영상을 얻을 수 있다(그림 9).

C | 영상 판독에서의 소견 선택법

  ✓ 영상 판독의 요점은 병변의 범위나 분포양식, 병변의 형태나 깊이 및 병변주위의 상황과 경과라는 병변의 전체상을 파악하는 것이다. 즉, 병변의 평면적 범위(2차원적), 병변의 깊이(3차원적), 병변의 경과(4차원적)를 종합적으로 파악하는 것이 중요하다.

  ✓ 2차원적으로는 시라카베(白壁)[1]가 말하는 점 · 선 · 면(PLA이론)을 사용하여, 병변의 형태가 점인지, 선(선상)인지, 그 선도 종주인지, 횡축인지, 면을 가진 병변인지처럼 단순화하여 해석해서 조합한다. 예를 들어, 다발한 점상의 병변이 세로로 늘어선 선의 요소를 가졌는지, 미만성인 면을 가진 속에 종주의 선의 요소가 있는지 하는 판독법이다.

  ✓ 3차원적이란 병변의 장관벽의 장애의 깊이를 검토함으로써, 병기의 초기에는 염증이 심하여 부종의 소견에서 알기 어려운 점도 많지만, 4차원적으로 동일병변을 시간의 경과와 더불어 비교 검토하면 종양의 진단과 마찬가지로 여러 가지 변형에서 병변의 깊이를 알 수 있다.

  ✓ 처음에는 직접소견≥변형, 이것이 점점 직접증상＜변형이 되는 경우가 많다. 1회 검사로 진단이 어려운 증례의 경과나 치료효과를 판정하는 데에 중요하다. 이와 같이 병변 전체상을 파악하기 위해서는 다음의 세 가지 소견의 선택법이 유용하다.

❶ 장관의 주행 이상에 관하여

- 소장삭이 복강 내에 평균적으로 존재하는지, 대장의 기본적인 주행에 이상이 없는지를 검토한다.
- 장관의 압박소견, 단축, 굴곡이나 꼬임, 코일성 소견의 유무에 관하여 검토한다[2]. 장관과 타장기, 장관끼리의 유착이나 누공형성, 복강내의 농양형성이라는 장관 외의 병변이나 병변의 대략적인 분포를 파악할 수 있다.

❷ 관강의 이상에 관하여

- 장관의 관강의 크기를 주위의 장관과 비교하여 확장이나 협착을 선택한다. 또 협착의 성상·정도(양측성인지 편측성인지), 협착의 구측·항문측의 상황, 관상 협소화, 막양 협소화라는 협소화된 장관의 길이, 협소화된 장관의 게실성 팽륭, 타세 형성 등의 변형 등을 자세하게 해석한다.
- 양측성 협소화는 연동이라고 오진하지 않도록 주의해야 하는데, 점막면의 작은 세로 방향의 주름을 판독함으로써 감별이 가능하다.

❸ 변연의 이상에 관하여

- 변연에는 점막면이 측면상으로 나와 있어서 변연과 동시에 점막면의 소견을 선택한다.
- 점막상에는 니세·바륨반점, 크고 작은 투양상·미세과립상 음영 등, 변연상에서는 보풀, 톱니상 음영, 아래 파임성 니세 등이 있다. 또 주름 비후, 주름 집중·소실 등의 주름상도 중요하다.

문헌

1) 白壁彦夫：消化管Ｘ線診断理論—大腸を中心に（第40回日本大腸肛門病学会総会）．大腸肛門誌 **39**：288-291，1986
2) 大井秀久ほか：実験からみた虚血性大腸病変．胃と腸 **28**：943-958，1993
3) 八尾恒良ほか：小腸の炎症性疾患におけるＸ線検査の有用性．胃と腸 **38**：990-1004，2003

A │ 대장내시경검사의 위치 부여

- ✓ 염증성 장질환에 있어서 대장내시경검사는 부족함이 없는 진단도구이다.
- ✓ 염증성 장질환에서는 대장에 병변을 동반하는 증례가 대부분으로, 내시경검사를 하지 않고 확진하는 경우는 거의 없다.
- ✓ 각 염증성 장질환의 진단에는 소견의 특징을 아는 것이 중요하다.
- ✓ 내시경검사는 진단뿐 아니라 치료효과의 평가에도 중요하다.

B │ 염증성 장질환에서의 전처치

❶ 전처치를 하지 않고 검사를 시행하는 경우

- ✓ 환자 상태가 좋지 않아서 전처치가 어려운 경우라도 대장의 정보를 알아야 하는 경우.
- ✓ 설사가 심하여 감염 대장염이 의심스러운 경우, 신선한 혈변이 나타나는 경우 등도 마찬가지이다.
- ✓ 대상질환은 항생제 관련 대장염(위막성 대장염, 급성 출혈 대장염), 허혈 대장염, 장간막 지방층염, 점막탈출 증후군, 직장의 순환장애, 감염 대장염 등이다.

❷ 관장만으로 전처치 하는 경우

- ✓ 직장, 구불결장을 관찰하면 진단이 가능한 질환이 대상이 된다.
- ✓ 궤양성 대장염이 의심스러운 경우나 치료효과를 평가할 때에는 설사제의 자극으로 악화되는 수가 있으므로 관장만으로 전처치한다.
- ✓ 장정결제를 마시지 못하는 경우, 관장만으로 검사한다.

C │ 장정결제 사용시의 주의

- ✓ 현재 사용하고 있는 장정결제는 폴리에틸렌글리콜(코리트, 콜론라이트®), 마크롤® 등 장액, 피코라이트, 크리콜론정 등이 있다.
- ✓ 마크롤®은 신기능장애가 있는 예에는 사용하지 않는다(고마그네슘혈증 유발), 크리콜론®정은 심질환, 신장질환, 고혈압약을 투여받는 환자에게 신중히 투여한다.

- 세균성 감염 대장염이 의심스러운 경우에는 장정결제 투여 전에 변의 배양을 시행한다. 세정액으로 원인균을 동정하기 어려운 경우가 있다.
- 협착증상이 있는 환자에게는 장폐쇄를 유발할 위험이 있으므로 신중히 투여한다.
- 투여 전, 단순 복부촬영이나 전산화단층촬영을 검사하는 등의 배려가 필요하다.
- 배변의 유무가 중요하다.

D | 검사시기

- 염증성 장질환에서는 검사를 언제 하는가가 중요하다.
- 급성 염증성 장질환에서는 조기에 하지 않으면 전형적인 소견이 소실되어 확진에 이르지 못하는 수가 있다.
- 허혈 대장염은 발병 4일 이내에는 전형적인 세로궤양, 미란, 발적이 관찰되지만[1], 1주 이상 경과한 후 관찰에서는 전형적 소견이 소실되어 진단에 이르지 못하는 경우도 있다.
- 항생제 관련 대장염, 급성 출혈 대장염이나 감염 대장염 등도 마찬가지이다.
- 만성 염증성 장질환에서는 염증의 시기에 따라서 소견이 변화한다.
- 궤양성 대장염은 활동기와 완화기에 따라서 소견이 다르다. 또 활동기와 완화기의 소견이 혼재된 상태에서 관찰되는 경우가 많다.
- 크론병에서는 대장에 소견이 없고 말단회장에서 병변이 보이는 수도 있으므로, 말단회장의 관찰도 중요하다.
- 대장에서 염증성 장질환을 의심할 만한 소견이 없고, 크론병이 의심스러운 경우에는 소장 검사를 한다.
- 장결핵이나 크론병의 진단에는 소장의 검사가 필수적이다.

E | 내시경 삽입시의 주의사항

- 염증성 장질환에서는 대장이 약하여 천공이나 손상, 검사 후의 질병의 악화가 일어나므로 검사를 조심스럽게 시행한다.
- 궤양성 대장염에서는 치료방침을 결정하기 위해서 발열시나 상태가 나쁜 경우라도 내시경검사가 필요하다. 그때는 부담을 줄이기 위해서 직경이 가는 내시경을 사용하여 조심스럽게 삽입한다.
- 독성 거대결장이 발병하는 경우는 내시경검사는 통상 금기이다.
- 협착을 동반하는 경우에는 무리하게 삽입하지 않는다.
- 허혈 대장염의 괴사형처럼 전층성 혈류장애가 있는 경우도 천공의 위험이 있다.
- 염증성 장질환에서는 삽입시 복통을 호소하는 환자가 많아서 진통제나 진정제를 사용하는 경우가 많은데, 무리한 조작은 금기이다.

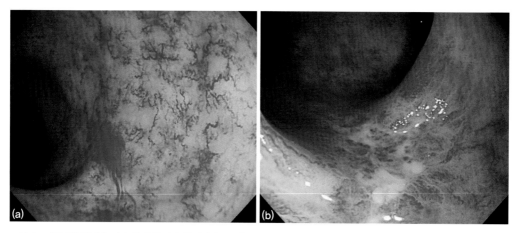

그림 1 · **방사선 직장염**　(a) 혈관 확장이 현저. (b) 궤양을 동반한다.

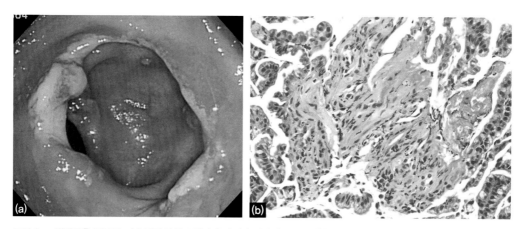

그림 2 · **점막탈출 증후군**　(a) 직장의 휴스턴판에 발적과 궤양이 관찰됨. (b) 간질의 섬유근증이 보인다.

F | 내시경소견에서 진단

❶ 병변분포에서 본 진단

a) 직장

〈방사선 직장염〉

- ✔ 방사선치료 후의 만성적인 장애로 나타난다.
- ✔ 혈관확장증에서 누공형성까지, 질병의 정도가 다양하다(그림 1).
- ✔ 전립선암이나 자궁암에 대한 방사선치료 후에 흔히 발병한다.

〈점막탈출 증후군〉

- ✔ 배에 힘을 주는 습관에 동반하여, 융기형과 궤양형이 있다(그림 2a).
- ✔ 조직병리진단은 간질의 섬유근증(그림 2b)이 전형적이지만, 자주 보이는 소견은 아니니다.

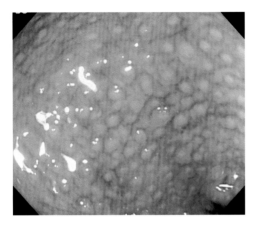

그림 3 · **클라미디아 직장염**   크기가 커진 림프여포가 매우 빽빽하게 보인다.

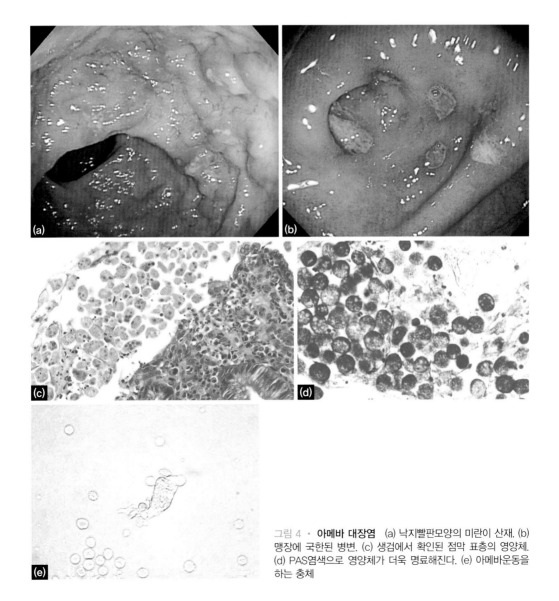

그림 4 · **아메바 대장염**   (a) 낙지빨판모양의 미란이 산재. (b) 맹장에 국한된 병변. (c) 생검에서 확인된 점막 표층의 영양체. (d) PAS염색으로 영양체가 더욱 명료해진다. (e) 아메바운동을 하는 충체

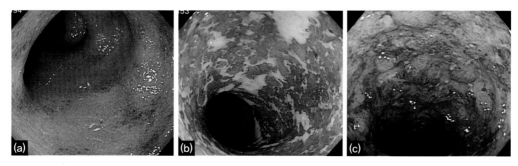

그림 5 · **궤양성 대장염**   (a) 경증. (b) 중등증. (c) 중증

- 모자폴립증 : 직장에서 구불결장에 분포하는 것이 많고, 정상에 백태를 동반하는 융기가 특징이다.

〈클라미디아 직장염〉

- 성병의 한 종류이지만, 직장에 대구알상이라고 칭하는 림프여포의 종대(그림 3)가 미만성으로 보이는 것이 특징이다.
- 클라미디아항체로 증명한다.

〈아메바 대장염〉

- 직장과 회맹부에 분포하는 경우가 많지만, 전 대장에서 보이기도 한다.
- 지저분한 점액의 배출을 동반하는 낙지빨판 미란이 특징이다(그림 4a).

〈출혈성 직장궤양〉

- 항문연에서 궤양을 보이고 혈관의 노출을 동반하는 경우가 많아서 급격한 출혈로 발병한다.

〈궤양성 대장염〉

- 전형적인 증례에서는 직장에서부터 연속적이고 미만성으로 발적, 미란, 부종상 점막이 보인다.
- 내시경소견에 따라서 경증, 중등증, 중증으로 분류한다(그림 5).
- 크론병 : 항문병변을 동반하는 경우가 많으며, 젊은 나이에 치루 수술을 받은 증례에서는 크론병의 존재를 의심한다.

b) 회맹부

〈장결핵〉

- 열린 회맹판과 가로궤양, 반흔위축대가 맹장부터 상행결장에서 보인다(그림 6).
- 생검에서 건락성 육아종이 검출되는 경우가 적으므로, 영상진단이 중요하다.
- 폐결핵이 동반되는 경우가 있으므로 폐에 대한 검사도 잊지 말고 시행한다.

〈베체트 장염(단순성 궤양)〉

- 말단회장에 깊이 파인 큰 궤양이 보이는 경우가 많다(그림 7).

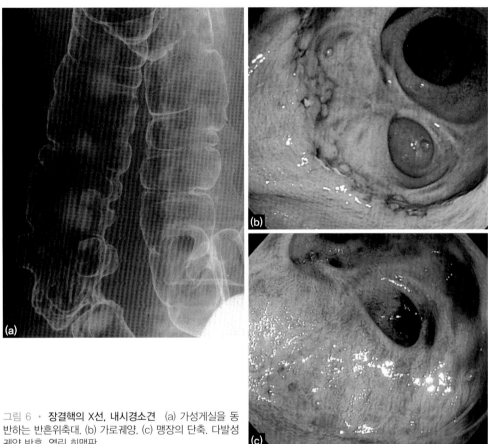

그림 6 · **장결핵의 X선, 내시경소견** (a) 가성게실을 동반하는 반흔위축대. (b) 가로궤양. (c) 맹장의 단축. 다발성 궤양 반흔, 열린 회맹판

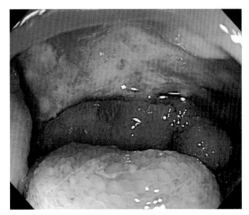

그림 7 · **베체트 장염** 말단회장에 경계가 명확하고 깊이 파인 궤양

눈(포도막염), 피부(Pathergy test, 결절 홍반, 외음부 궤양), 구내염 등의 유무가 진단에 참고가 된다.

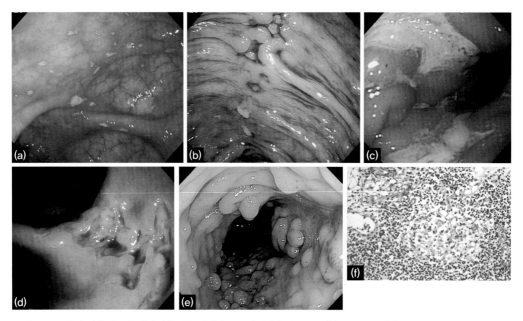

그림 8 · **크론병**   (a) 아프타 미란. (b) 작은 궤양의 세로배열. (c) 세로궤양. (d) 부정궤양. (e) 조약돌 점막상. (f) 유상피성 비건락성 육아종

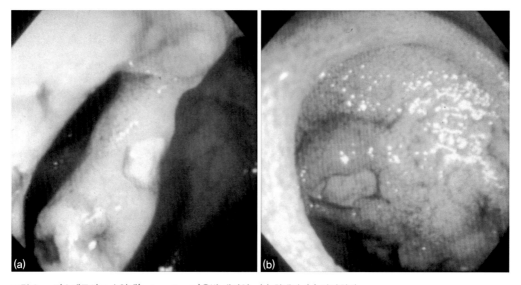

그림 9 · **비스테로이드 소염제(Indomethacin)유발 대장염**   (a) 회맹판. (b) 말단회장

〈크론병〉

ˇ   세로궤양, 조약돌 점막상 외관, 부정궤양, 아프타 궤양이 특징적 소견이다(그림 8).

ˇ   생검에서 유상피성 비건락성 육아종이 검출되면 확진한다.

〈비스테로이드 소염제 유발 대장염〉

ˇ   깊은 궤양이 회맹판이나 회장, 상행결장에 보인다(그림 9).

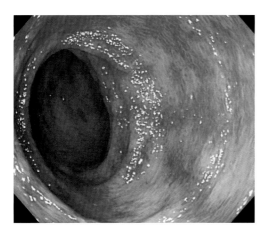

그림 10 · **항생물질 기인성 출혈성 대장염** ampicillin에 의한 급성 출혈 대장염. 비교적 밝은 발적이 특징

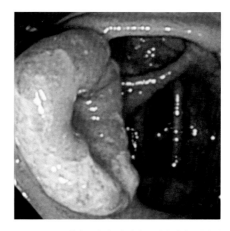

그림 11 · **캄필로박터 대장염** 회맹판에 경계가 명확한 궤양

    ✓ 취약성이 동반된 경우가 많으며, 장기 복용례에서는 막모양 협착을 동반하기도 한다.

〈아메바 대장염〉

    ✓ 회맹부에만 병변이 존재하는 예도 있어서 주의를 요한다(그림 4b).

    ✓ 내시경소견은 지저분한 백태를 동반하는 궤양, 미란이 특징이다.

    ✓ 최근에는 검진으로 진단하는 경우도 있으며, 이성간 감염자가 증가하고 있다[2].

❷ 소견별로 본 감별점

〈미만성 염증〉

    ✓ 궤양성 대장염에서는 직장에서 근위부로 연속된 미만성 염증이 특징이다.

    ✓ 감염 대장염이나 항생제 관련 급성 출혈 대장염(그림 10)에서는 심부의 결장에 미만성 염증이 나타나는 경우가 많다.

    ✓ 때로 캄필로박터 대장염은 미만성으로 발적, 혈관상의 소실 등이 있어서 감별이 어렵지만, 회맹판에 궤양을 동반하는 증례(그림 11)가 많아서 감별진단에 유용하다.

    ✓ 우측결장이 암적색이며, 미만성 변화를 동반하는 것에 정맥경화대장염(그림 12)이 있다.

〈건너뛰기 병변〉

    ✓ 크론병의 특징이지만, 장결핵이나 궤양성 대장염에서도 직장과 회맹부에 병변이 건너뛰기 양상으로 보이는 예도 있다.

〈구역성 병변〉

    ✓ 허혈 대장염에서는 주로 하행결장에 구역성으로 세로궤양, 발적, 부종 등이 전형적이다(그림 13).

    ✓ 궤양성 대장염에서도 구역형이 있다고 알려져 있다.

〈세로궤양〉

    ✓ 허혈 대장염, 크론병에 빈도가 높다.

    ✓ 최근에는 교원성 대장염의 내시경소견으로 세로궤양이 주목받고 있다.

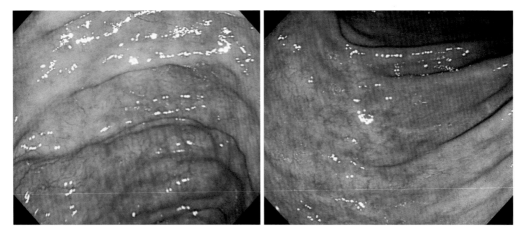

그림 12 • **정맥경화 대장염**　암갈색의 비후된 점막에 점상의 미란이 보인다.

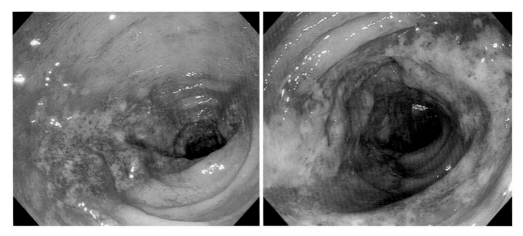

그림 13 • **허혈 대장염**　세로~대상궤양이 구역성으로 보인다.

〈가로궤양〉

  ✓ 장결핵의 전형적인 궤양이다.

〈부정 궤양〉

  ✓ 크론병이나 장결핵, 비스테로이드 소염제 유발 대장염 등에서 보이지만, 궤양만으로 진단이 어려운 경우가 많아서, 그 밖의 임상소견과 종합하여 진단한다.

〈깊은 궤양〉

  ✓ 비스테로이드 소염제 유발 대장염, 베체트 장염(단순 궤양), 아메바 대장염, 숙변궤양 (대형) 등에서 보인다.

❸ **내시경소견 이외의 보조진단**

  ✓ 내시경소견만으로 진단이 어려운 경우에는 문진이 중요하다.

  ✓ 특히 감염 대장염의 진단으로는 배경이나 생활스타일 등에 진단의 힌트가 숨겨져 있

는 경우가 많다.

- ✓ 생검, 배양소견, 혈청항체 등을 추가한다.
- ✓ 혈청항체가 유효한 경우는 아메바 대장염, 클라미디아 대장염, 예르시니아 대장염, 아니사키스, 거대세포바이러스 대장염 등이다.

G | 생검시의 주의점

- ✓ 염증성 장질환의 진단은 내시경소견과 생검조직소견에 의해서 이루어지며, 생검조직소견이 진단의 중요한 포인트가 된다.
- ✓ 생검 부위는 염증의 중심부는 물론이지만, 병변의 변연이나 정상이라고 생각되는 부위에서도 시행한다.
- ✓ 궤양을 동반하는 병변에서는 궤양의 변연에서 생검한다. 중심부에는 괴사물질로 진단의 참고가 되지 않는 경우가 많다.
- ✓ 아메바 대장염이 의심스러운 경우에는 궤양의 중심과 농성점액을 같이 생검하고 PAS 염색을 추가하여 아메바의 영양체를 동정한다(그림 4d).

H | 내시경검사와 관련된 특수검사

❶ 역행성 소장조영법

- ✓ 골반내의 소장조영에 이용한다.
- ✓ 통상의 경로인데 이중조영법에 비해서 선명한 영상을 쉽게 얻는다[3].
- ✓ 장관의 겹침이나 바륨의 부착 등 불량한 문제가 개선된다.
- ✓ 내시경을 말단회장에 삽입하여 가이드와이어를 겸자구에서 구측의 소장으로 진행시켜서 내시경을 제거하고, 가이드와이어를 축으로 조영용 튜브를 삽입하며, 가이드와이어를 제거 후 바륨과 공기에 의한 이중조영을 한다.
- ✓ 협착이 있어도 가이드와이어가 통과하면 그 구측의 정보를 얻을 수 있다.

❷ 생검표본의 직접경검법

- ✓ 아메바 대장염의 진단에 유용하다.
- ✓ 미란, 궤양부의 지저분한 점액을 겸자로 채취하고, 37℃ 생리식염수에 넣어서 검사실로 보낸다.
- ✓ 슬라이드에 검체를 얹고 덮개유리로 가볍게 눌러서 검사한다[2]. 아메바운동을 하고 있는 충체를 관찰할 수 있다(그림 4e).

문헌

1) 五十嵐正広ほか：潰瘍性病変の診断. 消内視鏡 **20**：1175-1181, 2008
2) 五十嵐正広ほか：アメーバ性大腸炎. 胃と腸 **43**：1645-1652, 2008
3) 垂石正樹ほか：小腸 X 線検査. 胃と腸 **43**：417-426, 2008

Chapter 03 소장내시경검사

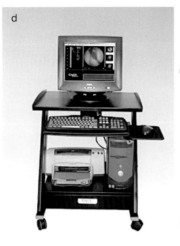
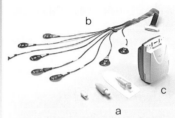

그림 1 · **GIVEN Imaging사제 캡슐내시경시스템** (a) Pillcam 캡슐. (b) 감지 배열기. (c) 저장장치. (d) 워크스테이션

- 염증성 장질환의 진료 · 치료에 있어 대장내시경검사는 중요한 검사법이 되고 있다. 한편, 관강이 긴 소장은 내시경으로 관찰이 어려워서 소장 염증성 질환을 진료할 때에는 주로 소장 바륨조영술을 이용해 왔다.
- 캡슐내시경(video capsule endoscopy : VCE)과 이중 소장풍선내시경이 개발되어, 소장질환의 진료가 변화하고 있다.

A | 캡슐내시경(VCE)

① 시스템

- GIVEN Imaging사제 캡슐내시경 영상진단 시스템과 올림푸스사제 소장 캡슐내시경 시스템이 시판되고 있다. 모두 캡슐내시경 본체, 저장장치, 판독 워크스테이션으로 구성되어 있다(그림 1, 2).
- GIVEN Imaging사제의 캡슐내시경(PillCam™ SB)은 11 mm × 26 mm의 플라스틱제 캡슐로, 발광 LED, 전지, 송신기, 탄코일 감지 배열기 및 이미지센서가 부착되어 있어서, 1초에 2회 발광하는 LED에 동조하여 영상을 촬영한다. 촬영에는 소비전력이 적은 CMOS(complementary metal oxide semiconductor)가 사용되며, 약 8시간의 영상촬영이 가능하다. 캡슐에서 체외로 송신된 영상데이터를 피검자의 복부에 장착한 감지 배열기가 수신하고, 배터리 내장형 저장장치에 저장. 감지 배열기의 신호 강도의 차이에서 체내 캡슐의 대략적인 위치도 표시가 가능하다.

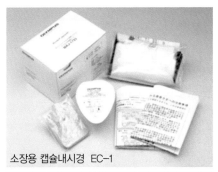
소장용 캡슐내시경 EC-1

work station WS-1
(hardware, monitor, printer)

충전기

수신장치

viewer
(real time monitor)

antena unit

그림 2 · **올림푸스사제 소장 캡슐내시경 시스템**

올림푸스사제 캡슐 본체(Endo Capsule)의 크기는 PillCam^{TM} SB와 같지만 CCD (charged coupled device)로 영상을 촬영하고, 자동조광기능이 탑재되어 있어서 선명한 영상을 얻을 수 있으며, 약 10시간의 촬영이 가능하다. 또 이 시스템에서는 캡슐이 촬영한 영상을 실시간으로 관찰할 수 있는 viewer가 조립되어 있는 점도 특징의 하나이다.

② 검사의 실제

캡슐의 체외배출 지연에서는 복부 단순촬영을 시행하는 점, 전 소장을 관찰할 수 없을 수도 있다는 점, 캡슐 체류시에는 적출술이 필요하다는 점을 충분히 설명한 후에 검사를 시행한다.

검사의 흐름은 다음과 같다.

① 배터리를 충전해 둔다.
② 검사 12시간 전부터 금식을 지시하고, 검사개시 30분 전에 소포제를 내복하게 한다.
③ 복부에 감지 배열기를 붙이고, 케이블을 저장장치에 접속한다.
④ 패키지에서 캡슐을 꺼내어 라이트와 레코더가 동기하여 점멸하는 것을 확인한다.
⑤ 적당량(약 100 mL)의 물과 함께 캡슐을 내복하게 한다. 내복 후 1~2시간은 앙와위나 좌측와위의 체위를 취하지 않도록 지시한다.
⑥ 캡슐내복 2시간 후부터 음수를, 4시간 후부터 식사를 허락한다.
⑦ 캡슐내복 8시간 후에 기기를 탈착한다.

③ 영상해석

영상해석소프트를 인스톨한 워크스테이션에 영상을 다운로드하고, 내시경영상을 해석한다. GIVEN Imaging사 및 올림푸스사제 모두, 영상강조, 자동진단, 혈액검출 등

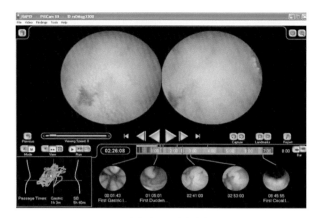

그림 3 · GIVEN Imaging사제 워크스테이션상의 영상해석화면

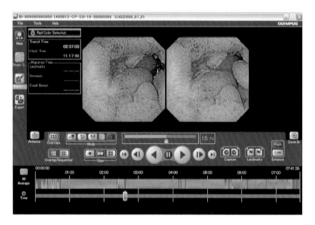

그림 4 · 올림푸스사제 캡슐내시경(Endo Capsule)의 내시경소견

의 컴퓨터서포트기능을 갖추고 있다(그림 3, 4).

✓ 이 기능들은 영상 판독시간을 단축시키지만, 어디까지나 보조기능이라고 생각하는 편이 좋다. 캡슐내시경의 판독기능을 향상시키기 위해서는 의도하지 않은 조건하에서 판독된 내시경 영상에 익숙해져야 한다.

❹ 캡슐내시경의 적응, 금기, 문제점

✓ 소화관의 폐색·협착 또는 누공의 존재가 확실한 증례에서는 캡슐내시경 본체의 정체나 함입의 위험이 높으므로 금기이다. 따라서, 소장 염증성 질환이 의심스러운 경우에는 전산화단층촬영술이나 MR 소장조영술 검사를 선행하는 등의 고려가 중요하다.

✓ 정체의 가능성이 있는 경우는 Patency캡슐로 사전 확인이 권장되고 있지만, 국내에서는 아직 승인되지 않았다.

✓ 체내식 전자기기 삽입례는 현 상황에서는 VCE의 금기증이다.

✓ 임부에 대한 안전성이 확립되어 있지 않다.

✓ 비협착증례의 약 20%에서는 검사시간 내에 캡슐이 소장이나 대장에 도달하지 못하

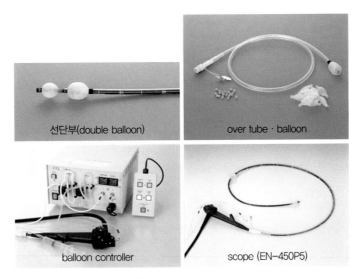

그림 5 · 후지논사제 이중풍선 소장내시경 시스템

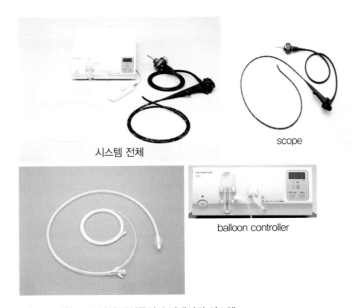

그림 6 · 올림푸스사제 단일풍선 소장내시경 시스템

므로, 전 소장을 관찰할 수 없다.

✓ 하부소장에서는 음식찌꺼기나 담즙 때문에 상세한 관찰이 어려운 경우도 적지 않다.

✓ 소포제의 사용으로 상부 내지 중부소장의 정결상태는 개선되지만, 하부소장에서는 효과가 감소되는 것이 현 상황이다.

✓ 폴리에틸렌글리콜, 또는 등장 구연산 마그네슘액 등, 종래 대장내시경검사의 전처치에 사용해 온 경구 장정결제를 사용하면 진단기능이 향상된다.

B | 소장내시경

❶ 시스템

✓ 후지논사제 이중풍선 소장내시경(DBE)(그림 5)과 올림푸스사제 단일풍선 소장내시경(그림 6)의 두 종류가 시판되고 있다. 다음은 DBE를 중심으로 기술하였다.

✓ 이중풍선 소장내시경은 외경 8.5 mm, 유효길이 2 m, 겸자구경 2.2 mm인 통상 관찰용(FTS사제, EN450-P5)과 외경 9.4 mm, 유효길이 2 m, 겸자구경 2.8 mm인 처치용(FTS사제, EN450-T5)의 두 종류가 있다. 끝에 풍선장착이 가능한 전용 내시경, 풍선장착 오버튜브, 풍선의 확장·탈기용 펌프로 구성되어 있다. 풍선은 라텍스제인 부드러운 풍선으로, 전용 펌프로 45 mmHg까지 확장된다.

✓ 본법에서는 내시경 선단과 오버튜브의 풍선을 교대로 장관벽에 밀착시켜서, 소장을 단축시키면서 스코프를 삽입해 간다. 경구적으로나 경항문적으로 삽입이 가능하여, 양 방향으로의 삽입을 조합함으로써 높은 비율로 전 소장내시경을 관찰할 수 있다. 겸자채널을 갖추고 있으므로, 생검이나 내시경치료도 가능하다.

❷ 검사의 실제

✓ 경구 삽입인 경우는 상부 소화관 내시경검사에 준하여 전날밤부터 금식해야 한다. 경항문 삽입인 경우는 하부 소화관 내시경검사에 준하여 경구 장정결제 등에 의한 전처치를 해야 한다.

✓ 통상의 내시경검사부터 장시간을 요하므로, 진정제, 진통제의 투여 하에 시행한다. 그 때는 혈관확보, 심전도, 혈압, 산소분압을 모니터링하여, 전신상태를 주의깊게 관리한다.

　① 오버튜브를 가장 가까이 끌어당긴 상태에서 통상의 내시경과 마찬가지로 내시경 부분의 삽입부터 시작한다. 경구적으로 진행하는 경우는 내시경이 위내에 도달한 시점에서, 경항문적으로 진행하는 경우는 내시경이 구불결장~하행결장 이행부 또는 비만곡에 도달한 시점에서 오버튜브를 진행시킨다.

　② 오버튜브가 삽입된 후는 보조자가 잡은 오버튜브의 원위단에서 내시경을 삽입해 가는 원격조작이 된다.

　③ 내시경 선단이 심부에 삽입되면 내시경 선단의 풍선을 확장하여 장관벽에 고정시키고, 오버튜브의 풍선을 허탈하게 하여 내시경을 따라서 내시경 선단 풍선까지 진행시킨다.

　④ 오버튜브의 풍선도 확장하여 양쪽의 풍선을 장관벽에 고정시킨 상태에서 내시경과 오버튜브를 함께 당겨서, 장관을 오버튜브위에 접어 넣듯이 단축시킨다.

　⑤ 계속해서 오버튜브의 풍선을 장관에 고정시킨 채, 내시경 선단 풍선을 허탈시켜서 내시경을 삽입한다.

　⑥ 위의 조작을 반복함으로써, 장관을 오버튜브 위에 접어 넣으면서 심부와 내시경 선단을 삽입해 간다. 심부로 삽입을 원만하게 하는 요령은 내시경이 S자상이 되지 않도록, 동심원을 그리듯이 진행시키는 것이다.

❸ **소장내시경의 적응 및 금기**

✓ 소장병변의 정밀검사·치료가 적응이다. 소장질환에 대한 초기검사 또는 소장 X선검사, CT, 캡슐내시경 등에서 지적한 소장질환의 정밀검사·치료법으로 시행한다.

✓ 빈도가 높은 적응증은 소장출혈 의심, 소장종양·폴립 의심, 소장협착 의심 등이다. 그 밖에도 흡수불량증후군, 단백누출성 위장증 등의 미만성 소장질환이나 염증성 소장질환이 적응이 된다.

✓ 금기는 원칙적으로 다른 소화관내시경검사에 준하지만, 특히 활동기의 깊은 궤양 등 취약한 병변이 의심스러운 경우는 천공의 위험성을 충분히 고려하여, 더 이상의 무리한 삽입은 하지 않도록 유의한다.

❹ **합병증과 그 대책 및 예방**

✓ 합병증의 빈도는 낮지만 천공, 출혈 등의 가능성이 있다. 내시경 및 오버튜브의 삽입 시에 저항을 느끼는 경우나 고통을 호소하는 경우는 무리를 하지 않는 것이 중요하다.

✓ 그 밖에 진정에 수반하는 호흡, 순환억제, 흡인성 폐렴에 주의해야 한다. 경구 삽입 후에 급성췌장염이 합병되었다는 보고가 있으며, 그 기전에 관해서는 아직 불분명하지만 조심스런 삽입을 명심해야 한다.

C | 소장 염증성 질환의 진단

❶ **소장의 비종양성 질환과 내시경소견**

✓ 소장 만성질환의 소장바륨조영술은 변형·협착 등의 변연상과 점막상의 이상으로 요약된다.

✓ 변형은 내시경검사에서는 개방성 궤양이나 궤양반흔에 일치하며, 협착은 고도의 반흔화를 동반하는 궤양성 병변에 일치하는 소견이다. 내시경검사만으로 협착 내부의 성상을 판정하기가 어려우며, 소장바륨조영술과 함께 신중한 진단이 요구된다.

✓ 소장내시경검사는 점막의 판정에 뛰어난 검사법이다. 또 종래 소장바륨조영술에서는 진단할 수 없었던 혈관성 병변의 진단에 매우 유용하다.

✓ 소장 비종양성 병변의 내시경진단에서는 궤양성 병변, 협착성 병변, 점막 및 혈관성 병변으로 크게 나누어 분석하는 것이 중요하다.

❷ **궤양성 병변**

a) 세로궤양

✓ 장관의 장축방향으로 주행하는 점막결손으로 캡슐내시경검사에서는 장관의 충분한 신전을 얻을 수 없으므로, 장축방향의 궤양으로 인식하기가 어렵다. 한편, 이중풍선 소장내시경에서는 파이어 판의 일부가 퇴색하여 종주하는 함요로서 세로궤양 반흔처럼 관찰되기도 한다.

✓ 크론병의 세로궤양은 폭넓고 경계가 명료하여 변연에 결절상 변화를 수반한다. 그러나 전층성 염증, 소장의 유착, 누공 등의 병변을 이중풍선 소장내시경만으로 파악하기가 쉽지 않다.

꙳ 비특이성 다발성 소장궤양증에서도 언뜻 보기에 세로궤양과 유사한 점막결손이 관찰된다. 본증의 궤양은 얕고 흐린 백태를 수반할 뿐이며, 주위의 염증 반응을 동반하지 않는다. 또 본증에서는 세로궤양뿐 아니라 사주(斜走), 내지 가로궤양이 융합하면서 다발하는 특징을 가지고 있다.

b) 가로궤양

꙳ 가로궤양을 나타내는 대표적 질환에는 장결핵과 비스테로이드 소염제에 의한 점막병변이 있다.

꙳ 활동기 장결핵의 가로궤양에서는 지저분한 점액 부착과 불규칙한 변연이 나타난다. 이에 반해서, 비스테로이드 소염제의 가로궤양은 소장주름의 정상에 호발하고, 명료한 변연이 있는 것이 특징이다.

꙳ 허혈 소장염에서도 전주성 궤양이 관찰되지만, 본증의 궤양은 장축방향으로 확대되는 구역성 궤양을 특징으로 한다.

꙳ 비특이성 다발성 소장궤양증과 크론병에서도 세로 내지 사주궤양의 일부가 전주성으로 확대되어 가로궤양처럼 관찰되기도 한다.

c) 그 밖의 궤양

꙳ 크론병, 장결핵, 베체트 장염, 비스테로이드 소염제 유발궤양, 방사선 소장염 중에서는 작은 궤양이나 아프타 궤양이 높은 비율로 확인된다. 특히 크론병과 비스테로이드 소염제 유발궤양에서는 미세병변이 많다. 따라서 이 작은 병변들이 발견되었을 때는 타 부위의 소견을 근거로 신중하게 진단해야 한다.

꙳ 특수한 경우이지만, Meckel게실 내의 궤양 병변의 진단에도 소장내시경검사가 유용하다.

❸ 협착

꙳ 가로궤양 또는 거의 전주성 궤양성 병변의 치유기에 보인다.

꙳ 협착을 일으키는 대표적 질환은 크론병이며, 본증에서는 가장 고도인 협착에 연속하여 세로궤양이 관찰되는 것이 특징이다. 한편 비특이성 다발성 소장궤양증은 치유경향이 낮아, 협착부에 백태가 부착되고, 나선상 변형을 동반한다.

꙳ 비스테로이드 소염제 유발궤양이나 허혈 소장염에서는 전주성 궤양이 비교적 단기간에 치유되므로, 구심성 협착을 일으킨다.

❹ 점막의 이상

꙳ 소장섬모상피나 점막고유층에서 조직학적 변화를 확인하는 미만성 질환의 진단에는 점막의 판정이 중요하다.

꙳ 감염 소장염, 호산구소장염, 헤노흐–쉔라인 자색반, 전신성 홍반성 낭창에 합병되는 루프스장염 등의 급성 부종성 질환에서는 소장주름이 종대된다.

꙳ 크론병에서는 조약돌 점막상이라 칭하는 결절상 점막이 관찰되는데, 장결핵이나 방사선 소장염에서는 점막면이 편평해지고, 섬모가 불분명해진다.

꙳ 크론카이트–카나다 증후군에서는 다발성의 융기성 병변과 함께 병변 사이의 섬모의 종대가 관찰된다.

염증성 | 장질환의 | 상부 | 소화관 | 병변

크론병의 상부 소화관 병변은 1937년 Gottlieb팀에 의해서 처음 보고되었다. 당초는 비교적 드물다고 생각했지만, 최근 들어 높은 비율로 나타난다고 알려져 있다. 또 궤양성 대장염은 진단기준에 있어서 이환범위가 대장에 국한한다고 정의되어 있지만, 근래 상부 소화관 병변의 보고가 드물게 보이게 되었다. 그러나 염증성 장질환의 상부 소화관 병변의 빈도가 다양한 것은 침범의 정의가 다양하기 때문이다. 정확한 빈도를 파악하기 위해서는 먼저 상부 소화관 병변의 정의를 명확히 할 필요가 있다.

A | 크론병의 상부 소화관 병변

- 크론병의 약 80%에서 확인되며, 크론병의 활동성과 무관하다..
- *H. pylori*의 관여가 확인되지 않는다.

❶ 식도병변

- 크론병환자의 1.8~4.8%에서 볼 수 있으며, 위 · 십이지장병변에 비해 빈도가 낮다.
- 과립상이며 다발성의 아프타 · 미란이 관찰된다(그림 1). 악화되면 미란이 합쳐져 세로경향, 다발 궤양, 조약돌 점막상을 나타낸다.

❷ 위병변

- 32~59%에서 볼 수 있다.

〈다발미란 · 궤양〉

- 가장 많은 것은 아프타 미란이다(그림 2).

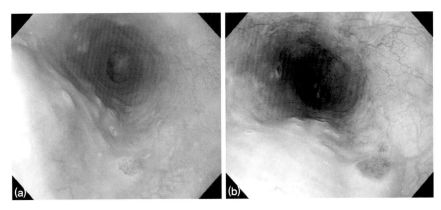

그림 1 · **식도의 다발하는 아프타** (a) 통상 관찰. (b) 색소 도포상

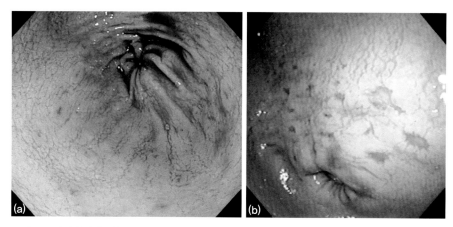

그림 2 · **다발성 미란**   (a) 위전정부의 다발성 미란. (b) 세로배열 경향을 나타내는 미란

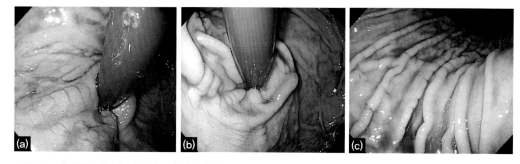

그림 3 · **대나무의 마디상 외관**   (a, b) 전형적인 분문부 바로 아래의 대나무의 마디상 외관. (c) 체부대만에서 확인한 대나무의 마디상 외관

- 전정부를 중심으로 다발·밀집하는 경향이 있지만, 그 밖에도 부정형 궤양이나 깊이 파인 궤양 등, 여러 가지 형태를 나타낸다.
- PPI는 효과가 없고 항 TNFα 항체에 의해서 호전되었다는 증례가 있다.

〈대나무의 마디상 외관(bamboo-joint like appearance)〉

- 종주하는 2~4조의 종대된 주름과 그 주름을 가로지르는 균열상의 함요로 이루어지는, 대나무의 마디와 유사한 외관을 나타내는 점막소견[1].
- 크론병환자의 36~59%에서 볼 수 있다.
- 전형적인 증례에서는 분문부에서 체상부 소만에 걸쳐서 나타나지만(그림 3a, b), 체부대만에 나타나기도 한다(그림 3c).
- 크론병의 상부 소화관 병변으로서 특징적인 소견이지만 특이성은 높지 않다.
- 균열상의 함몰일뿐이고 주름의 종대를 동반하지 않는 것을 세로로 배열하는 함몰이라 한다.

〈과립상 점막〉

- 위체부부터 전정부에 나타난다.
- 비늘모양의 거친 점막을 나타내기도 한다(그림 4).

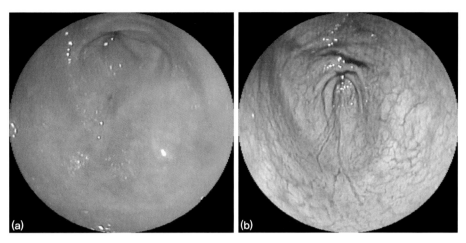

그림 4 · **과립상 점막**   (a) 전정부의 통상 관찰. (b) 색소 도포. 색소 도포로 과립상 점막이 명료해진다.

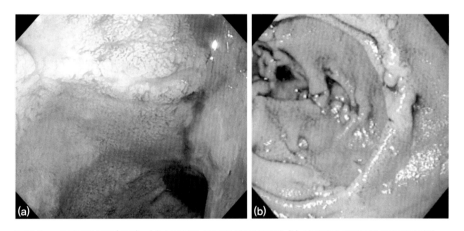

그림 5 · **십이지장 병변(미란)**   (a) 십이지장 구부의 부정형 미란. (b) 십이지장 하행부의 종주배열미란

　통상 관찰로는 평가가 어려우며, 색소 도포에 의한 관찰이 용이하다.

❸ 십이지장

　구부에서 약 42~59%, 하행부에서 약 12~63%로 나타난다.

〈다발미란 · 궤양〉

　낙지빨판 같은 미란, 부정형 궤양 등, 여러 가지 형태를 취한다(그림 5, 6).

　세로배열 경향을 나타내는 것도 있지만, 산재하거나 밀집하는 등, 여러 가지이다.

　궤양반흔에 의해서 유문 · 십이지장 협착을 나타내기도 하며, 협착이 진행되면 심각한 폐색증상을 일으킨다(그림 7).

　협착에는 풍선확장술이 효과적이지만, 효과가 없는 경우에는 수술도 고려한다.

〈절흔상 외관(notched appearance)〉

　하행부 Kerckring 주름 위에 생기는 균열미란 · 또는 그 절흔상의 소견[2].

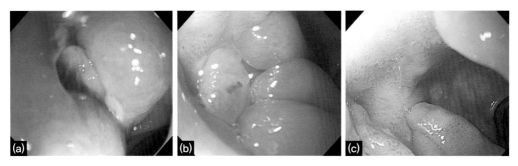

그림 6 • **항 TNFα 항체치료가 유효한 증례**   (a) 십이지장 구부 궤양의 경과. 깊이 파인 궤양이 구부 전벽에서 관찰된다. (b) 항 TNFα항체 치료 도입 4주후. (c) 4개월 후

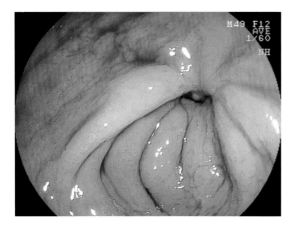

그림 7 • **구부 궤양으로 유문협착을 일으킨 증례**   풍선확장술을 시행하였다.

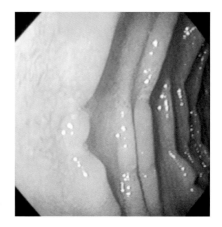

그림 8 • **십이지장 하행부의 종주하는 절흔상 외관**

  ✓ 다발하는 증례에서는 세로로 배열하는 경향을 보인다(그림 8).

〈조약돌 점막상〉
  ✓ 십이지장 구부에 많고, 하행부에는 4% 정도로 낮은 비율이다.

〈염주상 융기(nodular folds)〉
  ✓ 결절상의 융기가 세로로 배열된 소견(그림 9).

〈과립상 점막〉
  ✓ 위와 마찬가지로, 비늘모양의 거친 점막을 나타낸다.

〈기타〉
  ✓ 세로로 배열하는 대나무의 마디상 외관과 유사한 균열상 함몰이나 횡주하는 함몰 등, 여러 가지 소견을 보인다(그림 10).

〈상부 소화관검사를 해야 하는 병태〉
  ✓ 상부 소화관 증상을 보이는 경우.
  ✓ 전 소화관에서 병변범위의 결정이나 병세파악이 필요한 경우. 특히 초진시 크론병에서는 적극적으로 시행한다.

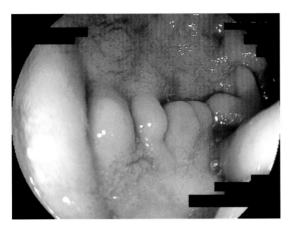

그림 9 · 십이지장 구부의 염주상 융기

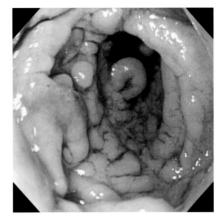

그림 10 · 구부에서 횡으로 배열하는 함몰과 과립상 융기 등, 여러 가지 소견을 확인한 증례

✓ 대장의 검사만으로는 확진이 어려웠던 증례.

감별진단의 포인트

▶ 다음의 소견을 나타내는 경우는 크론병 관련 병변을 염두에 둔다.
  ① 세로경향을 보이거나 또는 대나무의 마디상 외관을 동반하는 경우.
  ② 미란 · 궤양이 부정형인 경우, 궤양이 깊이 파인 경향을 나타내는 경우.
▶ 크론병 관련 병변이 의심스러운 경우에는 적극적으로 생검을 시행한다.
▶ 위십이지장에서 미란이나 궤양을 보이는 경우 통상의 미란성 위염 · 십이지장염이나 소화성 궤양과 감별이 어려운 경우가 많다.

one point advice

● 크론병의 상부 소화관 병변은 통상 관찰로 인식하기 어려운 경우가 많아서 적극적으로 색소 도포를 추가한다.
● 소견을 확인한 경우에는 생검으로 육아종의 유무를 확인한다.
● 대나무의 마디상 외관에서 생검은 함몰부위에서 한다.
● 위병변의 생검에서 육아종의 검출률은 10~12.5%.

B | 궤양성 대장염의 상부 소화관 병변

✓ 궤양성 대장염의 5.1~8.2%에서 볼 수 있다.

✓ 활동기의 광범위 대장염형 또는 광범위 대장염형의 전대장절제술후 경과 중에 발생한 보고가 대부분이다[3].

✓ 대장병변과 유사한 취약성의 거친 미세과립상 점막이나 미란 · 궤양 등이 연속성 · 미만성으로 나타난다(그림 11).

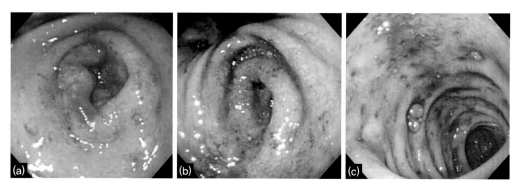

그림 11 · **궤양성 대장염의 상부 소화관 병변**   전정부(a, b) 및 십이지장(c)의 점막은 거칠고 취약성

  ☑ 상부 소화관 병변의 경과는 대장병변의 활동성과 관련된다.

  ☑ 생검에서는 대장병변과 마찬가지로 음와염, 음와농양이 보인다.

〈상부 소화관검사를 해야 하는 병태〉

  ☑ 상부 소화관 증상을 호소하는 경우.

  ☑ 활동기의 궤양성 대장염.

  ☑ 궤양성 대장염의 상태와 비례하지 않는 빈혈의 진행.

  ☑ 스테로이드의 장기 투여증례.

One point advice

● 궤양성 대장염의 상부 소화관 병변에 대한 치료법으로, 일반적인 산분비억제제제는 효과가 없다.

● 대장병변의 치료법에 준한 스테로이드, 메살라진, 백혈구 제거요법, 면역조절제 등이 유효하다는 보고가 많다.

문헌

1) Yokota K et al : A bamboo joint-like appearance of the gastric body and cardia : possible association with Crohn's disease. Gastrointest Endosc **46** : 268-272, 1997

2) 渡　二郎ほか : Crohn 病の上部消化管病変の臨床と経過.　胃と腸 **42** : 417-428, 2007

3) Hori K et al : Gastroduodenitis associated with ulcerative colitis. J Gastroenterol **43** : 193-201, 2008

A | 하부 소화관 염증성 장질환에서 복부 초음파검사와 전산화단층촬영검사의 위치부여

- 지금까지 복부 초음파검사(이하, 에코), 복부 전산화단층촬영검사는 소화관 병변에 대해서 대장내시경검사의 보조진단으로서 사용되어 왔다. 하지만, 최근 기기의 진보나 기술면의 향상으로 하부 소화관 염증성질환에 대한 초음파검사, 전산화단층촬영검사의 유용성이 보고[1, 2]되고 있다.

- 대장내시경검사 시행이 어려운 경우, 염증성 장질환 초기의 증상이 심한 증례나 소아 고령자에게 유용성이 높다.

- 대장내시경검사로 진단할 수 있는 경우라도 단층면에서의 평가법인 초음파검사와 전산화단층촬영검사는 장벽의 성상, 림프절종대, 장기종대 등의 장관외의 상태를 파악할 수 있다. 특히 초음파검사는 비침습적으로 반복시행이 가능하며, 급성병변의 파악에 유용하다.

B | 초음파검사에 의한 소화관 진단의 포인트

- 처치없이 가능하지만, 장정결제를 복용한 대장내시경검사 시행 전에 하면 장벽의 성상을 파악하기 쉽다.

- 대장벽을 인식하기 쉬운 구불결장이나 회맹부에서 시작하여, 가능한 장관을 전장에 걸쳐서 관찰한다.

- 벽비후를 나타내는 질환(궤양성 대장염, 크론병, 허혈 대장염, 세균 대장염, 대장게실염, 충수염 등)에서 유용성이 높다.

- 진단의 포인트는 병변부의 소화관벽의 두께나 연속성, 이상소견의 부위와 분포, 층구조, 에코레벨, 장벽외의 변화, 연동의 상태, 내강의 상태 등을 정확하게 관찰한다. 보험은 적용되지 않지만, 조영제를 사용하여 혈류를 평가하는 보고도 있다[3].

C | 전산화단층촬영검사에 의한 소화관 진단의 포인트

- 다검출 전산화단층촬영검사(MDCT)의 발달로, 이전보다 정확한 진단이 가능하다.

- 소화관의 혈관해부에 입각한 조영효과가 다른 벽의 층구조나 벽의 두께(조영법도 고려), 장관 주위 지방층 농도의 변화를 판독한다.

- 초음파검사에 비해 술자에 의한 기술적인 차가 적고, 전단상을 구성할 수 있어서, 하

나의 슬라이스로 얻을 수 있는 정보량이 많다. 비만증례, 천공이 의심스러운 증례에도 유용하지만, 방사선피폭 때문에 자주 시행하지 못하고, 병실에서 시행할 수 없다는 결점이 있다.

D | 초음파검사, 전산화단층촬영검사를 시행해야 하는 병태

✓ 대장내시경검사가 어려운 증례(동통, 혈액이나 잔변이 다량인 경우, 소아나 고령자 등).

✓ 반복 관찰이 필요한 예(중증화가 예상되는 O157장염, 경과가 긴 염증성 장질환 등).

✓ 대장내시경으로 진단이 어려운 증례(장관외의 상태 파악).

✓ 치료에 반응하지 않는 증례.

✓ 초음파검사, 전산화단층촬영검사 모두에서 층구조의 감별이 어려운 경우는 악성질환을 염두에 두어야 한다.

E | 대표적 질환에서 초음파검사, 전산화단층촬영검사

✓ 대표적 질환에는 궤양성 대장염, 크론병, 허혈 대장염, 세균 대장염, 대장 게실염 등이 있다.

✓ 이하 대표적 영상을 나타내면서 해설하였다.

❶ 궤양성 대장염

✓ 벽비후의 정도나 연속성을 파악하고 층구조의 변화도 주의깊게 관찰한다. 관해기라도 종양성 병변의 출현에 주의를 기울인다.

✓ 그림 1a는 직장에서 상행결장까지 연속된 병변을 보인 활동기의 광범위결장염형 궤양성 대장염이다.

✓ 초음파검사에서 같은 부위에 층구조의 혼란이 없는 벽비후(최대 12 mm)를 확인하고(그림 1b), 전산화단층촬영검사에서는 벽비후와 장간막 영역의 지방농도의 상승을 확인한다(그림 1c).

✓ 활동기에는 감염 대장염, 크론병, 허혈 대장염 등과 감별해야 하지만, 표 1을 참고로 하여 병변의 연속성, 분포, 층구조를 관찰하여 감별한다.

❷ 크론병

✓ 회맹부 병변·소장병변도 고려, 국소적인 장관 확장, 주위의 고에코(활동성 궤양에 해당), 누공 형성의 가능성에도 주의한다.

✓ 그림 2a는 구불결장부터 비만곡부에 깊은 세로궤양을 보이고, 심한 통증으로 전 대장을 대장내시경검사로 관찰할 수 없었던 활동기 크론병 증례. 전 대장 및 소장의 관찰이 가능한 에코(그림 2b)에서는 간만곡부에서 구불결장까지 연속하여 제3층의 벽비후(약 6 mm)와, 세로궤양에 해당되는 깊이 2~4 mm 정도의 점~선상의 고에코를 확인하였다(그림 2b의 화살표).

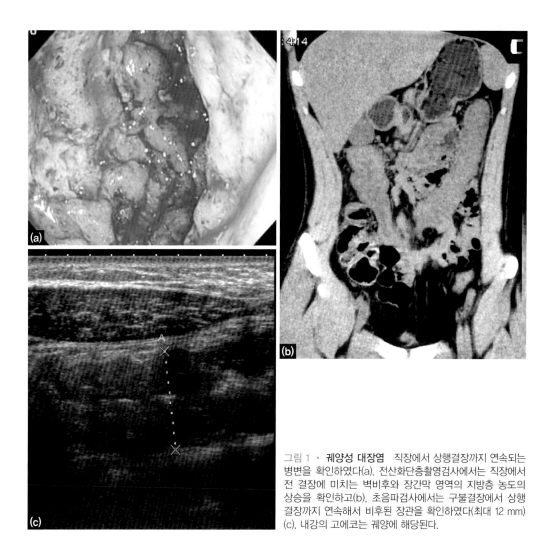

그림 1 · **궤양성 대장염** 직장에서 상행결장까지 연속되는 병변을 확인하였다(a). 전산화단층촬영검사에서는 직장에서 전 결장에 미치는 벽비후와 장간막 영역의 지방층 농도의 상승을 확인하고(b), 초음파검사에서는 구불결장에서 상행결장까지 연속해서 비후된 장관을 확인하였다(최대 12 mm)(c). 내강의 고에코는 궤양에 해당된다.

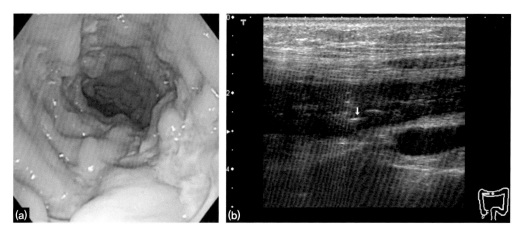

그림 2 · **크론병** 구불결장부터 비만곡부에서 깊은 세로궤양을 확인한 활동기 크론병(a). 간만곡부에서 구불결장까지 연속해서 장관벽의 비후(6 mm 정도)를 확인한다(b).

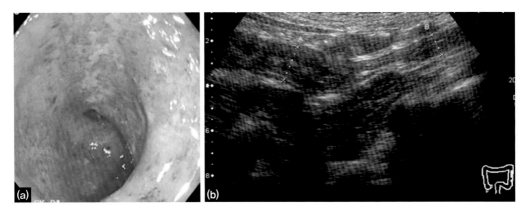

그림 3 · **허혈 대장염** 구불결장부터 하행결장에 걸쳐서 확인된 세로경향의 미란, 궤양으로 진단하고(a), 초음파검사(b), 구불결장에서 하행결장으로 연속된 벽비후를 확인하였다(5~15 mm).

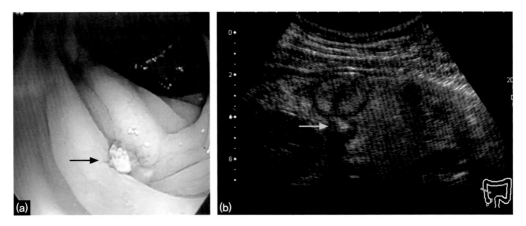

그림 4 · **대장 게실염** (a) 상행결장 중부의 게실내에 배변덩어리(⟶)를 확인하고, 게실 주위에서 발적을 확인한다. (b) 대장내시경검사와 같은 부위에 장관외방으로 돌출한다. 음향음영을 동반한 고에코(⟶)를 확인한다.

❸ 허혈 대장염

✓ 구불결장부터 하행결장에서 미란, 궤양을 확인한 허혈 대장염(그림 3a)의 에코(그림 3b)에서는 같은 부위에 연속되는 벽비후를 확인하였다(6~15 mm).

✓ 궤양성 대장염, 세균 대장염 등과 감별하기 위해서 세균학적 검색도 하지만, 대부분의 경우 병력의 청취와 호발부위(하행결장, 구불결장)가 참고가 되며, 에코만으로도 진단이 가능하다.

❹ 대장 게실염

✓ 병변부위에서 국한성 압통이 확인되는 경우가 많으므로, 탐촉자로 복부를 압박하면서 관찰하면 병변부위의 추정이 가능하다.

✓ 전형적인 증례(그림 4b)에서는 장관외방으로 돌출한 저에코와 내부 고에코(게실내의 배변덩어리)를 확인한다. 대장내시경검사시에 배변덩어리를 확인하고 원인병소라고 진단하였다(그림 4a).

표 1 대표적인 감염 대장염의 이환부위와 소화관벽의 성상

	캄필로박터 대장염	예르시니아 장염	장출혈대장균 대장염	살모넬라 장염
호발하는 병변범위	I, C~T, S~R	I, C~A	C~A	I, C~T
층구조	명료	명료	명료~불명료	명료
주 비후층	점막하층	점막~점막하층	점막~점막하층	점막하층
그 밖의 특징	벽비후의 정도가 가볍고, 회맹판의 궤양이 특징.	회맹부에 병변이 많아서, 충수염과 감별을 요한다.	중증화되면, 병변범위가 확대된다. 벽비후가 심하다.	캄필로박터와 유사하지만, 벽비후가 다소 심하다.

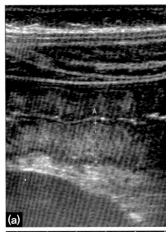
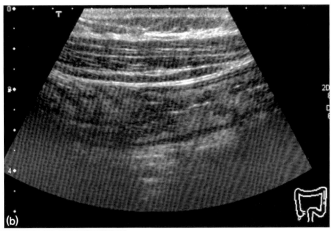
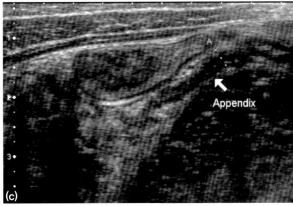

그림 5 • **세균 대장염** (a) 장출혈대장균 대장균(O157) 대장염. 거의 전 대장에서 벽비후를 확인하고, 벽비후는 최대 12 mm, 제3층 비후였다. 사진은 하행결장이다. (b) 살로넬라 장염. 구불결장에서 상행결장까지 거의 연속된 벽비후를 확인하고(5~10 mm), 세균배양에서 진단하였다. 사진은 하행결장이다. (c) 예르시니아 장염. 우하복부 통증을 주소로 내원하여, 에코상 말단회장의 벽비후(10 mm)와 림프절종대를 확인하였다. 충수염이 의심스러웠지만, 충수종대는 확인하지 못하고(약 3 mm), 세균학적 검사에서 예르시니아 장염이라고 진단하였다.

✓ 좌측형에서는 허혈 대장염, 우측형에서는 충수염 등과 감별해야 하는데, 에코로 상기 소견을 얻게 되면 진단이 용이하다.

❺ 세균 대장염

✓ 일반적으로 호발하는 병변부위가 알려져 있으며, 소견이 보인 부위를 함께 검토한다 (표 1).

✓ 병원성 대장균 O157 감염증례(그림 5a)에서는 중증화례도 있어서 신장을 포함한 경과를 관찰하고, 또 소아례나 병 초기의 대장내시경검사가 어려운 증례는 비침습적으로 반복시행 할 수 있는 초음파검사가 유용하다.

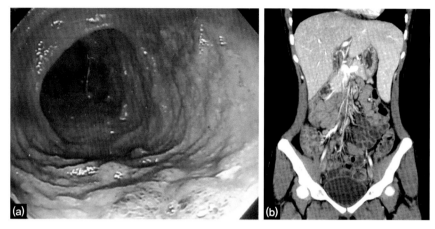

그림 6 · **거대세포바이러스 대장염**　(a) 말단회장에 활동기 크론병과 유사한 세로궤양을 확인하였다.
(b) 말단회장에서 상행결장 주위의 림프절 종대. 간비종대가 확인되어, 바이러스성 질환을 의심하였다.

✓ 살모넬라 장염은 벽비후가 심하여 병변이 전 대장에 미친다(그림 5b).

✓ 예르시니아 장염은 회맹부 병변이 많아서 충수염과 감별이 필요하다. 초음파검사나 전산화단층촬영검사로 충수염의 유무를 확인한다(그림 5c).

⑥ 거대세포바이러스 대장염

✓ 일반적으로 바이러스성 감염증의 경우, 림프절종대가 눈에 띄는 경우가 많고 장관외의 정보는 진단의 참고가 된다. 전산화단층촬영, 초음파검사, 바이러스항체검사 등을 병용하여 진단을 진행한다.

✓ 그림 6a는 말단회장의 세로궤양을 확인하고 크론병이 의심스러웠지만, 전산화단층촬영, 초음파검사에서 고도의 간비종대, 다수의 림프절종대가 보여서(그림 6b) 바이러스검사로 거대세포바이러스 대장염이라고 진단하였다.

⑦ 장결핵

✓ 활동기에는 깊은 궤양을 형성하고 종양성 병변과 감별을 요한다(그림 7a). 감별을 위해서 점막배양, 병리학적 검사를 해야 한다.

✓ 벽의 성상(비후 및 층구조), 주위 림프절을 주의깊게 관찰하고 종양과 감별한다(그림 7b).

F | 초음파검사, 전산화단층촬영술로 소견을 발견했을 때의 분석순서

✓ 장벽의 성상과 부위에서 활동성(또는 중증도)을 파악한다.

✓ 염증이 경도~중등도인 경우나 점막층 중심의 염증인 경우에는 층구조가 유지되지만, 전층에 염증이 미친 경우는 층구조가 불명료해진다. 층구조가 혼란해 있는 경우는 종양성인 경우도 있으므로 주의해야 한다.

✓ 림프절종대도 참고로 하며 심한 경우는 바이러스 감염도 염두에 두고 적절한 항체검사를 시행한다.

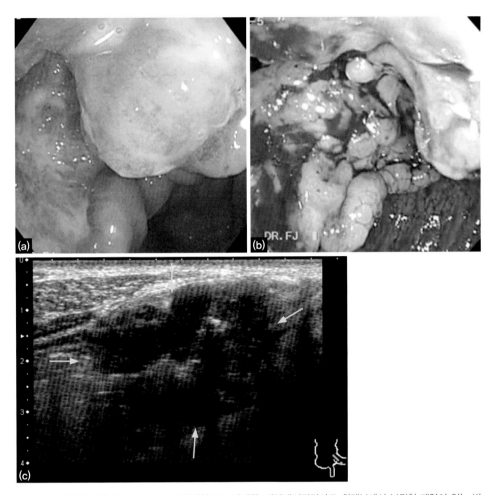

그림 7 · **장결핵**   (a) Borrmann type Ⅱ대장암으로 의뢰됨. 대장내시경검사로 회맹부에서 부정형 궤양이 있는 병변을 확인하였다. (b) 에코상, 회맹부에서 저에코영역(➡ 로 둘러싸인 부위)을 확인하였다. 주위 림프절 종창을 확인했지만, 층구조의 혼란은 거의 확인하지 못하여 종양성보다 염증성 질환을 생각하기 쉽다. 대장내시경 소견, 병리조직학적 소견, 배양검사를 합하여 장결핵이라고 진단하였다.

본 연구팀은 각 질환의 임상경과와 에코소견에 따라서 벽비후형, 림프절 종창형, 양자가 함께 보이는 혼재형의 세 가지로 나누어 감염 대장염의 진단, 치료, 경과관찰에 사용하고 있다[4].

문헌

1) 畠　二郎 : 消化管の超音波検査. 臨画像 **24** : 308-319, 2008
2) 行澤斉悟ほか : 消化管の CT 診断. 臨画像 **24** : 320-331, 2008
3) 畠　二郎ほか : 大腸の新しい超音波診断, 造影超音波検査. 胃と腸 **43** : 921-927, 2008
4) 坂本輝彦ほか : 感染性腸炎の診断, 治療および経過観察に有用な体外式腹部超音波検査. 消化器科 **47** : 242-246, 2008

06 생검조직학적 진단

A | 진단에 있어서 기본자세

- 염증성 장질환은 종류가 매우 다양하며, 또 같은 질환이라도 염증의 정도나 시기에 따라서 조직상이 다양하므로, 생검진단이 종종 어렵다. 염증성 장질환의 진단은 조직학적 변화가 병변의 형태(이중조영바륨관장술, 내시경, 육안상 등)뿐 아니라, 환자의 전신상태나 합병증, 혈액생화학적 검사를 포함한 임상소견과 어떻게 관련되어 있는가를 고찰하고 진단해야 한다. 그러나 병리 결과만으로 이 작업을 하기는 무리이므로 임상의와 병리의의 협진이 기본이다.

- 통상업무에서 병리의는 병리검사의뢰서에 기재된 임상소견을 근거로 조직에서 관찰된 소견과 정합성을 고려하면서 보고서를 작성해야 하지만, 임상소견의 부족 또는 과신으로 실제와 다른 병리진단에 이를 수도 있을 수 있다는 점을 임상의는 알아야 한다.

B | 실제 병리진단의 순서

- 올바른 진단에 도달하기 위해서, 임상의는 병리조직소견에 있어 어느 정도 진단이 가능한가 하는 병리진단의 유용성과 한계를 알아두어야 한다. 즉 장의 염증성 질환의 진단에 생검조직만으로도 확진할 수 있는 것, 생검조직만으로도 어느 정도 특정한 질환을 유추할 수 있는 것, 생검조직이 진단에 그다지 유용하지 않은 것이 있다는 점을 우선 알아야 한다.

- 병리의에 의한 일상의 생검조직의 진단 순서는, 첫째로 특이적 소견의 유무를 확인한다. 단, 이때 바이러스에 의한 핵내봉입체의 출현, 아메바 대장염(그림 1)이나 이소스포라, 일본주혈흡충의 충체의 검출, 아밀로이드 침착 등은 특이적 소견으로, 확진에는 유용하지만 이것이 장염의 발병원인인지 단순히 동반된 소견인지를 감별진단해야 한다.

- 둘째로 특징적 소견의 유무를 체크하여, 이것이 확인되는 경우는 표에 기재한 질환일 수도 있지만, 이 경우도 병리학적 변화가 임상소견과 모순되지 않는지를 진단해야 한다. 그리고 어느 하나의 소견이라도 부족한 경우, 생검 조직은 임상소견을 가미하면 몇 가지 질환이 감별진단 후보로 나오는 정도로 밖에 도움이 되지 않는다.

- 그리고 특이적 및 특징적 소견이 있는 장염이 제외된 경우, 감별진단으로 가장 중요한 것은 염증성 장질환(IBD)인가 아닌가 하는 진단이다.

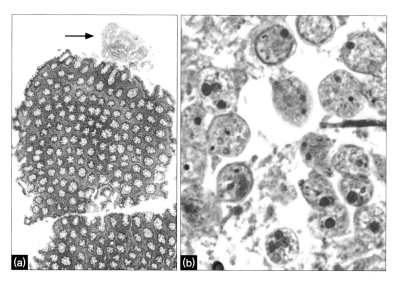

그림 1 · **아메바 대장염의 생검** 생검 채취부위가 적절하지 않으면, 대장점막과 연속성이 없는 괴사조직 중에서 소량의 충체만 채취하는 경우가 있어서(a, 화살표), 간과될 가능성이 있다. 적혈구를 탐식하고 있는 것이 병원성을 나타낸다(b).

C │ 염증성 장질환의 생검조직 진단

통상은 궤양성 대장염과 크론병의 육안형태나 조직상이 다르지만, 대장병변에서는 양자가 적어도 국소적으로 유사한 경우가 종종 있다. 그 때문에 한정된 재료밖에 채취하지 못한 생검조직 진단에서는 양자를 정리하여 염증성 장질환으로서 취급하는데, 여기에서 해설하는 염증성 장질환의 조직학적 특징은 기본적으로 궤양성 대장염의 특징이라고 이해하기 바란다.

염증성 장질환의 진단은 임상의가 하는 것으로, 생검조직진단에서는 임상진단에 큰 모순이 없는지를 판단하는 정도로 생각하고 있는 병리의가 적지 않다. 일반적으로 궤양성 대장염의 조직소견은 미만성 만성 활동성 염증과 음와상피의 배세포감소, 음와농양의 출현이 특징적이라고 하지만, 실은 용어만으로는 이러한 소견들이 감염 대장염에도 적용된다.

염증성 장질환의 조직학적 특징은, 점막내에서 미만성 만성 활동성 염증이 음와저부와 점막근판 사이에서 림프구와 형질세포 침윤을 수반하는 것이 특징이며, 이것은 저부 형질세포증가증이라고 한다. 이 점막심부의 염증에 의해서 파괴된 심부 음와에 침윤된 호중구가, 확장된 음와내에 저류된 상태가 염증성 장질환에서의 특징적 음와농양이다. 그리고 염증성 장질환에서 파괴된 음와심부는 증식대에 해당되므로, 기반을 상실한 음와의 재생기전에서 음와의 방향이 불규칙해지며, 이것이 음와의 분지나 음와 왜곡이라는 소견이다(그림 2)[1~4]. 다나카(田中)팀은 염증성 장질환의 감별진단에 유용한 조직소견을 해석하고, 염증성 장질환인가의 여부에 관해서는 ① 음와의 위축 ② 음와 왜곡 ③ 저부 형질세포증가증 ④ Paneth세포화생(간만곡부보다 항문측에서)의 네 항목의 중요성을 강조하고, 이 소견들을 근거로 스코어에 의한 진단기준을 제창했는데, 그 중에서도 저부 형질세포증가증와 음와 왜곡에 무게를 실고 있다[3]. 또 이

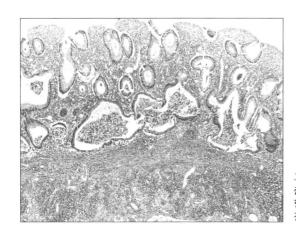

그림 2 · **궤양성 대장염의 활동기**　점막내에서 점막하층 표층부의 고도의 만성 활동성 염증에 추가하여, 저부 형질세포증가증, 음와 왜곡을 동반한다. 음와농양은 확장된 점막심부의 선관에 나타나는 것이 특징이다.

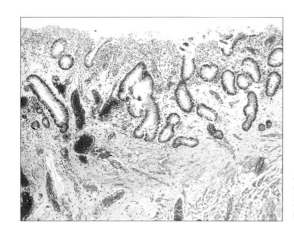

그림 3 · **궤양성 대장염의 완화기**　염증은 매우 경도이지만, 음와 왜곡을 확인한다. 점막근판과 음와저부의 괴리는 저부 형질세포증가증의 흔적을 시사한다. 또 점막근판의 뒤얽힘도 미란 · 궤양의 회복상이다.

네 항목 중 저부 형질세포증가증 이외에는 염증성 장질환의 완화기에도 나타나는 특징적 소견이다(그림 3). 단, 이 소견들이 확실하지 않은 경우 병리측에서는 적극적으로 염증성 장질환를 지지하지도, 부정하지도 않는다.

✓ 염증성 장질환의 조직소견이 있고 비건락성 유상피세포육아종을 확인하면 적극적으로 크론병을 시사할 수 있다. 단, 크론병에서는 대부분이 비연속성 병변으로 아프타뿐인 경우도 있어서 반드시 염증성 장질환의 특징을 확인하는 것은 아니다. 또 육아종은 크론병 이외의 여러 가지 질환에서도 나타나므로 주의해야 한다[5].

✓ 한편, 캄필로박터 등에 의한 감염 대장염에서는 장관내에서 세균의 증식으로 점막표면에 급성염증(호중구 침윤)을 일으키며, 파괴된 음와내에서는 호중구의 저류(광의의 음와농양)가 확인되는데, 점막표층부에서 확장되지 않는 음와내의 호중구 저류로, 염증성 장질환에서 보이는 음와농양과는 상이 다르다[1~3]. 그리고 감염 대장염에서는 음와심부의 파괴가 적어서 음와 왜곡도 생기지 않는다(그림 4).

✓ 감염 대장염은 임상적으로 증상과 경과에 의해서 염증성 장질환과의 감별이 어렵지 않지만, 감염 대장염의 급성기의 한 시점에서 내시경소견이 깊은 궤양을 형성하지 않고, 미란을 수반하는 미만성 발적으로 확인되어 궤양성 대장염과 유사한 경우가 종종

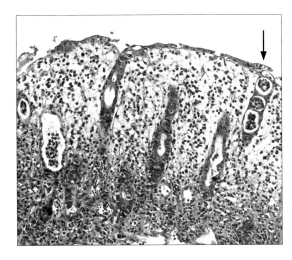

그림 4 · **감염 대장염**   현저한 염증세포 침윤이 확인되지만, 저부 형질세포증가증이나 음와 왜곡은 확인되지 않는다. 음와농양은 표층 주체의 확장이 부족한 음와내의 호중구의 밀집으로 확인되며, 염증상 또는 진주 목걸이(string of pearl sign)라고도 표현된다(화살표).

있다. 이와 같은 내시경소견의 생검병리진단의 의뢰일 때에 감별진단의 하나로서 궤양성 대장염이 문제가 되는 경우가 종종 있으며, 조직에서는 앞에서 기술한 염증성 장질환의 소견이 없어도 병리의는 임상진단을 믿고 "궤양성 대장염에 합치한다/모순되지 않는다"라고 진단한다. 감염 대장염을 궤양성 대장염이라고 진단하게 되면, 후생노동성 특정질환(난치병)으로 취급하게 되므로 염증성 장질환이라고 확정하는 데는 충분한 주의를 기울여야 한다는 점을 강조하고 싶다.

D │ 병리검사 의뢰시의 주의점

앞에서 기술하였듯이 병리진단은 임상소견을 추가하여 하므로, 최소한의 임상소견을 병리검사 의뢰서에 기재하는 것이 중요하다. 정확한 임상정보를 제공하는 것도 임상의의 실력이며, 병리측에서는 그 기재내용에 따라서 임상의의 실력을 평가하고 있는 점도 염두에 두고 의뢰서를 작성한다.

병변의 형태와 분포, 생검채취 부위의 소견의 기재는 당연하지만, 발병시기를 포함한 경과, 환자의 전신상태(면역부전의 유무 등), 장관외 합병증, 투여약제나 특수한 치료의 유무(골수이식, 방사선치료 등)는 대장질환과 관계가 없다고 생각되는 경우라도 필요한 정보이다. 투여약제 중에서도 비스테로이드 소염제, 항균제, 항암제, 스테로이드는 장질환과 밀접한 관련이 있는 경우가 종종 있으므로, 이러한 약제들의 투여 유무의 기재는 필수이다.

또 내시경에서 이상이 확실하지 않은 부위라도 조직학적으로 소견이 확인되기도 하므로, 병리에서는 가능한 다수의 생검조직을 채취해주면 고마운 일이다. 특히 감별진단이 어려운 경우에는 광범위하고 소견이 다른 부위에서 다수의 생검채취가 필수적이다.

본 항의 기재를 읽으면 병리조직만으로도 대부분의 장염을 진단할 수 있을 것 같은 인상을 받을 수도 있겠지만, 실제 증례에서는 소견이 애매하거나 여러 가지 특징을 보이는 증례도 있어서 역시 임상소견 없이는 올바른 진단을 내리기가 어렵다.

표 1　장의 염증성 질환에서 병리조직소견의 체크항목

1. 병리조직만으로 확정 진단 가능(특이적 소견의 체크)

특이적 감염증	바이러스 봉입체, 충체의 검출
유전분증	아밀로이드의 침착
교원질성 대장염	만성 염증과 표층상피 바로 아래의 비후된 교원섬유다발

2. 병리조직의 소견에 따라서 어느 정도 유추가 가능한 질환(특징적 소견의 체크)

a. 점막의 염증 정도가 비교적 경도인 것

허혈 대장염(허혈성 변화)	부종과 상피손상(괴사)
점막탈출 증후군	상피의 재생성 변화와 간질의 섬유근증
호산구 대장염	호산구만의 현저한 침윤
특발성 장간막정맥경화증	정맥벽의 초자화와 간질의 섬유화
위막성 대장염	점막 표면의 호중구를 포함한 섬유소성 삼출물
NSAIDs 유발 대장염(궤양)	염증은 경도, 음와심부의 핵종대와 아포프토시스 소체
항암제 관련대장염	상피세포의 변성과 거대핵 출현, 아포프토시스 소체
이식편대숙주병(GVHD)	음와의 소실, 잔존음와의 아포프토시스 소체
방사선 대장염	동맥벽 초자화와 내피하 포말세포, 상피세포의 핵종대와 아포프토시스 소체, 기이한 섬유아세포

b. 염증이 미만성으로 고도인 것

IBD(궤양성 대장염, 크론병)	저부 형질세포증가증, 음와왜곡, 음와심부의 확장을 수반하는 음와농양, 좌측대장의 Paneth세포 화생 등
	*유상피세포육아종의 검출 = 크론병
감염 대장염	(상기소견의 결여)

c. 기타

육아종성 질환	유상피세포육아종의 검출
장벽낭상기증	점막에 현저한 변화는 없고, 점막하층의 이물 육아종

소화기를 전문으로 하지 않는 병리의가 모든 염증성 장질환의 특징을 반드시 이해하고 있다고 할 수 없으므로, 병리진단을 임상진단에 맡기는 경향이 있는 것이 현 상황이다. 우선은 소화관을 전문으로 하는 임상의로부터 병리의에게 감별진단을 시사해야 하지만, 병리의로부터의 진단보고서에는 각 질환에 합당하는가의 여부뿐 아니라, 특징적 병리조직소견(표 1)의 유무가 기재되어 있는가를 체크한 후에, 그 병리진단의 타당성을 평가해야 한다. 그리고 진단이 어려운 증례는 병리의(특히 소화관전문의 병리의)와 충분히 토론하기 바란다.

문헌

1) Day DW et al : Normal anal region. Morson & Dawson's Gastrointestinal Pathology, Wiley-Blackwell, Oxford, 2003
2) Talbot IC et al : Biopsy Pathology in Colorectal Disease, 2nd ed, Hodder Arnold, London, 2006
3) 田中正則：大腸の炎症性疾患—生検診断のアルゴリズム. 病理と臨 26：784-794, 2008
4) 八尾隆史：大腸の炎症性疾患—肉眼所見の読み方. 病理と臨 26：776-783, 2008
5) 池田圭祐ほか：大腸炎症性疾患の病理診断—肉芽腫の鑑別を中心に. 病理と臨 26：795-802, 2008

감염 대장염의 병원체를 **07** 추정하기 위한 검체검사

◡ 감염 대장염의 원인병원체는 여러 갈래에 걸쳐서 증상도 다양하게 나타난다.

◡ 발열에 추가하여 탈수증상도 드물지 않게 겪게 되는데 설사, 복통, 오심이나 구토 등의 소화기 증상이 감염 대장염의 일반적 증상이다.

◡ 전 증례에서 미생물학검사가 필요한 것은 아니지만, 일본에서 요즈음의 감염대장염의 발생상황을 고려하여 병원체의 검색을 권장하는 증례에 관히여 개설하였다.

A | 병원진단을 위한 배양검사가 필요한 경우[1]

◡ 다음 중에서 어느 하나에 해당하는 경우에는 세균배양검사가 권장된다. 그 밖에 환자가 식품관계의 직종이거나, 영유아, 고령자의 간호관계자인 경우에도 배양검사를 시행해야 한다.

◡ 식품 · 물을 통한 감염사례 : 일본에서 흔히 볼 수 있는 산발적 발생사례는 식품이나 물을 통해서 발병하는 감염 대장염이다. 추정원인으로 많은 것은 불고기나 꼬치 등, 생고기나 가열이 충분하지 않은 닭고기나 소고기, 계란 및 그 관련식품, 샐러드나 생야채, 생선 어패류, 생굴, 풀장에서의 수영 등이다. 원인식품이나 그 잠복기를 고려하여 원인병원균을 추정할 수 있다.

◡ 애완동물을 통한 감염사례 : 애완동물과 일상생활을 함께 하는 요즈음에는 애완동물로부터의 접촉감염이 있다. 문진에서 의심스러운 상황을 알게 되면 반려동물로부터 병원체의 임상미생물학적 방향을 잡을 수 있다.

◡ 해외에서의 감염사례 : 근년 해외여행자의 증가와 함께, 여행자 설사는 일상진료에서 접하는 빈도가 높으므로, 언제, 어느 정도의 기간, 어느 나라나 지역에 체류했는가를 문진으로 정보를 입수하는 것이 중요하다.

◡ 항생제 관련 사례 : MRSA대장염이나 *C. difficile*균에 의한 항생제관련 대장염도 알려져 있으므로, 발병 1주전까지의 항균제 투여력의 확인이 중요하다.

B | 장관계 감염증에서의 원인병원체[1]

◡ 표 1은 분변이나 직장점액 도말재료에서 검색대상이 되는 주요한 감염 대장염 원인병원체이다.

◡ 일상진료에서 대상이 되는 주요한 병원체는 질환의 빈도와 중증도에서 캄필로박터, 살모넬라, 장출혈 대장균이며, 여름철에는 장염비브리오, 겨울철에는 로타바이러스 등이다.

표 1 분변/직장점액에서 검색대상이 되는 주요한 장염 병원미생물

세균	살모넬라	장티푸스균 파라티푸스A균 그 밖의 살모넬라
	세균이질균	시가균 플렉스네리균 보이디균 존네균
	비브리오	콜레라 O1 콜레라 O139 NAG 비브리오/NCV/non O1/O139 비브리오 장염비브리오 그 밖의 비브리오
	캄필로박터	Campylobacter jejuni Campylobacter coli 그 밖의 캄필로박터
	장염 대장균	장병원성 대장균(EPEC) 장독소 대장균(ETEC) 장침습 대장균(EIEC) 장응집 대장균(EAggEC) 장출혈 대장균(EHEC) or 베로독소 생산성 대장균(VTEC) or 시가(志賀)독소 생산성 대장균(STEC)
	기타	엔테로콜리티카균 프레지오모나스 · 시게로이데스 에로모나스 · 히드로필라 디피실균 세레우스균 황색포도구균(MRSA를 포함) 기타
원충		이질 아메바 람블편모충 크립토스폴리듐 이소스포라
바이러스		로타바이러스 노로바이러스 장관아데노바이러스

(문헌2에서 일부 개편)

- 노로바이러스에서 발생하는 장염의 빈도는 높지만, 일반의료기관의 세균검사실에서 대응이 가능한 검사진단법이 없으므로, 집단식중독이 발생되어 임상진단에서 불안하면 가장 가까운 근처의 보건소에 신고한다.

- 해외여행자에서는 장독소/장침입 등의 장염 대장균, 콜레라, 세균이질이나 장티푸스, 파라티푸스 등의 감염 원인균이나 원충까지도 대상으로 한다.

- 항생제 관련 대장염에서는 *C. difficile*나 MRSA가 대상이 된다.

- 진단법에는 배양법 외에 병원체, 병원인자, 독소검사 등의 신속진단법이 있다. 특히 장출혈 대장균이 의심스러울 때의 대장균 O157항원과 베로독소, 소아설사의 원인인

표 2　대장염을 일으키는병원미생물과 그 대변의 특성(便性) 등

병원미생물	진흙상	물성	점액	혈액	기타
콜레라균	++	+++	−	±	백색수양변(쌀뜨물 같은)
장염비브리오	++	++	++	+	부패냄새
에로모나스 · 히드로필라	+	++	+	±	
프레지오모나스 · 시게로이데스		++	−	±	
살모넬라	++	+++	++	±	황색수양변
이질균	+	+	++	++	점액냄새
EPEC	++	++	+	±	황색수양변
ETEC		+++	−	−	황색수양변
EIEC		+	++	+	
EHEC				+++	용혈성 요독증
예르시니아		+++	−	−	말단회장염, 충수염
캄필로박터	+		+++	++	점혈변, 때로 균혈증
세레우스균	++	+++			
디피실균	++	++	++	++	위막성 대장염
보툴리누스균	±		−	−	
황색포도구균(장염, MRSA)			++	++	
황색포도구균(식중독)		+++	+		
아메바 대장염			+++	++	딸기젤리 같은, Charcot−Leyden 결정

(문헌2에서 일부 개편)

로타바이러스 · 장아데노바이러스의 항원, 약제 관련 대장염이나 원내발생 대장염을 일으키는 *C. difficile*이 생산하는 toxin A/B를 들 수 있다.

✓ 검사 의뢰시에는 임상정보, 검체정보를 검사실에 확실히 제공한다. 정확한 환자정보를 검사실과 공유하는 것이야말로 검사실에서 최선의 검사법을 선택하게 한다.

✓ 검사개시 후 2일이 지나면 최소한의 정보를 얻을 수 있으므로, 검사실에서 중간정보/경과를 입수할 수 있다. 검사실과의 긴밀한 협력이야말로 적절한 치료에 도움이 될뿐 아니라 감염의 확대방지로 연결되는 것이다.

▶ C | 원인병원체의 추정에 필수인 대변 특성(便性)의 관찰[3]

✓ 표 2에 대장염을 일으키는 주요한 병원체와 그 대변의 특성에 관하여 기술하였다.

✓ 어느 증상일 때에 배양검사를 시행하는가가 중요하다.

✓ 증상 그 자체에서 병원체가 추정되는 경우도 있지만, 확진은 배양검사로 해야 한다.

✓ 일반적으로 38℃ 이상의 발열, 하루 여러 번의 설사, 혈변, 복통이나 구토 등이 확인되는 증례가 배양검사의 대상이 된다. 특히 대변의 특성은 감염부위나 원인미생물을 추정하는 데에 중요한 열쇠가 되므로, 육안으로 확인은 필수이며 결코 생략해서는 안 된다.

그림 1 · 농성를 포함하고 부패냄새가 나며, 혈액이 혼입된
캄필로박터 대장염 환자의 진흙 같은 변

그림 2 · 분변의 직접 그람염색소견/캄필로박
터에서 특유의 나선상 그람음성간균

그림 3 · 진흙 같은 점액성분이 다소 확인되는 살모넬라 식
중독환자의 설사변

✓ 혈변은 장출혈 대장균 대장염을 비롯해서 캄필로박터, 세균이질, 장염비브리오, 살모
넬라 등에서 볼 수 있다. 그림 1은 성인의 캄필로박터 장염에 나타나는 진흙 같은 점
액 설사변이다. 또 소아의 전형례에서는 점액성 혈변인 경우가 많다.

✓ 그림 2는 그 직접도말표본의 그람염색소견으로, 캄필로박터에서 특유의 나선상 간균
이 관찰된다. 변의 그람염색에서 추정이 가능한 캄필로박터 대장염에 관해서는 확실
한 지식으로 이해해 두기 바란다.

✓ 장출혈 대장균에서는 선홍색 혈변이, 아메바 대장염에서는 딸기젤리상의 점혈변이 보
이는 것이 특징이다. 이 혈변을 수반하는 변성은 대장의 병변을 시사하는 소견이다.

✓ 대부분의 병원체가 수양변(물설사)을 야기하며 세균에서는 살모넬라, 캄필로박터, 장
염비브리오, 장독소 대장균, 콜레라균, 바이러스에서는 노로바이러스, 로타바이러스,
원충에서는 람블편모충이나 크립토스폴리듐에서 나타난다.

✓ 심한 수양변은 소장의 병변을 시사하는 소견이다.

✓ 살모넬라 장염에서는 수양변 이외에 걸쭉한 진흙 같은 변이 나타난다. 그림 3은 성인

의 살모넬라 식중독환자에게 나타나는 진흙 같은 변으로, 점액성분이 다소 확인된다.

D | 대변 특성 이외에 유의해야 할 사항

- 대변 특성 이외에는 환자의 감염 요인을 확인하는 것이 중요하며, 항균제 사용의 적응에 중요하다.
- 소아와 고령자는 그 자체로 충분히 감염 요인이다. 또 만삭인 임부는 모자감염의 가능성이 있다.
- 2009년 봄에 출현한 신형 인플루엔자 H1N1이 맹위를 떨치는 중에도 임부의 사망률이 유난히 높은 점이 미국을 비롯하여 여러 나라에서 주목되었다.
- 일본에서도 신형 인플루엔자 H1N1 감염자의 사망사례가 오키나와, 고베, 나가노를 비롯하여 가지에서 보고되었는데, 인공투석 중이나 당뇨병 치료 중인 경우 등, 일종의 기저질환이 있는 환자의 중증사례가 주목되었다.
- 임부나 당뇨병 이외에도 만성 간질환, 신부전, 위질환, 대장질환, 악성종양, 알콜 중독, 판막 치환술 등의 체내이물삽입 등이 해당되므로 유의해야 한다.

E | 세균학적 배양검사의 의뢰

- 확진에는 어느 시기에 미생물학적 검사를 의뢰해야 하는가가 중요하다. 배양검사는 원칙적으로 항균제 투여전의 시행이 기본이다.
- 급성기에는 대량의 원인병원체가 분변으로 배출되지만, 항균제가 투여되면 내성균이 아닌 한 검출률이 현저하게 저하된다. 단, 항균제를 사용하고 있다는 이유에서 배양검사를 단념해서는 안된다. 항균제 투여를 개시하고 있는 취지를 세균검사실에 전달하는 등, 환자의 정보를 검사실과 공유하는 것이 중요하다. 이와 같은 증례에서는 세균검사실에서 통상의 배양에 추가하여, 수가 감소하고 있는 상태라도 원인병원체 검출이 가능한 증균배양의 과정을 추가한다.
- 검체는 내원시의 신선변이 가장 적절하지만, 채취가 어려운 경우는 멸균면봉으로 직장 도말로 채취한다.
- 감염이 잘되는 숙주나 고열환자에서는 균혈증을 고려하여, 혈액배양의 병행이 중요하다. 특히 살모넬라 장염에서는 고열시에 균혈증을 동반한다고 알려져 있다.

F | 배양검사 성적의 해석

- 분변에는 다수의 상재세균이 혼재되어 있어서 검출균이, 즉 원인균이 되지 않는다.
- 병원균이라고 판단이 가능한 것은 세균이질, 콜레라균(O1 및 O139), 티푸스균, 파라티푸스 A균, 또 베로독소 생산성 장출혈 대장균이다. 그 밖에 비티푸스성 살모넬라, 캄필로박터, 장염 비브리오, 에로모나스, 바이러스에서는 로타바이러스, 장관아데노바이러스, 노로바이러스, 원충에서는 람블편모충, 크립토스폴리듐이 있다.

- 종합적 판단에서 원인균이라고 추정할 수 있는 것에 대장균, 황색포도구균, 디피실균 등이 있다. 대장균은 베로독소, 이열성 독소, 내열성 독소, 장관흡착성 부착인자, 장침입성 인자 등의 병원인자를 보유하는 경우만 원인균이라고 판단한다.

- 일반 세균검사실에서 시행되는 혈청형은 어디까지나 기준으로, 집단발생이 아닌 한 혈청형만으로 즉 원인균이라고 판정할 수 없다. 황색포도구균, MRSA, 디피실균도 검출된 것만으로는 원인균이라고 판정할 수 없다.

- 일상진료에서 혼동스러운 것은 대장균이 검출된 경우로, 혈청형의 기재가 있으면, 그것만으로 장병원성 대장균이라고 판단하기 쉽다. 장염 원인 대장균이라 하면 병원인자의 확인이 필수이며, 일반 검사실에서 검사가 가능한 병원인자는 베로독소뿐이라는 점을 이해하고 있어야 한다.

- 산발례에서 경증례 전부에 베로독소 검사를 하는 것은 비용을 고려할 때 이로운 정책이 아니며, 반대로 장출혈 대장균 감염증이 의심스러운 경우에는 혈청형에 관계없이 베로독소시험을 실시한다. 바꿔 말하면, 대장균 이외의 베로독소 생산균의 존재가 알려져 있는 것이다. 베로독소 이외의 병원인자의 검사는 식중독이나 집단발생의 경우에 상담하는 것이 최선이다.

문헌

1) 川上由行：各種感染症の臨床細菌検査，腸管系感染症の臨床細菌検査．臨床検査法提要，改訂第32版，金井正光ほか（編），金原出版，東京，pp1066-1074，2005
2) 川上由行ほか：消化器感染症の病原体検索—臨床医へのアドバイスを中心に．アトラス消化管感染症，消化器内視鏡 **21**：359-365，2009
3) 川上由行ほか：消化器感染症．新・カラーアトラス微生物検査（Medical Technology 別冊），山中喜代治（編），医歯薬出版，東京，pp132-135，2009

염증성 장질환의 감별진단에서의 돌파구

내시경에 의한 감염을 둘러싸고

- 내시경을 통한 감염사고는 상부 소화관내시경에 수반하는 *Helicobacter pylori*감염에 의한 급성 위점막병변이 흔히 알려져 있지만, 대장내시경에서도 살모넬라균, 병원성 대장균, C형 간염바이러스 등 여러 가지 병원미생물의 감염이 보고되어 있다[1~3].

- 감염이 일어나도 내시경을 통한 감염사고라는 것을 증명하는 경우가 드물고, 이 보고들은 「빙산의 일각」에 불과하다.

- 내시경기기의 세정·소독에 관한 가이드라인이 몇 군데 학회에서 작성되어 있지만, 대장내시경기기의 세정·소독은 기본적으로 상부 소화관내시경과 똑같이 하면 된다. 그러나 ① 대장내시경 시행 중에 피검자의 변이나 혈액으로 내시경실내가 오염된다. ② 감염성 장염이라고 판명되기 전에 대장내시경검사를 시행하는 경우가 있다. ③ 위막성 대장염의 원인균에서 소독약에 저항성이 강한 아포형성균의 일종인 *Clostridium difficile*의 존재 등, 대장내시경에서의 감염관리는 상부 소화관내시경 이상으로 충분한 고려가 필요하다.

<감염경로(그림 1)>

- 내시경의 감염경로에는 환자의 혈액이나 체액으로 오염된 내시경기기를 통해서 다음에 사용한 환자에게 감염되는 경로(환자-내시경기기-환자)와, 주변환경에서 오염된 내시경기기를 통해서 다음에 사용한 환자에게 감염되는 경로(주변환경-내시경기기-환자)의 두 가지가 있다.

- 부주의한 내시경 종사자가 있으면, 청결한 의료기기를 오염된 장갑을 낀 채 만지거나(의료종사자-내시경기기-환자), 내시경 실내를 오염할 가능성이 있다(의료종사자-주변환경-내시경기기-환자).

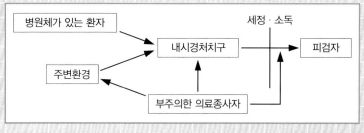

그림 1 · **감염경로**　　　　　　　　　　　　　　　(문헌5에서 인용)

표 1 Spaulding의 분류와 필요한 소독레벨

1. 위험한 것(내시경처치구)
   - 멸균(오토크레이브, 에틸렌옥사이도가스)
   - 1회용
2. 다소 위험한 것(내시경, 초음파탐촉자 등)
   고도작용소독 : 글루탈알데히드, 과초산, 오르토프탈알데히드 강산성수
3. 위험하지 않은 것(베드, 광원장치, 모니터 등)
   중도 내지 저도작용소독 : 소독용 알콜, 차아염소산나트륨, 염화벤잘코늄 등

<내시경기기의 재생처리>

- 내시경기기의 재생처리는 Spaulding의 분류[4](표 1)에 따라서, 점막과 접촉하는 내시경이나 초음파탐촉자는 「다소 위험」한 의료기기에 해당되고 고도작용소독, 조직이나 혈액과 직접 접촉하는 대부분의 내시경처치구는 「위험」한 의료기기에 해당되어 멸균 내지 일회용을 사용한다.

- 이 재생처리는 표준적 예방책의 원칙에 따라서 1회검사마다 한다.

① 내시경

- 사용 후의 내시경은 우선 채널 내의 브러싱을 포함한 세정을 한다. 세정이 불확실하여 점액이나 혈액이 내시경에 부착되어 있으면, 그 부분에 소독약이 침투되지 않아서, 결과적으로 불충분한 재생처리가 된다. 세정을 확실히 하면, 부착된 균수를 10^3에서 10^4 이하로 줄일 수 있다.

- 그 후, 고도작용소독제를 사용하여 소독한다. 현재, 일본 소화기내시경학회에서 권장하고 있는 소독제는 글루탈알데히드 외에, 오르토프탈알데히드(디스오파®), 과초산(아세사이드®), 강산성수의 네 가지이다.

- 강산성수는 값이 저렴하고 인체에 영향이 적지만, 항산균에 대한 소독효과가 낮으며 안정성에도 문제가 있다.

- 오르토프탈알데히드나 글루탈알데히드는 항산균을 포함한 고도작용소독이 가능하지만, 아포 형성균에 대한 소독효과가 낮으며 전술한 *C. difficile*의 감염이 우려된다.

- 과초산은 가장 살균효과가 높아서 아포 형성균을 포함하여 멸균에 가까운 소독이 가능하다. 그러나 전용 자동세정기가 필요하다는 점과 시간이 경과함에 따라서 효과가 줄어든다는(24시간에 3회 사용하는 정도의 열화가 일어난다) 단점이 있으며, 비용이 든다는 문제가 있다.

- 어느 소독약도 장·단점이 있지만, 각 소독약의 특성을 이해한 후에 각 시설의 상황에 맞추어 선택한다.

- 또 소독은 작업의 확실성, 균일성, 인체에 대한 영향의 경감이라는 면에서 자동세정기를 사용하는 것이 바람직하다.

② 내시경처치구

- 내시경처치구는 초음파세정을 포함한 세정을 충분히 한 후, 멸균팩에 넣어서 오토크레이브

나 에틸렌옥사이도가스로 멸균한다. 전자가 보다 확실히 멸균이 가능하므로, 내열성이 있는 처치구는 가능한 한 오토크레이브에 의한 멸균이 바람직하다.

- 일회용 제품은 비용이 문제이지만 안정성이나 스텝의 노력의 경감에 도움이 된다. 또 일회용 제품은 재생처리를 상정한 구조로 되어 있지 않아서 재사용해서는 안된다.

<내시경 실내의 오염>

- 내시경기기의 세정·소독에 머물지 말고 내시경실 전체의 위생환경에 신경써야 한다.

- 특히 전처치가 불충분한 경우나 긴급 대장내시경에서는 피검자의 변이나 혈액으로 베드나 바닥을 비롯해 내시경 실내가 오염되어 있으므로, 검사 종료 후에 소독약을 사용하여 충분히 청결하게 닦아낸다.

- 베드나 바닥(위험하지 않은 것)의 소독에는 고도작용소독제를 사용할 필요는 없고, 중도 내지 저도작용소독제로 한다.

<의료종사자의 감염예방>

- 환자간의 감염뿐 아니라 의료종사자 자신도 감염에서 몸을 지키는 배려가 필요하다.

- 내시경 시행시에는 피검자가 어떤 감염증에 걸려 있는지 불분명한 경우가 많으므로, 평소에도 고무장갑, 마스크, 안경, 격리가운 등의 보호구를 착용한다[6].

- 응급내시경 시행시에는 특히 감염예방에 대한 배려가 필요하다.

‖ 문헌 ‖

1) Spach DH et al : Transmission of infection by gastrointestinal endoscopy and bronchoscopy. Ann Intern Med **118** : 117-128, 1993
2) Dwyer DM et al : Salmonella Newport infections transmitted by fibroscopic colonoscopy. Gastrointest Endosc **33** : 84-87, 1987
3) Bronowicki JP et al : Patient-to-patient transmission of hepatitis C virus during colonoscopy. N Engl J Med **337** : 237-240, 1997
4) Spaulding EH : Chemical disinfect of medical and surgical materials. Disinfection, Sterilization and Preservation, Lawrence CA and Block SS eds, pp517-531, Lea & Febiger, Philadelphia, 1968
5) 赤松泰次：内視鏡室における感染事故の予防と対策. 内視鏡室のリスクマネジメント, 赤松泰次 (編), 南江堂, 東京, pp1-5, 2003
6) 赤松泰次ほか：内視鏡における感染管理の基本とコツ. 消内視鏡 **17** : 1485-1491, 2005

찾아보기

영어 찾아보기